Para mi querido primo,
'one' (Juan) Carlos
(Mi libro, que pronto repondre)
¡ Con mucho cariño!

Mini

LA NOVELA DE MI VIDA

MARCOS AGUINIS

LA NOVELA DE MI VIDA

SUDAMERICANA

Aguinis, Marcos
La novela de mi vida - 2ª ed. - Buenos Aires :
Sudamericana, 2016.
400 p. ; 23x16 cm. (Biografías y Testimonios)

ISBN 978-950-07-5493-4

1. Biografía. I. Título
CDD 923

Primera edición: abril de 2016
Segunda edición: mayo de 2016

© 2016, Marcos Aguinis c/o Schavelzon Graham Agencia Literaria S.L.
www.schavelzongraham.com
© 2016, Penguin Random House Grupo Editorial, S.A.
Humberto I 555, Buenos Aires
www.megustaleer.com.ar

Printed in Argentina – Impreso en la Argentina

ISBN: 978-950-07-5493-4

Queda hecho el depósito que previene la ley 11.723.

Esta edición de 3.000 ejemplares se terminó de imprimir en Arcángel Maggio – División Libros,
Lafayette 1695, Buenos Aires, en el mes de mayo de 2016.

Penguin
Random House
Grupo Editorial

ÍNDICE

ÍNDICE

PRIMERA PARTE

Eclosión de brotes

A los nueve años vi llorar a mi padre por primera vez. Era mi modelo, casi un dios. Jamás se había quebrado delante de mí. Exhibía musculatura en los brazos y cargaba sobre su espalda roperos, mesas y sofás de la mueblería. Superaba en fortaleza a los dos empleados que lo asistían. Parecía Sansón, aunque petiso, semicalvo y cariñoso, de grandes y melancólicos ojos negros, que escuchaba con respeto a quienes consideraba más informados (como su cuñado León) y solía despertar sonrisas durante paseos y comidas con inesperadas ocurrencias. Pero nunca había llorado.

Yo jugaba en el patio central de nuestra casa en Cruz del Eje, bajo la sombra del algarrobo sostenido por un tronco azabache de un metro y medio de diámetro; su densa copa cubría todos los techos, desde la mueblería hasta el último rincón de la lejana cocina. Papá cruzó con apuro, casi a la carrera, seguido por mamá. Se encerraron en el dormitorio, único ambiente blindado de la casa. Me acerqué a la puerta para escuchar qué decían. No polemizaban, no gritaban. Susurraban, desmadejaban un secreto. Al rato emergió papá con los ojos irritados.

Hipaba, se frotaba las sienes, giraba la cabeza en busca de alguna salida. Avergonzado, me dio la espalda y corrió hacia el fondo del patio, donde había tres higueras y un gallinero. Se puso a derramar maíz sobre las cabezas de las aves mientras su mano izquierda estrujaba un pañuelo.

—¿Qué te pasa?

Evitó mirarme.

—Ya lo sabrás.

—Cuándo. Decime.

—Ya lo sabrás.

Me enteré más tarde. Le había llegado una carta en la que se describía el destino de su padre, Herman, y sus dos hermanas. Los nazis habían invadido el poblado de Iedente, en Besarabia (actual Moldavia), y arrancaron de sus viviendas a todos los judíos. Después los empujaron con insultos, golpes de culatas y ladridos de perros hacia la calle. Apenas les habían dado tiempo para proveerse de una precaria maleta o armar un bulto con ropa y comida. Debían formar en el barro y trepar a los camiones que ya tenían los motores encendidos. Los amontonaban como ganado para llevarlos a la cercana estación ferroviaria, donde esperaban otros esbirros que los hacían subir a trenes cuyo destino final eran los campos de la muerte.

Mi abuelo Herman —al que nunca vi, ni siquiera en foto— había sido creyente y cumplía las prescripciones religiosas. Estaba en la fila de los inminentes mártires, con los pies hundidos en el lodo, frente a su casa. Advirtió que había olvidado el *talit* (manto ritual). Pidió que le permitiesen regresar a buscarlo. Un soldado le dijo que no. Volvió a implorar. Sus hijas, aterrorizadas por la peligrosa insistencia, le aconsejaron resignarse, ya conseguiría otro. Pero Herman se sentía desamparado sin su *talit*. Aprovechó una distracción de los militares para correr a buscarlo. Una ráfaga de balas lo derrumbó antes de alcanzar la puerta. Salpicado de sangre, rodó hasta quedar boca abajo en el fondo de la zanja encharcada. Sus dos hijas profirieron aullidos e intentaron auxiliarlo, pero las puntas de los fusiles las mantuvieron a raya. Herman fue seguramente devorado más tarde por los hambrientos animales que merodeaban la zona. Y las dos hermanas de papá se convirtieron en el humo que producía la eficaz industria genocida.

¿Dónde estaba el Dios del que me hablaba? Más adelante leí retorcidas teorías sobre el eclipse de Dios o su transitoria ausencia. Por momentos esas racionalizaciones me complacían. O tranquilizaban. O más bien generaban una curiosidad implacable, junto a un miedo peor: que Dios no existiese. Comencé a formular preguntas agresivas a papá. Entonces, con sus temblorosas respuestas, me hizo brotar dos pimpollos: la teología y el sionismo.

En esos días avanzaba la contraofensiva soviética que se había iniciado en la Stalingrado heroica, mientras lejos, en Normandía, se desarrollaba el desembarco del Día D. Pero los nazis no aflojaban, su alienación era imbatible.

Dios, si de veras existía, no ayudaba. Tío León visitaba a menudo nuestra casa con el deseo de comentar los sucesos mundiales. Llegaba en sulky y bajaba con el ejemplar de *Crítica* bajo el brazo, diario que dirigía el aguerrido Natalio Botana, abiertamente enfrentado al fascismo nacional e internacional.

Cada vez que aparecía el suplemento de historietas me lo regalaba con una sonrisa cómplice. Yo gozaba con los animados dibujos, que pronto empecé a reproducir con tanto fervor que hasta los hacía sobre el fino polvo que se acumulaba sobre los muebles del negocio. Con ese grosero método —muy obsesivo— aprendí a dibujar. Llegué a ganar tanta destreza que no dejaba superficie en blanco, sea en los márgenes de los diarios o cualquier papel inservible que para mis fines brindaba utilidad. Mi madre protestaba ante esa fiebre por llenar con rayas y curvas todos los espacios, como un barroco "ensuciador" compulsivo.

Cursaba quinto grado y se realizó un concurso de dibujos y pinturas en la escuela. Mi cartulina fue seleccionada para la "gran" exposición que se abrió en la Biblioteca Popular Jorge Newbery. Había pintado un amanecer fantasioso, con el gallo madrugador en el centro y un cielo cubierto de sangre, tanta, que parecía derramarse por fuera del marco. Las interpretaciones que se formularon —y escuché perplejo— eran fascinantes, pero ninguna armonizaba con la mía. El amanecer era simple ilusión. Lo central era la sangre de mis familiares asesinados en Europa. O la sangre que Dios podía ver, sin hacer lo que debía.

En la escuela tuve dos compañeros mellizos de diferente estatura y carácter, los hermanos Carrizo, que coloreaban sus cuadernos con insuperable habilidad. Los observaba durante largo rato, seducido por la contrastante garúa de su magia. Superponían colores y obtenían asombrosos matices intermedios. Entonces los empecé a imitar. Pero después de un año abandoné el color. Preferí descansar de estudios y lecturas con exigentes dibujos en blanco y negro.

Cuando se conmemoró el centenario de la muerte de San Martín dibujé al prócer de frente y medio perfil con tanta frecuencia, que asombré a mis amigos haciéndolo con los ojos vendados. No le faltaban el rulo en la frente, ni las largas patillas, ni la nariz vigorosa, ni una sonrisa suave de los labios, ni el alto cuello de su uniforme. Pronto extendí la galería de mis retratos a figuras descollantes de la historia, desde Sócrates, Pericles y Julio César, pasando luego por Maimónides y llegando a los grandes músicos y escritores del romanticismo. En esa etapa había desarrollado la técnica de la goma de borrar: agrisaba toda la hoja con lápiz y uniformaba el nublado con algodón. Afilaba la punta de la goma, como si fuera un punzón, y aclaraba las superficies sobresalientes del rostro hasta hacerlos brotar del papel. Me ilusionaba con estar utilizando la técnica de los grandes escultores renacentistas que extraían el mármol sobrante para que naciera la noble figura contenida en su interior. No sabía que algo parecido —más extremo— había inventado Rembrandt quien, del lienzo negro, lograba que nacieran sus creaciones.

Las artes plásticas eran una pasión que me sacudía con brío, mucho brío, pero que abandoné. No les di la oportunidad de convertirse en algo parecido a una profesión.

P rofesión en serio, por el contrario, fue la música. Diría que mi primera profesión.

Comenzó de forma curiosa. Tenía diez años cuando me frenó un retrato de Richard Wagner en el pasillo de ingreso al conservatorio que había en la diminuta Cruz del Eje, en el noroeste de la provincia de Córdoba. Wagner exhibía su vanidoso perfil, con boina y patillas que se propagaban como el césped bajo la desafiante mandíbula. Pasaron años hasta que escuché algo importante sobre ese compositor y, también, que le picaba la urticaria antisemita.

El conservatorio era elemental, con dos pianos verticales, uno para ser golpeado por los principiantes y el otro para uso de los alumnos avanzados. Hacia ese conservatorio me llevó mamá, vencida por la insistencia de mi demanda. Nunca supe por qué esa institución, provista de una sola docente, eligió el nombre de Wagner. Sí me enteré, tiempo después, de que el retrato había sido dibujado por ella, Dora de Hernández, propietaria de la casa, los pianos y encargada de enseñar. Sólo esto último no compartía con su marido, un elegante y donjuanesco funcionario de Correos. Daba clases individuales y tenía un oído tan fino que desde la cocina en el fondo del patio, a la que iba con frecuencia para cumplir con las tareas domésticas, gritaba el nombre de la nota correcta cuando pifiaba mi ejercicio. Esa corrección a distancia, semejante a un latigazo, no me gustaba. A los pocos meses de empezar avisé a mamá, lagrimeando, que prefería no seguir porque "la señora" era demasiado exigente. Mamá contestó: entonces es buena, es buena.

Los pianos estaban en habitaciones separadas, lo cual permitía dar clase a dos estudiantes por vez, uno incipiente y el otro adelantado. En el medio había una sala de espera donde me enamoré de dos chiquillas. Aún no tenía afirmados los gustos y por eso me erotizaron al mismo tiempo una morochita llamada Miriam y una rubia llamada Elsa. A los once años de edad ciertos hechos se afirman como rocas y por eso recuerdo con tanta claridad esos momentos. Las miraba fascinado, pero cuando alzaban sus ojos hacia los míos, me apuñalaba el temor de que hubieran descubierto mi hambre. Entonces me hundía, ruborizado, culpable, en el caprichoso dibujo de las baldosas. Pese a esa contradicción, me empeñaba en llegar temprano para encontrar a una u otra, aunque tuviese que esperar una eternidad. Mi timidez cruel impidió que soltase las palabras que hervían en mi cabeza, inspiradas en las aventuras de Tom Sawyer que había leído con embeleso y repasaba en la duermevela. Ni podía exclamar ¡hola! Esa maldita vergüenza me engrilló durante décadas. ¡Cuánto sufría! ¡Cuánta felicidad me retaceó! ¡Qué imbécil fui!

El padre de Elsa regentaba una panadería con hornos ciclópeos. A veces mamá compraba un cabrito entero en la carnicería de la otra esquina, donde revoloteaban las moscas. Lo adobaba con cebollas, tomates, aceitunas y otros ingredientes sobre una gran bandeja de acero que papá llevaba en sulky a esa gran panadería para ser horneado en el fuego más poderoso de la región. Yo abandonaba cualquier otra actividad para acompañarlo porque me urgía hallar a Elsa y esperaba descubrirla tras el mostrador, aunque sólo fuese para echarle una mirada.

Por fin tuve la oportunidad de hablar con ellas en el Día de la Música, que se celebra el 22 de noviembre en homenaje a la mártir santa Cecilia. Ya tenía catorce años y me sentía muy adulto. Esa tarde se había representado en la cancha de básquet del Club Independiente el primer y único ballet que compuse en mi vida y me permitió lamer el chocolate de una efímera celebridad. El ballet se titulaba *La marcha del desierto*, porque se refería a una caravana que recorre las arenas nordafricanas, es sorprendida por el *simún* (viento sahariano que describía con elocuencia Emilio Salgari en sus novelas), luego disfruta la alegría de un oasis idílico y, por último, reanuda su ondulante marcha hacia el horizonte. Constaba de cuatro partes, duraba unos veinte minutos y fue representado por veinticinco compañeros de mi colegio. A pesar de mi esfuerzo, no logro recordar cómo se generó en el aula tanto entusiasmo cuando brotó la idea. Se afanaron en conseguir ropas orientales, una precaria carroza para el sultán, trajes de odaliscas, plumas de colores vivos quitadas a un pavo real, turbantes, lanzas oxidadas y escudos de cartón. Incluso imitaron la marcha de jinetes con camellos. Mi rol, desde los ensayos, consistía en aporrear el piano del club.

Al instrumento se le había conectado un parlante. El público que rodeó la cancha fue bastante numeroso, con profesores, compañeros de otras divisiones y muchos padres. ¡Una multitud! Me figuraba lanzado a la galaxia de los grandes autores. Me comparaba con el joven Chopin, cuya vida acababa de disfrutar en la película *Canción inolvidable* protagonizada por Cornel Wilde. Recibí aplausos y vivas. Sentía haberme dilatado hasta conseguir las dimensiones de un titán.

Esa noche se celebraba en el conservatorio a santa Cecilia. Concurrieron alumnos, familiares, amigos y figuras respetadas del pueblo. Me felicitaron por el éxito del ballet. ¡Me felicitaron! *Tu* ballet, decían. Apabullado, pensé con acierto que nunca gozaría de una dicha más intensa.

Cerca merodeaban Elsa y Miriam, que no se acercaron. ¿Se sentían rechazadas por mí? ¡Qué castigo! Las

20

miraba implorante y, cuando sus ojos se fijaban en los míos, yo disparaba como un rayo hacia el techo o la alfombra. Me manipulaba el demonio. Luego de circular unas bandejas con bocaditos y refrescos, el esposo de doña Dora puso en marcha el tocadiscos e invitó a bailar a una mujer joven, mucho más bella que su esposa. Me impresionó la firmeza con que le apretaba el talle, introducía sus piernas entre las de ella y la hacía girar voluptuosamente en tangos, valses y milongas. Mi fiebre puberal me ilusionaba con hacer lo mismo con Miriam o Elsa: apretarles el talle fino, introducir mi rodilla entre las suyas, impresionarlas con giros inesperados y perfectos, sostener su mano derecha con mi dominante izquierda. Pero era imposible: no sabía bailar y no podía hablar a una mujer que sospechase mi deseo. El triunfo ganado por la tarde se diluía en la impotencia de esa noche.

Decidido a suicidarme, di unos sigilosos pasos hacia Elsa y comenté con los ojos puestos en la pareja: ¡Qué bien bailan! Elsa sonrió. Pero yo la dejé de inmediato, antes de que se produjese la catástrofe de su respuesta. Me dirigí al rincón donde Miriam conversaba con otras chicas. Allí pronuncié la misma exclamación seguida de idéntica fuga. No pude hacer más y mi memoria, inclemente, ha borrado lo que sucedió después. Quizás me hicieron ejecutar la música de *La marcha del desierto* en el piano principal, quizás me volvieron a aplaudir. Pero esos minutos fueron cubiertos por el paño sepulcral de una irremediable frustración. Yo me había reducido a la nada. De la gloria mantenida enhiesta hasta la mitad de la celebración, había caído en un pozo lleno de serpientes. Tenía ganas de componer nocturnos trágicos.

En 1949 se conmemoró el centenario de la muerte de Frederic Chopin. Tanto me había impactado la película *Canción inolvidable* que rogué ayuda a mi profesora para aprender algunas de sus mejores piezas. Mis padres compraron en Córdoba un álbum con treinta y dos composiciones del polaco, álbum que aún conservo bajo el taburete de mi piano como un amigo de toda la vida. En la tapa sobresalen en relieve su perfil anguloso y la fecha de su muerte: 17 de octubre de 1849. Sus gruesas hojas contienen las partituras de baladas, valses, estudios, nocturnos, mazurkas y polonesas. El 17 de octubre ya se había convertido en fiesta nacional argentina porque cuatro años antes, en 1945, una multitud de trabajadores rescató a Perón de la cárcel y fue bautizado Día de la Lealtad. En todo el país era obligatorio el feriado y celebrar actos alusivos. Pero por la noche —le concedieron a mi profesora— podía efectuar un concierto en homenaje a Chopin. Explicó a cuatro de sus alumnos, yo entre ellos, en qué consistiría. No había salón de conciertos en Cruz del Eje y a nadie se le ocurría utilizar el único cine.

Sobre el frente de su casa (el conservatorio), entre la puerta y el ventanal de la habitación que cobijaba el mejor piano, colgaría un retrato enorme de Chopin que ella dibujaría a carbonilla, como hizo con el de Wagner. La propaladora, que por las tardes ensordecía las calles del pueblo con música popular tajeada por avisos comerciales, instalaría dos parlantes junto al retrato para trasmitir, amplificada, la música del concierto. Cada uno de los cuatro mejores alumnos ejecutaría una o dos piezas. Ella completaría la secuencia con el *Estudio revolucionario* y la *Polonesa heroica*. Comentó haber trasmitido esa iniciativa al cura párroco de la iglesia que estaba al otro lado de la plaza, quien no sólo la estimuló a concretar su proyecto, sino que prometió instalar sillas frente al templo. Esa noche iba a ser inolvidable.

Entre las obras que yo tocaría, doña Dora eligió una mazurca y la enérgica *Polonesa militar*. Al anochecer comenzaron a llenarse la vereda, la calle y la plaza. Desde la ventana pude comprobar que a cien metros, en la vereda de la iglesia, se había sentado el párroco en persona con su acampanada sotana negra, rodeado de feligreses. Nunca hubo conciertos en ese pueblo, menos uno callejero, popular —"y peronista", completaba el marido de mi profesora, que ya se había afiliado al partido gobernante para asegurar su jerárquica posición en el Correo.

Por suerte pasó desapercibida una irregularidad. Nos visitaba mi primito Yayo, que vivía en Buenos Aires y tenía apenas seis años de edad. Era muy travieso y mis padres lo sujetaban con ambas manos. En un descuido se liberó, se desabrochó la bragueta y orinó exactamente bajo el gran retrato de Chopin. No hubo escándalo porque el silbido del pis agregaba valor orquestal.

Mis padres y tío León formaban una ronda de mate en el patio, bajo el dilatado algarrobo, o en la cocina. León había trabajado en las colonias pioneras que se formaron a principios de siglo en la Argentina, se casó con Berta, hermana mayor de mi madre, y tuvo dos hijos, mi queridos primos mayores Samuel e Isidoro. Pocos años después Isidoro se convertiría en mi guía ideológico. Para que pudieran cursar el colegio secundario, que por entonces no existía en Cruz del Eje, mi tía y primos se mudaron a la ciudad de Córdoba. A veces regresaban por unos días. Pero con más frecuencia León viajaba a la capital.

Mis padres no pasaron por las colonias. Papá había inmigrado a la Argentina para salvarse del servicio militar, donde eran inevitables los tormentos aplicados especialmente a los judíos. En Buenos Aires vivía su única pariente, hermana de mi abuelo Herman Aguinis, asesinado en Moldavia, como ya narré. Se había casado con un encuadernador, profesión que ahora se ha convertido en una senil extravagancia. No pudieron tener hijos y recibieron a mi joven futuro padre con regocijo. Pero sólo poseían un cuarto para todo uso en el barrio de Once, un hormiguero donde abundaban conventillos parecidos entre sí, compuestos por habitaciones húmedas que daban a un patio común o al corredor conectado con la gran cocina y el baño, también común, frente al cual eran incesantes las colas.

Tal vez sorprenda, pero a un conventillo semejante fui yo mismo a vivir en Buenos Aires al iniciar mi especialización en neurocirugía, décadas después.

Esa única tía de mi papá era ortodoxa. Cuando ella y su marido encuadernador hicieron una visita a Cruz del Eje, se alojaron en nuestra casa, como se estilaba entonces. En aquellos tiempos no importaba la falta de lugar: los espacios se fabricaban de cualquier modo, en cualquier parte. Se instalaban catres en los rincones o se tendían colchones en el piso. Aún recuerdo cómo mi mamá se sintió incomodada por las exigencias de esa tía, que no aflojaba con su obediencia a la *kashrut*. Había que separar la vajilla destinada a la carne de la destinada a los productos lácteos. No se podían comer pollos que no hubieran sido sacrificados mediante una completa eliminación de su sangre, y otras medidas por el estilo. Mis padres, en cambio, eran respetuosos de la religión, pero no ortodoxos.

Papá había llegado al puerto de Buenos Aires con una valija de madera y una cabellera abundante. La valija fue conservada como una alhaja durante décadas y desapareció en una reciente mudanza; la cabellera se le fue cayendo mucho antes. Trabajó en una fábrica de Dock Sud como cargador de bolsas. Su salario apenas le alcanzaba para pagarse el transporte y contribuir al alquiler de sus tíos, que le habían tendido un colchón en un ángulo del pequeño y cerúleo cuarto con olor a cola de pegar, donde apenas cabían un ropero y la mesa donde se efectuaban las encuadernaciones.

Después de unos años, papá se enteró de que en Córdoba vivía una familia de apellido Krutiansky, con la que se susurraba un lejano parentesco. Ahorró para viajar en tren y se presentó ante esa familia, previas cartas de anuncio. Ahí encontró tres hijas casaderas.

El aspecto y los modales de mi futuro padre impresionaron bien. La hermana mayor, Berta, se había casado con León Míndez y ya tenía dos niños. Continuaba Rebeca, muy inteligente y provista de una fuerte personalidad; hablaba y leía ruso, rumano e ídish, y tenía algo de entrenamiento en francés y latín. Quiso seguir estudiando al llegar a Córdoba, pero las carencias económicas la obligaron a emplearse en una tienda, donde asombró por su talento para las matemáticas. A mi padre le gustó enseguida, pero ella se resistió a iniciar un noviazgo. La siguiente hermana, Paulina, la más bella, había comenzado a relacionarse con David Malamud, un seductor imprentero que había publicado algunos poemas y bailaba con elegancia tangos, valses y milongas. La tradición consideraba una ofensa grave que se casara una hermana menor antes que la precedente. Paulina, por lo tanto, debía esperar el enlace de Rebeca. Pero Rebeca, mi futura madre, tardaba en superar sus dudas. Papá, más adelante, solía hacer bromas sobre las presiones que se ejercieron sobre ella para que aceptara al candidato llegado de Buenos Aires.

El menor de los seis hermanos era muy travieso y divertido: se llamaba Abraham. Hasta casi el final de su vida solía burlarse de mi papá y, con ilustrativo gesto, exclamaba: ¡José, te encajaron a Rebeca porque había que darle paso a Paulina! Es probable que Rebeca se haya decidido más por solidaridad con su hermana que por amor a José. Ella siempre se destacó por su febril disposición a ayudar, sean hermanos, cuñados o sobrinos; y esto le duró toda la vida, hasta llegar a una ancianidad que regalaba sostén y consejo sin límites.

Arreglado el matrimonio según los usos y costumbres de entonces —pero sin la dote que los padres de la novia solían brindar por tradición a los novios, porque no había dinero y faltaba casar a Paulina y Estela, la menor—, se fijó la fecha de la boda.

El tío que alojaba a mi padre en su cuarto multiuso del ghetto porteño en el barrio de Once se esmeró en fabricar un espléndido regalo con la colección en seis tomos del *Idishe Zeitung*, popular cotidiano en ídish donde publicaban las mejores plumas de aquel tiempo, incluso el futuro premio Nobel Isaac Bashevis Singer. Los encuadernó en tela roja y les grabó la cubierta y el lomo en letras doradas. Durante toda nuestra estancia en Cruz del Eje yo los miraba con cariño: formaban una guardia de honor encima de un ropero, luego viajaron a Córdoba y finalmente papá me los regaló cuando construí mi casa en Río Cuarto. La colección siguió intacta en un lugar privilegiado de mi biblioteca hasta que motivos de espacio me impulsaron a donar dos tercios de todos mis libros. Hice el ofrecimiento al gobierno de la ciudad de Buenos Aires. Cuatro expertos llegaron para determinar el valor de las obras. Con pocas excepciones, aceptaron la generosa donación, que incluía los seis tomos que había encuadernado el tío de papá y estaban aureolados por un incalculable valor histórico. Más adelante me arrepentí, obviamente. Había efectuado ese regalo a una biblioteca pública argentina que, desde hace tiempo —como casi todo lo estatal—, sufre decadencia: mejor la hubiera ofrecido a una institución privada. Tomé conciencia del error cuando necesité releer páginas de un libro que integraba mi legado y, en la Biblioteca Ricardo Güiraldes, donde prometieron mimar mi donación —a la que agregué el escritorio de patas labradas y el alto sillón de mi consultorio—, dijeron que había desaparecido. ¡Desaparecido! Una maldición que en la Argentina no se limita a los seres humanos, sino también a sus obras. Realmente notable.

Años antes, siendo aún soltero, mi padre dispuso trabajar horas extras para aumentar su asmático ingreso. Una noche estalló una de las sudestadas cuya potencia evoca los tsunamis. El río de la Plata levantaba olas monstruosas. Las puertas y ventanas que no estaban bien cerradas golpeaban contra las paredes y muchas se rompían. La entrada de la fábrica se cerraba con un alto portón de dos hojas, grandes como las de los castillos. Mi padre corrió a trabarlas. Antes de poder completar su trabajo, fue golpeado en la cara. Cayó sobre la ciénaga, ensangrentado. Se paró a duras penas y consiguió apalancar las criminales hojas de chapa y madera. Se limpió como pudo y, cuando se miró en el quebrado espejo que colgaba en el baño, se asustó. Acarició su nariz, parcialmente intacta, pero le brotaba sangre de las encías. Mordió un trapo para cohibir la hemorragia. Al día siguiente el dentista del hospital no titubeó en comunicarle la gravedad del accidente. Pronto tuvo fiebre y se le instaló una piorrea. El profesional fue sacándole los dientes con un mero empujón del dedo. Lo escuché contar este episodio cuando era adolescente y sentí dolor en mi propia boca. La desesperación de papá fue extrema y sólo empezó a mitigarse —lentamente— cuando le pusieron una dentadura postiza. En aquella época no existían los implantes y era casi universal el uso de dentaduras postizas a partir de los cincuenta años. Pero papá no había cumplido los treinta.

La boda se fijó para cuando estuviese recuperado de semejante desgracia. A mi mamá le aumentó la angustia por tener que casarse con alguien que empezó a gustarle, pero ya cargaba una minusvalía. Después mamá me dijo, con pudor, que de mi padre le habían atraído sus melancólicos ojos negros y, también, sus manos poderosas.

Los padres de papá se llamaban Herman (ya conté que murió en una zanja) y Matilde. Para el casamiento, el sitial de los ausentes fue ocupado por otras dos personas con los mismos nombres: el hermano de mi abuela materna, Sheindl, también se llamaba Herman y su esposa, también Matilde. Una feliz coincidencia que hizo tintinear supersticiones. El tío Herman era alto, elegante y rico (el gran Tío, un patriarca) y Matilde era medio loca, porque exhibía veleidades de improbables relaciones con la nobleza de vaya a saber dónde. El encargado de celebrar la ceremonia interpretó como signos auspiciosos que un Herman y una Matilde locales representaran al Herman y la Matilde que permanecían en Moldavia, a miles de kilómetros, aún estaban vivos y habían aceptado por carta esa representación para el casamiento de su hijo José. Pero los signos auspiciosos se quebraron a los pocos meses, porque falleció la Matilde de Moldavia. Para honrarla, descendió sobre mi cuerpecito recién nacido el nombre de ella. No me iban a llamar Matilde, por supuesto. Y se eligió Marcos entre varias opciones que empezaban con "ma".

Pasado un largo tiempo celebré la elección, porque Marcos fue el primer evangelista (aunque figura segundo en el Nuevo Testamento) y organizó la comunidad copta de Egipto. Marcos en hebreo es Mordejai (Mardoqueo), lúcido tío que asesoró a la reina Esther, según narra el único libro de la Biblia que jamás menciona a Dios, pero describe una salvación espectacular. Ese nombre me vinculó precozmente con los laberintos de la teología, lucubré más adelante. Y la teología pudo haberse convertido en otra de mis profesiones.

Pero ahora, en voz baja, me pregunto: ¿no la sigo ejerciendo?

Papá y mi abuelo Pinjas vaciaron trece jarras de cerveza en Cruz del Eje al enterarse por telegrama de mi nacimiento en la ciudad de Córdoba el 13 de enero de 1935 a la madrugada, en casa de mi abuela Sheindl, a unos ciento veinte kilómetros de distancia. Trece jarras porque era trece de enero. La estruendosa cervecería funcionaba en la misma casa que mis padres alquilarían tiempo después. El número trece se consideraba de buena suerte en las tradiciones populares judías. Sin embargo, prevaleció la superstición general sobre su carácter maligno, porque trece sumaban Jesús y sus apóstoles, entre los que figuraba Judas. En edificios de los Estados Unidos se saltean el piso trece. Tras deliberaciones cabalísticas de bajo vuelo, decidieron anotarme el quince de enero y, a partir de entonces, todos mis documentos repiten esa mentira.

La partera que atendió a mamá en un dormitorio poco estéril era una ineficiente comadrona. Surgieron complicaciones en el parto y luego en mi salud, cosas de las que se prefirió no hablar. Parece que bordeé la muerte. Ahora suelo bromear sobre mi irrupción en el mundo, que quizás sucedió en un mal momento. Sobre el que tampoco se quiso hablar.

Lo cierto era que mis padres ya se habían instalado en una precaria habitación de Cruz del Eje y mamá había viajado a Córdoba sólo para el parto. En Cruz del Eje residían Berta y León, dueños de un almacén elemental. Mi abuelo materno, Pinjas (Piñe en ídish, Pedro en castellano), solía viajar a esa localidad como vendedor ambulante y había formado una clientela modesta. Se alojaba en casa de mis tíos Berta y León. Le comenzó a resultar pesado seguir con sus viajes y ofreció donar su clientela al nuevo yerno. Ese y otros gestos ratificaron a mi padre que en la nueva familia —no sólo en Rebeca— prevalecía la solidaridad. Era más visible la solidaridad familiar que la divina, le dije más adelante, cuando empecé a cuestionarle su religiosidad demasiado acrítica.

Pinjas le enseñó el uso de unas tarjetas en cuya parte superior figuraban el nombre y la dirección del cliente, luego se especificaba el producto vendido y más abajo seguían las fechas y el monto de cada pago mensual. Los deudores recibían a Pinjas con afecto y a menudo le ofrecían un mate amargo, espumoso y tibio. No les molestaba que apareciera con puntualidad para reclamar la deuda, sino que estaban agradecidos por haber recibido una buena mercadería y no tener que salir de su casa para abonar la cuenta. Prevalecía otra cultura en la Argentina, con una decencia que ahora parece cuento. Quienes trabajaban al estilo de mi abuelo se llamaban *cuénteniks* en ídish, un neologismo que derivaba de la palabra española "cuenta". Vendían "a cuenta", a plazos.

Más adelante mis padres tuvieron la osadía de alquilar un salón para establecer una reducida mueblería. Habían conversado con el rico tío Herman, en Córdoba, dueño de un gran establecimiento que aceptaba venderles a bajo precio los primeros muebles. Fue un gesto de confianza que mamá, con el enhiesto sentido de la gratitud que la caracterizaba, nunca dejó de apreciar. Cuando empezaron a recibir mercaderías de otros orígenes, a quien primero pagaban era al tío Herman.

Ambos trabajaban en ese modesto salón y me llevaban en brazos desde el estrecho cuarto donde dormían, porque no se animaban a gastar en el lujo de un cochecito. Para que estuviese cómodo usaron un cajón de frutas que acolcharon con trapos y frazadas. Más adelante, al estudiar religiones, asocié el pesebre de Jesús con la cuna que fabricaron mis padres. ¿No es una pincelada teológica? A Moisés también lo acomodaron en una cesta que no habrá sido mejor que mi cajón de frutas. Los chicos de familias pudientes son excluidos de esta fabulosa experiencia primitiva.

Cruz del Eje era muy calurosa. Papá solía insultarla con la frase "Cruz del Loj", porque en ídish *loj* significa agujero, pozo. Allí operaba un importante centro ferroviario con talleres que ocupaban a centenares de obreros y funcionarios. Incluso el doctor Arturo Illia, que sería elegido presidente de la República, arribó como médico ferroviario desde su natal Pergamino con una recomendación de Hipólito Yrigoyen. Illia, además de atender en su consultorio, viajaba con frecuencia a Córdoba para tomar cursos de actualización y trenzar hilos de la política. Fue mi médico de infancia. Había llegado a convertirse en vicegobernador de la provincia y un golpe de Estado lo arrojó a la calle. Decidió regresar a Pergamino, porque ni siquiera tenía casa propia. Entonces brotó la iniciativa de efectuar una colecta entre los vecinos de Cruz del Eje para regalarle una casa e impedir su partida. Largos años más tarde visité de nuevo su sencilla vivienda. Todo parecía chico. Mis ojos se detuvieron sobre dos objetos del consultorio. Uno era la palangana en un rincón, donde los pacientes dejaban el pago de cada consulta, según les pareciera, porque el doctor Illia jamás fijaba el monto de sus honorarios. Cuando un paciente decía que no le alcanzaba para comprar los medicamentos recetados, él indicaba displicente: "Saque un billete de esa palangana". El otro objeto era un libro donde figuraban quienes habían contribuido a comprarle la casa. Mis rodillas temblaron al distinguir el nombre de papá, aún pobre, entre los vecinos que habían realizado las donaciones.

Luego mis padres alquilaron una casona, donde vivimos hasta que yo cumplí quince años, con un salón de ventas adelante, el ya mencionado gran patio central techado por el algarrobo gigante, dos habitaciones que servían de comedor y dormitorio respectivamente, un baño distante, que lindaba con otro patio de tierra donde había un gallinero y tres productivas higueras, una de frutos blancos tan dulces como la miel. Del otro lado se abría el sector destinado al sulky y un corral, donde descansaba y comía mi querido caballo Negrito. Una alta medianera separaba el corral hediondo de la hermosa Biblioteca Popular Jorge Newbery. Dos mundos.

A esa biblioteca me arrastró mamá a los seis años porque no me gustaba leer. Me presentó a la señorita Britos, que desde mi pequeña estatura se elevaba como un obelisco. Ella me revolvió los cabellos, acarició la mejilla y condujo a un rincón lleno de historietas. Me acompañó durante una media hora, para descubrir qué me gustaba más. En poco tiempo me elevó de las historietas a los libritos infantiles. Luego a los de aventuras. En pocos años me convertí en un asiduo concurrente. Hasta empecé a leer los diarios expuestos en lustrosas mesas de dos aguas. Antes de dejar Cruz del Eje, creo que había tocado, hojeado o deglutido todos sus volúmenes. Fue allí donde aprendí a gozar de la lectura. Muchos años después, Héctor Yánover, director de la Biblioteca Nacional, me preguntó:

—¿Sabés por qué esa biblioteca pública se llamaba Jorge Newbery?

—Supongo que para honrar a quien se consideraba el primer héroe de nuestra aviación.

—No. Se llamaba así porque era una biblioteca de alto vuelo.

Mi carcajada rubricó el acierto.

Nuestra humilde y vasta casona lindaba en la parte de atrás con la vía férrea. De modo que era inevitable escuchar el fragoroso rechinar de los trenes rumbo a la cercana estación. Las máquinas solían permanecer ronroneando durante horas, en espera de la autorización para ingresar en los talleres. Los familiares y amigos que llegaban de visita y se alojaban en nuestro hogar sobre catres y colchones improvisados, se aterrorizaban con las volcánicas flatulencias de las locomotoras o el chirriar asesino de las ruedas que frotaban los rieles hasta sacarles chispas. Cuando un tren se demoraba haciendo maniobras que taladraban la tierra y parecían derribar los techos saltaban de los catres y daban vueltas en el patio alrededor del algarrobo. Yo, familiarizado con esos ruidos inocentes, reía y me burlaba de la miedosa gente grande.

En la diminuta Cruz del Eje vivían unas diez familias judías. Con el tiempo se redujeron a tres; ahora no debe quedar una. Hacia el final de la Segunda Guerra Mundial (yo tendría diez años) empezaron a difundirse noticias sobre la matanza que más adelante se llamaría Holocausto. Todo sonaba monstruoso e increíble. Pero también se mencionaba la resistencia secreta, a menudo suicida y heroica, que se había desarrollado en varios países europeos, en ciudades y aldeas, en bosques y estepas. Muchos sobrevivientes se esforzaban por trasladarse a Palestina, país que tres décadas antes —luego de la Primera Guerra Mundial— fue cedido en mandato a Gran Bretaña por la Liga de las Naciones para facilitar allí la concreción de un Hogar Nacional del pueblo judío, hogar que los judíos ya habían comenzado a reconstruir, con febril entusiasmo, desde el siglo XIX, cuando toda la zona aún dormía bajo el imperio otomano y un endémico paludismo. Pero Gran Bretaña, incluso antes de la Segunda Guerra Mundial, había decidido traicionar la explícita misión del mandato y convertirla en colonia.

Enrique Konicoff era un relojero bajito de amplia cultura. Siempre se lo veía con un libro abierto sobre el mostrador de su negocio. Tenía en un anaquel de su biblioteca el *Tesoro de la juventud*, una colección de veinte tomos equivalente a una simplificada Enciclopedia Británica con cuentos, novelas resumidas, respuestas a los más variados porqués juveniles, historia, física, geografía y hasta matemáticas. Una vez lo espié por sobre el hombro mientras leía un poema de Victor Hugo. Le pedí que me dejase hojear uno de esos volúmenes y quedé flechado. Rogué a mis padres que me compraran la obra, solicitud que fue rechazada sin titubeos porque era demasiado cara.

Konicoff se jactaba de ser agnóstico y pluralista. Comenzó a organizar cenas de solidaridad con los Aliados. Los niños jugábamos en el patio de su casa cubierto por una frondosa parra de la que colgaban racimos de uva negra. De vez en cuando me asomaba al comedor y escuchaba las palabras encendidas de alguno que describía los avances en el frente ruso; otro habló con lágrimas sobre la liberación de París. En una ocasión me despegué de mis compañeros para presenciar el alucinante remate de un florero, una azucarera de plata y tres botellas de vino por cifras que podían pagar varios *Tesoros de la juventud*. Konikoff se había puesto de pie y exclamaba con el puño en alto: "¡Quién da más!" Entonces se levantaba una mano y luego otra y a continuación otra, subiendo el precio. Cuando regresábamos a casa, mis padres comentaban felices que se había colectado una buena suma para las víctimas de la guerra. Asocié a Konicoff con los bravos profetas bíblicos que describía papá.

Algo semejante sucedió en mi propia casa a fines del año 1947, tras haber sido votada en las Naciones Unidas la partición de Palestina en dos Estados, uno árabe y el otro judío. Sólo los judíos aceptaron la resolución, aunque significaba renunciar dolorosamente a gran parte del territorio que les había prometido la Liga de las Naciones en 1922. Les urgía concretar el sueño del renacimiento nacional en un territorio soberano y recibir a los cientos de miles de refugiados enloquecidos que sobrevivieron la masacre del nazi-fascismo. En cambio los líderes árabes, apoyados por Gran Bretaña, decidieron aplastar al Estado judío antes de su nacimiento. El secretario general de la Liga Árabe proclamó que las matanzas de Gengis Khan serían insignificantes en comparación con las que preparaban contra los judíos de Palestina. La canallesca obra de Hitler —gritaba Konicoff— no había resultado suficiente. Pero el mundo no se movilizó para detener la nueva e inminente catástrofe.

Durante un breve lapso Josef Stalin había decidido apoyar tácticamente la creación del Estado judío para eliminar de una vez y para siempre a Gran Bretaña del Oriente Medio. La declaración de Andrei Gromyko, su embajador en las Naciones Unidas, se había transformado en el reclamo más elocuente de los derechos judíos, que repetían con entusiasmo los bolches del mundo (cosa olvidada de modo asombroso años después). Para bloquear el sueño sionista, Gran Bretaña perpetraba la aberración de impedir que los espectrales sobrevivientes del Holocausto pudieran desembarcar en Palestina. La tragedia de los barcos *Exodus*, *Struma* y otros testimoniaba que no sólo los nazis podían ser crueles. Las tropas británicas requisaban las laboriosas poblaciones judías de Tierra Santa para quitarles las armas e impedir que preparasen su defensa. La hipocresía del gobierno mandatario hacía hervir la sangre. Incluso la mía, puberal y apenas informada. Sin darme cuenta, había empezado a chapalear en otras profesiones: la política y la historia.

Se acercaba la fecha de mi *Bar Mitzvá:* en enero de 1948 cumpliría trece años. No sabía de qué se trataba. Por esa época, y más en Cruz del Eje, eran desconocidas las fiestas ruidosas que se organizan ahora. Me mandaron a Córdoba para estudiar mi papel. Viajé en el Cochemotor, un tren blanco compuesto por dos vagones con asientos confortables, en uno de los cuales solía sentarse Arturo Illia con un libro en la mano cuando viajaba al Hospital Español de Córdoba. El tren se detenía en cada poblado de las turísticas sierras, donde se ofrecían atados de la aromática peperina, berro tierno y el rojo piquillín. Antes de llegar a destino el tren circunvalaba el dique San Roque, cuyas aguas rodeadas de montañas suaves me hacían soñar con los paisajes de las novelas animadas por el amor.

Me alojé en casa de tía Berta y dormía sobre un catre extra en la alcoba de mis primos.

Me llevaron a la vivienda del rabino, a quien observé con extrañeza. Era un anciano con una puntiaguda barba blanca, vestido de negro que no se sacaba el sombrero ni siquiera dentro de la habitación. En aquella época no se había difundido el solideo llamado *kipá*. Me pareció un personaje de otro mundo. En la sinagoga —que había visitado pocas veces—, los varones usaban el mismo sombrero que se encasquetaban para salir a la calle o incluso para bailar tango con gusto a suburbio.

Ese anciano, en su estudio que olía a ropa vieja, me enseñó el ritual milenario de ponerme las filacterias. Explicó que dentro del cubo que se fija sobre el brazo izquierdo (corazón) y el que se instala sobre la frente (cerebro), había breves textos de la Torá. Después me ayudó a memorizar las bendiciones. Como no entendía una sola palabra de hebreo y no había tiempo para que lo aprendiera, depositó sobre su descolorida mesa un cuaderno y un lápiz de punta afilada, para que dibujase la fonética de cada palabra. Yo apenas captaba el significado de los adormecedores sonidos. Cuando terminaba una frase, el rabino la traducía. También me hizo escribir en fonética la porción de la Biblia que iba a leer ante la congregación. Llené varias páginas que memoricé a solas, hasta obtener una fluidez aceptable. Era narcotizante. No sabía cómo, pero en aquellos momentos sentí que algo me conectaba con un nivel distante y maravilloso. Potente.

Lo visité a diario. Un día el rabino informó a papá que ya estaba en condiciones de pasar la prueba, pero convenía que concurriese a la sinagoga un par de veces antes de la fecha para familiarizarme con el ambiente. Las oraciones matinales tenían lugar a hora temprana. La sombría sala, con velas encendidas y símbolos religiosos, me generó un sigiloso temor. Allí no encontré otros niños ni mujeres, sino hombres de mediana o avanzada edad. Todos tenían la cabeza cubierta con sombreros. La mayoría usaba mantos rituales sobre los hombros. Estaban sentados alrededor de una mesa llamada *bimá*, donde se apoyaba el sagrado rollo de la Biblia. Rezaban sentados y a menudo se ponían de pie. Leían realizando cómicos movimientos del tronco: me pareció que practicaban ese balanceo para no dormirse. Más adelante supe de su fijación milenaria, y hasta Woody Allen no lo pudo evitar en una de sus películas mientras rezaba cómicamente en una iglesia.

Durante las etapas de mi *Bar Mitzvá* tuve un desempeño aceptable, según dijeron varios de los presentes. Pero las consideré opiniones falsas, complacientes: la angustia me había atenazado del principio al fin. Mi abuelo había traído un par de botellas de grapa (*bromfen*) y el voluminoso paquete con la torta de miel y nueces cocinada por mi abuela. Al finalizar la ceremonia se realizó un brindis en el que por primera vez atravesó mi garganta el fuego del alcohol.

Esa noche hubo una gran cena familiar en la casa de mis abuelos, donde se amontonaron cantidad de tíos, tías y primos. Nunca había disfrutado un cumpleaños semejante. Durante mucho tiempo conservé dos de los mejores regalos recibidos en esa oportunidad: uno era un diccionario de la lengua española en un par de volúmenes bellamente encuadernados. El otro me dejó sin habla: el *Tesoro de la juventud* en veinte tomos, obsequiado por el pícaro y afectuoso tío Abraham.

Me dijeron que debía seguir poniéndome las filacterias todos los días, durante toda mi vida. Estaba dispuesto a aceptarlo, porque me sentía religioso, pese al disgusto que mantenía con Dios por haber consentido la masacre del Holocausto. Al tiempo, no obstante, prevaleció la tendencia que suelen padecer los jóvenes: ser contestatario. Me convertí casi en un teólogo —autodidacta— para enterarme de qué era en verdad esa entelequia silenciosa llamada Dios. Hasta hacía poco, la teología había sido considerada reina de las ciencias. Sentí una rara atracción por ella, casi erótica, era una reina envuelta en textos que sugerían una misteriosa voluptuosidad. Y pronto, demasiado pronto, me sumergí en la lectura de toda la Biblia, el Corán y estudios sobre hinduismo y budismo. Mi primo Samuel seguía insistiendo en que la lectura de la Biblia produce locura. Isidoro, en cambio, ya había avanzado muchas leguas en el sionismo laico y revolucionario; poco le interesaba la religión.

En esos meses falleció tío León por la hemorragia de una úlcera de estómago. Permanecía en Cruz del Eje para terminar con la venta de su almacén. Recuerdo que en su mesita de luz guardaba un revólver. Se lo pedí para acariciarlo. Por primera vez mi mano sostuvo un arma. En mi cabeza aparecieron los cowboys de novelas y películas. Evalué su peso, su frialdad, su dureza. Pensé que sería bueno para matar a los ingleses que impedían el desembarco de los refugiados en Tierra Santa. Estaba descargado y apunté en diversas direcciones. León me advirtió que no hiciera eso, porque al revólver "lo carga el diablo". ¡¿Cómo que lo carga el diablo?!

Me gustó esa intervención sobrenatural.

La última vez que vi a León estaba en cama, porque había tenido otro vómito de sangre y se sentía débil. De nuevo me prestó el revólver, porque mi fascinación se revelaba hasta en los pelos. Esa noche papá lo acompañó a Córdoba, donde seguramente sería operado. Durante el trayecto retornaron los vómitos y debieron bajar en una de las localidades serranas para que lo atendieran de urgencia en el sanatorio más cercano. El médico de guardia le suministró coagulantes, le puso un goteo de suero fisiológico y dijo que si no vomitaba de nuevo, podrían seguir viaje. Pero falleció en la madrugada, tras ensangrentar varios toallones. Su cadáver fue trasladado a Córdoba. Era la primera muerte que ocurría en mi familia desde que había nacido. Se quebraba la sensación de inmortalidad que había prevalecido en mi mente hasta aquel momento. ¿Por qué Dios se llevó a un hombre tan bueno?, me preguntaba hasta caer rendido. ¿O Dios no es tan bueno como se dice?

Mamá, para tranquilizarme, decidió hacerme conocer los rituales que exige un fallecimiento. Son penosos, pero ayudan a morigerar el dolor. Había que honrar a los muertos, decía sabiamente, aunque hayan partido en silencio y no contesten, como Dios, quizás porque son parte de su entorno más íntimo, donde reina una paz que no logramos conocer en nuestra breve existencia. Me impresionó la palabra "breve", porque a esa edad el tiempo, todos los tiempos, parecían larguísimos, a veces interminables. Otros aspectos eran más evidentes: tía Berta pasaba del estado de casada al estado de viuda y, por lo tanto, no se llamaría más Berta de Míndez sino Berta *viuda* de Míndez. Mis primos adquirieron la condecoración de huérfanos, que sonaba triste.

Isidoro había ingresado en una organización juvenil marxo-sionista. Solía viajar a campamentos donde se entrenaba para ir a vivir en un kibutz de Eretz Israel (Tierra de Israel o Palestina). Desde los lugares de entrenamiento enviaba hermosas cartas que se leían ante la ronda de parientes. En la familia surgió una angustiada ambivalencia, porque todos querían la culminación del sueño sionista, pero también afligía el peligro de ir a ese país. Recién había terminado la guerra y los ingleses, lejos de apoyar a las víctimas y los derechos de la comunidad que hacía florecer el desierto, los combatía con ferocidad. Incluso ahorcaba a cabecillas sionistas en la macabra prisión de Acco. La hebrea era una auténtica guerra anticolonial, como las que celebrábamos en América latina.

Isidoro sintonizaba Radio Nacional por las noches para escuchar sus conciertos. Aunque no estudiaba música como yo, la amaba. En su organización recomendaban disfrutar las artes; el cultivo intelectual era necesario para aumentar el fervor revolucionario, decían. No sólo serán campesinos de un kibutz, sino hombres nuevos.

Isidoro no tardó en volverse ateo. Se burlaba de mi religiosidad y refutaba los argumentos sobre Dios, la Biblia, la creación del mundo, los milagros. Un arenoso viento se desencadenó en mi cabeza. Por un lado no dejaba de leer cuanto libro, folleto o revista se refiriese a religión, por el otro combatía la lógica burlona de Isidoro.

Durante los meses que transcurrieron entre la partición votada por la ONU en noviembre de 1947 y la proclamación de la independencia israelí en mayo de 1948 estallaron crímenes y atentados. En ese clima hostil, algunos creyeron que era suicida proseguir con el milenario sueño. Los judíos no tenían fuerzas de combate suficientemente entrenadas y tampoco conseguían armas. Incluso Estados Unidos se negaba a venderles. Hoy cuesta imaginar que Gran Bretaña y los Estados Unidos se habían comportado con tanta ruindad. Pero David Ben Gurión insistía: "Necesitamos un Estado independiente, aunque sólo tenga el tamaño de un mantel".

En medio de la situación tan adversa, el 15 de mayo de 1948 fue proclamada la independencia. Su acta fundacional invitaba a los árabes a convivir en paz. La noticia se propagó con rayos y truenos. Se ponía fin al carácter "apátrida" de los judíos. Cesaba una maldición milenaria.

Fui a comprar el diario vespertino. Su titular proclamaba: "Nació el Estado judío". Lo doblé bajo el brazo de forma tal que se pudiesen leer desde lejos las palabras "Estado judío". Deseaba que los parroquianos sentados en las mesitas callejeras de los tres bares ante quienes debía pasar pudiesen advertirlas. Estaba feliz y orgulloso. Al día siguiente me precipité a la biblioteca pública, donde lucían los principales periódicos en sus lustrosas mesas a dos aguas. Sin excepción, dedicaban espacios centrales al acontecimiento. En uno de ellos habían dibujado los rostros de tres líderes: el presidente Jaim Weizmann, el premier Ben Gurión y el canciller

Moshé Sharet. Los contemplé fascinado, como si fuesen héroes de una novela. Incluso había una foto de la histórica sesión en el Museo de Tel Aviv, donde fue proclamada la independencia bajo el retrato de Teodoro Herzl. Era como vivir en el presente la temeraria declaración de la independencia argentina, el 9 de Julio de 1816.

Vuelvo a la música.

Para el compromiso matrimonial de mi tío Abraham —entonces los compromisos (arreglados o no) se celebraban con una fiesta apenas menos deslumbrante que el casamiento—, papá y mamá viajaron a Buenos Aires, residencia de la novia. Era la primera vez que me dejaban solo, porque se llevaron a mi hermanita Susana, cinco años menor y dueña de graciosos bucles negros. En esa época se consideraba un disparate cerrar la mueblería de un pueblo por toda una semana: prevalecía la cultura del trabajo ininterrumpido, especialmente entre los inmigrantes. Sólo permaneció en nuestra casa una mucama cama adentro —como se decía entonces—, encargada de cocinar y limpiar, un empleado para embalar o despachar los muebles que se vendiesen, y yo. Más adelante mis padres se reprocharon por haber cometido semejante disparate. Mi objetivo, después de desearles un feliz viaje y sufrir la frustración de quedar excluido, no consistía en vender muebles, sino leer los libros que sacaba prestados de la vecina biblioteca popular.

Me sentaba en uno de los sillones del precario salón de ventas y navegaba sobre los bergantines de Salgari, Verne, Conrad y Dumas. Los potenciales compradores recorrían el negocio hasta ingresar en la vivienda y llegar a la cocina, donde la mucama se ocupaba de hacerlos retornar y ponerlos en contacto conmigo. Me sobresaltaba al escuchar vocablos que no estaban en la novela. No recuerdo haber cerrado una sola venta, pero sí que algunas mujeres me revolvieron la cabellera y un par de hombres aseguró que sería cualquier cosa menos un vendedor. Como diagnóstico, fue impecable.

Cuando regresaron, en el fondo de la maleta yacía un bulto. Papá lo levantó con una sonrisa plena de bondad y entregó como un trofeo. Mamá observaba, expectante. Al abrirlo quedé paralizado. Era el libro más grande y hermoso que había acariciado nunca con mis dedos, encuadernado en tapas duras, a su vez forradas con tela blanca, letras de oro y una sobrecubierta en color. Los parientes de Buenos Aires, enterados de mis estudios de piano, habían aconsejado comprarme la recién editada *Historia gráfica universal de la música* de Kurt Pahlen. Tenía casi setecientas páginas en papel ilustración, un texto fluido, grabados, fotografías, reproducciones de firmas, cartas, tramos de partituras y un sobre adicional con retratos de los principales compositores de la historia. Ese obsequio era un arca llena de diamantes. Y lo empecé a leer enseguida. Me pasaba horas entre sus páginas. No las recorrí una sola vez, sino varias. Muchas porciones fueron objeto de nuevas y atentas relecturas durante los años siguientes. Utilicé el sobre con retratos para enmarcar algunos. Cuando nos mudamos a Córdoba y pude gozar de una habitación solo para mí, los colgué en las cuatro paredes. Desde allí me contemplaron día y noche los inspiradores ojos de Beethoven, Schubert, Mozart, Mendelssohn, Schumann, Chopin y Mahler.

El big bang de mi profesión musical había empezado cuando me presentaron el pentagrama, la clave de sol y la clave de fa, las redondas y las corcheas. No tenía piano en casa, de modo que mi única práctica tenía lugar en el microscópico Conservatorio Wagner, a razón de tres o cuatro horas por semana. Debía resignarme a esa carencia. O compensarla de alguna forma. Eso sí, los ejercicios me aburrían, pero comencé a aceptarlos como nobles asaltantes del camino que, paradójicamente, abrían paso hacia la retaceada música de verdad. Para colmo, doña Dora me enseñaba el solfeo leído, no cantado. ¡Grave error! Muy grave. Ese error demoró mi memorización de los sonidos e impidió que compusiera sin un teclado delante.

La primera pieza que aprendí fue una *Invención* de Juan Sebastián Bach. No me gustó, mi oído no estaba entrenado para esa barroca e insípida sucesión de notas. Años más tarde Isidoro resolvió el misterio de Bach: "Siempre es distinto y siempre es el mismo, ahí reside su genio".

Cuando me cansaba de los ejercicios, aprovechaba las ausencias de la profesora para perpetrar mis propias creaciones. Los días sábados me quedaba hasta tarde, porque no concurrían otros alumnos. La profesora y su familia salían a pasear y yo aprovechaba para desarrollar fantásticas composiciones que hubieran escandalizado cualquier oído: acordes disonantes, glisandos furiosos, melodías que goteaban miel, arranques bruscos, silencios imprevistos. Me imaginaba construyendo piezas inmortales. Cierta noche, alarmados, mis padres vinieron a buscarme porque había olvidado regresar para la cena.

Al poco tiempo decidí volcar mis ocurrencias en el pentagrama. Urgía dejar escritas las improvisaciones. Componía sobre un cuaderno apoyado sobre el atril del piano. Incluso ensayaba la escritura automática sin saber que era teorizada por los surrealistas franceses, quienes decían que desde el inconsciente pueden bajar los colores, las palabras o los sonidos sin frenarse por los escollos represivos de la conciencia.

Por aquel tiempo leí dos novelas, *El árabe* y *El hijo del árabe* de la inglesa Edith Hull, editados en rústica por Editorial Tor. Asociadas a las novelas de Emilio Salgari que transcurrían en el Sahara, esas obras me inspiraron la suite en cuatro cuadros que ya mencioné. Yo había descubierto que se conseguía la ondulación "oriental" de la música mediante el uso reiterado del tono y medio. Al cabo de unos meses, a mi profesora le llamó la atención parte de mi trabajo subversivo. Apabullado, confesé el crimen. Entonces ella pidió que ejecutara la suite que había compuesto, del principio al fin. Al golpear el último acorde me acarició el hombro.

—Es un buen comienzo —dijo.

Alentado por esa aprobación, compuse más piezas, algunas alegres, otras reflexivas. Mientras, una nueva película, esta vez argentina, se difundió en el año 1947: describía la borrascosa vida de Isaac Albéniz. La dirigió Luis César Amadori y protagonizó Pedro López Lagar. Se extendía desde la infancia del niño prodigio hasta su muerte en plena fiebre creadora. A lo largo del filme se escuchaban sus composiciones más bellas. El precoz Albéniz tocaba en público a los cuatro años de edad y produjo en su tiempo tanto asombro que se llegó a calumniar que sus presentaciones al piano eran un truco. Su padre lo maltrataba exigiéndole más, como había procedido el maligno papá de Mozart. Entonces Albéniz, siendo adolescente, huyó de su hogar rumbo a la Argentina. En el barco divirtió a los pasajeros generando melodías con la percusión de vasos parcialmente llenos de agua. Después marchó a los Estados Unidos y luego se perfeccionó en Bruselas. Tenía cualidades que más tarde le permitieron hacerse famoso como concertista y revolcarse en calurosos romances que me dieron mucha envidia. Sus composiciones derramaban el licor de ritmos y melodías inolvidables. Predominaban las obras para piano, tan seductoras, complejas, variadas y brillantes como las de Chopin, Liszt, Brahms, Mussorgsky, Dvorak y demás compositores de la primavera musical nacionalista europea.

En el mismo año que se estrenó la película *Albéniz* viajó a España Eva Perón. Su periplo fuertemente promocionado la lanzó a un protagonismo que no acabó ni siquiera después de muerta. Ella descubrió el mundo y el mundo la descubrió a ella. Ese viaje me inspiraría en el año 2012 *La furia de Evita,* una novela histórica sobre su vida llena de sorpresas y secretos, ficcionalizada en mi libro por ella misma con su propia voz y su exclusivo fuego.

Antes de cumplir quince años logré memorizar con aceptable brillo las albenízimas *Cádiz, Asturias, Sevilla, Malagueña* y *Torre Bermeja.* Años después encaré su difícil *Triana,* poblada con luces de artificio y asombrosos contrastes. En medio de los ejercicios doña Dora me sorprendió una tarde al anunciar que había preparado un obsequio. Regresó de la habitación vecina con un álbum que contenía doce composiciones de Albéniz. En la tapa figuraba el nombre del compositor, bajo el cual perfumaba un clavel rojo. Se destacaba su retrato de abundante barba y bigotes en manubrio, atravesado por un teclado del que emergía la voluta de un pentagrama bordado con notas. No faltaba nada, porque sobre el ángulo superior izquierdo, en tinta azul y letras góticas, ella había escrito "Marcos Aguinis". Estremecido, opté por sentarme antes de abrir esa tapa. Entonces advino la sorpresa mayor. Una dedicatoria con cuidada caligrafía gótica llenaba la página: "Al alumno sobresaliente, estudioso constante, con una voluntad de oro, pianista de gran provenir y ¡hasta compositor! Al estimularlo, hago justicia".

En el colegio enseñaban que no se podía estudiar geografía sin un mapa.

—Estudiar geografía sin un mapa —pontificó la docente— es como estudiar piano sin un piano.

—¡Aguinis lo hace! —gritaron dos chismosos compañeritos.

Pero no todo era placentero. Se iba a desplomar sobre mi cabeza uno de los mayores traumas vinculados con la música. Ni lo sospechaba.

Al término del año 1948, para dar jerarquía institucional al conservatorio de una sola docente, vinieron dos profesoras de Santa Fe. Eran el primer tribunal artístico que conocía en la vida. Dora eligió las piezas que yo tocaría en el examen.

Aguardaba en la salita de espera mientras otros alumnos desgranaban piezas de diversos autores en el santuario. Había ejercitado mucho unas *Invenciones* de Bach (que seguían disgustándome) y la *Marcha turca* de Mozart. Durante esos minutos previos repasé sobre mis rodillas ambas piezas, sin errores. Se abrió la puerta y salió un alumno con las mejillas encendidas. No pude saber si estaba apabullado por el éxito o la derrota. Ingresé muy tensionado. Algunos muebles habían sido corridos para dar lugar a un escritorio cubierto de carpetas y planillas, tras el cual asomaban dos mujeres adustas. Creció el miedo, como si ante ellas se jugase mi destino. No tenía noción sobre las técnicas de relajamiento, que descubrí recién años después. Me senté en el taburete y, con manos temblorosas, acomodé las partituras. Fijé los ojos sobre el pentagrama y esperé la orden de comenzar.

Me fue más o menos bien con las aburridas *Invenciones*. A continuación, Mozart debía permitirme asombrar al tribunal, porque su *Marcha* es una fiesta de alegría. Pero en la acelerada sucesión de notas iguales que luce el tramo central, se me enredaron los dedos. Literalmente. Un par de segundos después quise retomar la melodía y tecleé al azar. Estaba perdido. Mi cara se hinchó de sangre, como la del alumno anterior. Doña Dora propuso que la volviera a tocar desde el principio, algo más lento. Respiré hondo y reinicié la obra que, pérfidamente, había traicionado mis expectativas. La música volvió a correr fluida, sin atender la calidad del sonido, ni las agogías, ni los demás recursos de una ejecución acabada. Quería llegar cuanto antes al final. Pero cuando reapareció el maldito pasaje, como si tropezara con la misma piedra, se volvieron a trabar los dedos, con el añadido de una desesperante contracción en el antebrazo. Miré de reojo a las dos señoras, quietas como tenebrosas estatuas de mármol. Mi profesora les habló al oído y una de ellas murmuró en tono neutro: "Está bien, Marcos, puedes retirarte".

Rengueé cabizbajo hacia la salita de espera y me derrumbé en el sofá. Doña Dora se acercó, me palmeó el hundido hombro y sentenció que no había estado mal y, por lo tanto, había aprobado mi examen. ¿Que aprobé?... Volví a casa hecho un zombi. No era cierto lo que dijo: resultaba evidente que había fracasado. Y ese fracaso tuvo la jerarquía de una herida grave y duradera. Lo supe pronto.

Durante los veranos mamá, junto con mi abuela y algunas tías con sus hijos, viajábamos por unas semanas a Mar Chiquita, una gran laguna salada en el noreste de la provincia de Córdoba. Los maridos aparecían durante los fines de semana. Atraía la publicitada virtud terapéutica del agua salobre, sobre la que se flotaba como si fuese un colchón. Era divertido embarrarse con el légamo que olía a podrido y abundaba en la orilla. Equivalía a un asqueroso baño de fango. La localidad turística, muy pequeña, tenía un pretencioso nombre: Miramar. Constaba de varias pensiones, una sola calle de pavimento roto y, al final, un hotel más o menos importante con terraza al aire libre donde por las noches sonaba un altavoz con música bailable que hacía girar una rala cantidad de parejas mientras los turistas sentados en derredor consumían bebidas. Detrás del edificio se extendía un parque descuidado, con piquillines, algarrobos y canteros apenas poblados de flores, pero donde yo solía caminar con ensoñaciones románticas sobre bosques encantados y mágicas apariciones.

En Miramar no aprendí a nadar, porque era horrible hundir la cabeza bajo el agua espesa, pero dediqué horas a cabalgar los matungos que se alquilaban por hora.

En la pensión donde nos alojábamos había un comedor con menú fijo: ensalada de papas, cebollas fritas, tomates y porotos, sopa grasienta, plato de carne con pasta y fruta o flan con dulce de leche de postre. En las galerías se sucedían mesitas donde hombres y mujeres jugaban a los naipes, los dados y el dominó cuando regresaban del agua.

Abundaban chicos de diversa edad. Me llamó la atención una muchacha algo mayor, a la que miraba sin animarme a decirle una palabra, como exigía mi incorregible represión. Una tarde fue ella quien me abordó en la vereda y dijo que en otros sitios donde solía veranear, los muchachos divertían a las chicas con charlas, juegos y paseos. Me limité a escucharla, paralizado. ¿Qué juegos? ¿De qué hablar? Recordaba que en Cruz del Eje había visto a grupos de jóvenes que solían sentarse sobre el borde de una tapia durante las horas de la siesta para conversar. No se besaban, como en las películas, tampoco corrían o jugaban, como en los recreos de la escuela. Conversaban y algunos, con disimulo, fumaban. ¿De qué se puede conversar tanto tiempo?

Pude decirle ¡hola! a una chica de mi edad, de pelo broncíneo y pecas en la nariz. Me preguntó de dónde era y dije, forzando la voz, que de Cruz del Eje.

—¿Y vos?

—De Rosario. ¿Dónde queda Cruz del Eje?

Respondí con torpeza. Ella también fue torpe en la descripción de su ciudad. Charlamos sin ton ni son, como deben ser las charlas virginales. Se llamaba Elsa, igual que mi inabordable compañera del conservatorio. Cuando después nos vimos en medio de la laguna e hicimos señas a distancia, púdicas, dándole bofetadas a la superficie del agua para levantar flechas húmedas, nos esforzamos por acortar la distancia, sonrientes. Flotamos juntos un rato, de espaldas y con la cabeza levantada. Nadie podía hundirse y los movimientos sólo servían para desplazarse. Después nos embarramos en la orilla, como hacían los mayores sin excepción para curar sus reumatismos reales o imaginarios. Reímos con exagerada energía al vernos la cara payasescamente pintada. Volvimos al agua y otra vez al barro. Se diluían los frenos y al día siguiente repetimos el ritual. Luego de la ducha en el respectivo cuarto nos encontramos en la vereda y decidimos pasear hasta el hotel de la amplia terraza donde se bailaba durante la noche.

Advertí que a la izquierda del camino se abría un barranco que conducía a un túnel. Lo asocié con la entrada a la caverna de Fantomas, el héroe de historieta que tanto me gustaba y aprendí a dibujar de memoria. ¿Conduciría a los laberintos que guardaban los tesoros del barco pirata que salvó su bisabuelo? Propuse averiguarlo y ella aceptó. Era un túnel irregular, estrecho, bajo, de unos treinta metros, que había sido construido por la misma naturaleza. Caminamos sintiendo el calor de nuestros cuerpos, obligados a rozarse. Entonces me sobrevino un impulso más potente que los miedos, giré hacia ella, le apreté la cintura con los dos brazos y la besé en la boca. Fue un beso apurado, nervioso, con los labios cerrados. Ella no se resistió. Pero enseguida nos soltamos y huimos hacia la salida. Al principio ni me animé a mirarla, oprimido por la vergüenza. Caminamos sin tomarnos siquiera de las manos, esforzándonos por decir algo que no tuviera vínculos con el reciente delito. Pero no buscamos otro camino para regresar sino que, sin decir palabra, elegimos de nuevo el túnel, donde volvió a producirse el breve abrazo y el más breve beso.

Al día siguiente me contó que regresaban a Rosario. De modo que fuimos a despedirnos en el túnel. Beso de ida y beso de vuelta. Sin atrevernos a prolongar el abrazo, ni la adhesión electrizante de los labios, ni hacernos caricias en las mejillas ni el cuello ni la espalda. Era una aventura acelerada, como si estuviéramos a punto de ser desenmascarados. Pero en todas las ocasiones giramos la cabeza de forma adecuada para que no hubiera choques de nariz, como aprendí mientras reproducía los dibujos de Mandrake el mago besando a su novia.

A la mañana siguiente Elsa ya no estaba en Miramar. Consideré obligatorio quebrar la intensa nostalgia que destroza el corazón de los poetas y los músicos cuando un amor se aleja. Fui al desolado parque del hotel, que imaginaba henchido de flores y murmuré los pocos poemas de Gustavo Adolfo Bécquer que sabía de memoria.

Mudado a la ciudad de Córdoba, examiné por segunda vez el número del edificio en la calle Deán Funes. Una puerta alta de madera oscura, entreabierta, daba acceso a una fresca escalera de granito. La subí excitado. Llevaba la recomendación que había escrito doña Dora antes de abandonar Cruz del Eje. Ingresé en una sala de espera rodeada de puertas que dejaban filtrar los apagados sonidos de tres o cuatro pianos. Pregunté por el director Ferruccio Canale y me condujeron a una habitación con molduras en el techo. Ese recinto estaba milagrosamente libre de interferencias sonoras, como si fuese una caja blindada. Dos pianos enfrentados guardaban silencio; al escritorio lo rodeaban varias butacas cuyo respaldar dorado tenía forma de lira. Me tendió la mano un hombre bajo, canoso y sonriente, que hablaba con acento napolitano. Leyó la carta y mandó llamar a una profesora de mediana edad, subida en peso. Le dijo que me tomara de alumno. El trámite fue más rápido de lo esperado y encubrió la vergüenza que me iba a hundir enseguida.

—Bueno, ahora toca algo —invitó Canale mientras señalaba el piano ubicado a su derecha.

Me senté sobre el taburete de cuero, contemplé las teclas de marfil y en mi cabeza reapareció el tribunal de Cruz del Eje. No pude iniciar un solo compás, aunque conservaba en la memoria piezas de Bach, Mozart y Chopin. Acaricié las teclas y comprimí las mandíbulas, convertido en un bloque de nervios dolorosamente anudados. Don Ferruccio se incorporó, dijo que estaba bien, que al día siguiente comenzaría de todos modos mis clases con la señora Ruth. Me despedí abochornado. Otro desastre en mi carrera musical. En casa me encerré en mi cuarto para evitar el interrogatorio de mamá.

Pero mi perceptiva madre no iba a quedarse sin la información.

—Sin problemas —dije—. Mañana empiezo con la profesora Ruth.

Fui con mi bolso lleno de las partituras que había coleccionado hasta entonces, incluidos los álbumes de Chopin y Albéniz. Ruth me recibió con una sonrisa enigmática e introdujo en una pequeña habitación.

—Te dejo solo por un rato. Voy a tomar mi café. Toca lo que quieras.

Al retirarse cerró con firmeza la puerta. Quería convencerme de que nadie escucharía mis dificultades, que estaba a salvo de los invisibles enemigos que me habían bloqueado el día anterior. Entonces golpeé el primer acorde de la *Polonesa militar*. Y proseguí. Las sucesivas mareas de sonidos no me dejaron advertir que ella, sigilosamente, había regresado y contemplaba perpleja el fenómeno en que me había convertido. Cuando cerré el último acorde, comprimió mi brazo.

—¡Increíble! ¡Vamos para que te escuche el señor Canale!

La seguí caracoleando. Ambos ingresamos en su amplio salón después de hacernos anunciar por la secretaria. El director me contempló con cierta complicidad: sabía que no era un inepto gracias a la recomendación de doña Dora. Ruth le contó que había ejecutado una *Polonesa* de Chopin.

—Soy todo oídos —don Ferruccio se apoltronó en su sillón de alto respaldar.

Volví a sentarme al mismo piano de la vez anterior y advertí que el taburete estaba muy bajo. Maniobré su palanca, lo cual también me sirvió para ganar cierto dominio del encuadre. Pero el efecto resultó paradójico: volvió la angustia. Contraje los dedos en lugar de aflojarlos. Otra vez el nudo de nervios... No pude seguir. Se me acalambraban los antebrazos. Miré la tentadora superficie blanquinegra de las teclas que esperaban el ataque de mis dedos. Al cabo de un minuto decidí escapar.

Don Ferruccio lo impidió levantando las manos en plegaria hacia el cielo raso, con el enfático gesto de un napolitano que llama el favor de las alturas.

—¡Toca una escala, *figlio mio*!

No había practicado escalas. Doña Dora nunca me las había pedido ni enseñado, pese a haberme hecho martillar tantos ejercicios. Grave falla de su enseñanza, lo mismo que hacerme perder el tiempo con el solfeo leído en lugar del cantado.

—¿Ejecutas una *Polonesa* y no sabes tocar una simple escala?

El silencio de mi boca era tan obstinado como la parálisis de los dedos. El director se dirigió a Ruth.

—Será transitorio. Que aprenda las escalas y hágale estudiar una sonata de Beethoven.

Supuse que elegía a Beethoven porque era el nombre de ese conservatorio. Después lo interpreté como una forma inteligente de conectarme con el fuego. Su aguda percepción había capturado la ruta que más me convenía. En pocas semanas pude hacer correr mis dedos de izquierda a derecha y de derecha a izquierda con todas las escalas mayores y menores del sistema musical occidental. Al mismo tiempo, empecé a estudiar la primera sonata de los dos libros de partituras que compré en la casa Ricordi, y que contenían las treinta y dos obras de ese género, una colección que Beethoven compuso durante toda una vida de enroscadas turbulencias.

Ese año —tenía quince— leí *Juan Cristóbal*, la novela en diez tomos de Romain Rolland, inspirada precisamente en Beethoven. Rolland era un fanático del genio de Bonn y un perseverante enemigo de Brahms. A lo largo de su extensa novela fueron reiterados sus denuestos contra Brahms. Y consiguió inyectarme el virus. Durante muchos años lo consideré un compositor despreciable. Hasta que escuché sus conciertos para piano y orquesta, sus alegres rapsodias y las sinfonías profundas. Cambié de opinión y me di cuenta cuán despreciable era el extremismo de Rolland.

Concurría dos veces por semana a las clases de Ruth. Allí debía mostrar los avances logrados en casa, donde ya tenía un piano y me aplicaba a vapulearlo varias horas por día, todos los días. Ella marcaba las correcciones en el ritmo, ajustaba el volumen de los sonidos y exigía la limpieza de cada nota, tanto individual como en acorde. Consiguió que me destrabase ante su presencia. Pero delante de extraños volvía el inexplicable bloqueo y la horrible sensación de amenaza que había inaugurado aquel tribunal de esfinges en Cruz del Eje.

Seguía empeñado en componer. El concertista logra éxito, pero con la composición se alcanza la inmortalidad, me decía. La secreta ambición que giraba en mis circunvoluciones excedía toda lógica. Escribí danzas, nocturnos almibarados, estudios de cierta complejidad en la técnica, con cruce de manos y *gruppettos* repentinos. Hasta se me ocurrió una obra mayor: un poema sinfónico más elaborado que la puberal *Marcha del desierto*. Redacté una historia fantástica que se transformaría en música, como lo había hecho varias veces Franz Liszt.

En el colegio Deán Funes —donde unos años antes había estudiado el Che Guevara— tenía buenos profesores en todas las materias. La de música estaba a cargo del maestro Gasparini, de estricta formación clásica, fundador de la Orquesta Sinfónica de Córdoba e incontinente calumniador del tango, al que consideraba una excrecencia. Este maestro ni siquiera tuvo la curiosidad de leer las letras de los tangos, muchas de las cuales son conmovedores poemas que desbordan pasión y sabiduría. Mis compañeros, enterados de mis ambiciones de compositor, lograron que le mostrase el cuaderno con el relato fantástico y varios compases del incipiente poema sinfónico. Gasparini escudriñó los pentagramas y se detuvo en el argumento. Al terminar, dijo que le parecía muy wagneriano. Lo expresó con una amplia sonrisa, admirado por mi creación. Pero cayó mal en mis oídos. Muy mal. El antisemita Richard Wagner se había entrometido en mi carrera desde el comienzo, cuando desdeñaba su perfil arrogante en el conservatorio de Cruz del Eje. Guardé la partitura y el argumento en algún lugar de casa, como si fuera un áspid. Tan bien los guardé que nunca regresaron a mis manos. Hay cosas que deben morir, deduje.

Conseguía progresos en la ejecución. Las horas aplicadas al piano daban frutos, como las higueras bajo el sol. Dos años después de ingresar al Conservatorio Beethoven de Córdoba me tomó a su cargo el docente más importante, Elio Canale, hijo del director. Era médico especializado en anestesia y un concertista brillante que solía tocar por radio en los programas de música clásica; es decir, ejercía dos profesiones y fue un modelo que me impactó, porque ya intuía que el sádico destino —como a él— me obligaría a cargar más de un baúl. Después supe de otros médicos que también fueron músicos eximios, lo cual confirmaría esas sospechas. Usaba gruesos anteojos de miope, lucía un espeso bigote negro y se parecía a un Groucho Marx serio, aunque simpático. Leía una partitura desconocida con tanta facilidad, que producía asombro y envidia. Antes de hacerme estudiar una nueva obra solía ejecutarla y, de ese modo, excitaba mis ganas de imitarlo.

—Pero no debes imitarme, sólo disfruta —decía mientras me hacía escuchar.

Le sobraba talento para cualquier género. Incluso me deslumbró con una eficaz seguidilla de tangos, que eran sanguinariamente desportillados por el maestro Gasparini, quien insistía que se nutrían del puñal, la prostituta, la decepción, el engaño y la mugre.

En 1955 Elio habló con inusual enojo sobre la tortura y el asesinato que las fuerzas represivas del gobierno peronista habían cometido contra el médico rosarino Juan Ingalinella. Pocas veces hablaba de política, pero ahí deschavó la indignación que le producían los atropellos del régimen.

En otra oportunidad reveló su flanco picaresco. Yo tocaba un vals de Chopin y frené para dar vuelta la hoja de la partitura.

—Ese tramo debe ser memorizado, Marcos. No podés detenerte. Imaginate a las bailarinas con una pierna levantada hacia un lado y manteniéndola así hasta que retomes la melodía. Grotesco.

Cuando empecé a cursar medicina, Elio me propuso asistir a una operación de neurocirugía. Era la primera vez que iba a ingresar en el santuario de un quirófano. Fuimos juntos a un prestigioso sanatorio llamado Clínica Mayo. En las salas interiores inhalé el aroma a desinfectante que se volvería tan familiar poco después. Conocí al profesor Manuel Albarenque, con el que trabajaría al regresar de Europa y con quien me enlazarían conflictos y armonías. Su voluminoso cuerpo aguardaba en la antesala de los médicos, junto a los espacios quirúrgicos. Vestía un pijama blanco y estaba recostado sobre un sillón. Era robusto, de cabello y bigotes renegridos. Bebía un vaso de cerveza acompañado por una bandeja con aceitunas y nueces. Lo secundaba su ayudante. Chismeaban sobre asuntos desvinculados de la medicina, quizás para huir por un rato de la angustia que suele rondar en esos ambientes. Me sorprendió su maciza serenidad, porque en contados minutos iba a abrir una cabeza y hurgar en su materia encefálica. Fue mi primera lección sobre el relajamiento que también exige el bisturí, antes de que lo aprendiese con los instrumentos musicales. Un enfermero golpeó la puerta y avisó que la instrumentadora ya había concluido la preparación de la mesa.

Albarenque y su ayudante se calzaron el gorro, el barbijo, las botas de tela y fueron a lavarse las manos frente a un lavatorio largo, provisto de numerosos grifos. Usaron cepillo y jabón durante varios minutos. Se frotaron las uñas con insistencia, los pliegues de cada dedo, las palmas, el dorso, las muñecas y los antebrazos. Parecían atacados por un prurito que obligaba a sacarse lonjas de piel. Luego, con las manos en alto para que de las porciones contaminadas no resbalasen gotas hacia los dedos, y sin rozar objeto alguno, abrieron la puerta de un rodillazo e ingresaron en el salón de cirugía donde Elio Canale ya había empezado la anestesia. La instrumentadora aguardaba con el delantal abierto, estéril, que introdujo en los brazos extendidos del cirujano y su ayudante sin tocarlos; otra enfermera les ató los cordones por atrás. Recibieron los guantes, que se calzaron con automatizada habilidad, sin rozarles la superficie exterior, todo un arte.

A suficiente distancia y con el pulso acelerado, yo contemplaba la escena. Elio Canale aplicó una mascarilla sobre la nariz del paciente e introdujo oxígeno a presión en los pulmones antes de intubarlo.

El ayudante efectuó una toilette prolija del cráneo afeitado mediante una gasa embebida en desinfectante que sostenía con una larga pinza. El campo operatorio fue rodeado con paños estériles hasta quedar limitado a un pequeño óvalo. Esa parte del enfermo quedaba separada del mundo.

Estiré el cuello para captar el instante en que iba a empezar la agresión contra una cabeza. Observaba en puntas de pie cada una de las etapas que marcaban el criminal avance: la incisión de la piel, la contención de la sangre que manaron de inmediato los labios de la herida, el rápido despegue del cuero cabelludo mediante suaves rasgados del bisturí, la apertura de la aponeurosis y la llegada al hueso de color marfil. Después Albarenque aferró el esterilizado trépano que le alcanzó la instrumentadora y se dispuso a efectuar cinco agujeros. Asocié esa maniobra con las trepanaciones que se hacen en la calle para abrir el asfalto. Concluido ese momento aterrador, introdujo una guía metálica y la hizo correr por debajo del hueso de un orificio de trépano al siguiente. La guía arrastraba un alambre llamado sierra de Gigli, cuyos extremos se enganchaban a manoplas de metal. Comenzó a serruchar el hueso de abajo hacia arriba y del centro hacia fuera, para no dañar la meninge. No sólo movía las manos, sino el brazo entero, incluso los hombros, como si estuviese ejecutando alternativos pasajes en los extremos del teclado: derecha-izquierda, izquierda-derecha. El colgajo óseo fue levantado y envuelto en un apósito húmedo. Apareció, nacarada y brillante, la meninge que protege al cerebro.

Albarenque se corrió un poco y me invitó a que la mirase de cerca, pero cuidándome de no tocarlo a él ni nada que rodease al paciente. A continuación abrió esa membrana con un delicado corte de bisturí y develó la materia cerebral. No imaginaba que dentro de poco tiempo me convertiría en un neurocirujano y que esa técnica iba a tenerme de protagonista asiduo. Durante mi estada en París, por ejemplo, participé de hasta cuatro operaciones en un solo día.

Mis primeros "títulos" (¿profesionales? ¿pueriles?) se los debo a la música. Profesor de piano y luego concertista, con los diplomas correspondientes que, en aquella lejana época, resplandecieron ante mis ojos como los picos del Aconcagua. Y que los conservatorios jerarquizaban para establecer metas y también —¿por qué no?— cobrar derechos. Para la obtención de esos títulos se efectuaba un recital ante el cuerpo docente y todos los estudiantes. En los programas de ambos largos exámenes sumé varias obras: recuerdo una sonata de Beethoven, estudios de Chopin y piezas de compositores argentinos —obligatorios entonces— como Julián Aguirre y Alberto Ginastera; también la sonatina de Ravel, páginas de Debussy, una *Bachiana* de Villa-Lobos y la *Rhapsody in Blue* completa, para piano solo, de George Gershwin.

Por entonces también me deleitaban Poulenc, Grieg, Domenico Scarlatti, el barroco Haendel y los principales románticos como Félix Mendelssohn y Robert Schumann, a los cuales aprendía de memoria para pulir su ejecución.

Desafiante —o temerario—, por sugerencia de Elio me introduje en el Concierto número uno de Franz Liszt. Tras mucho entrenamiento llegué a tocar con precisión los acrobáticos acordes iniciales, luego me distendía en la ensoñadora porción intermedia y, por fin, le daba con la máxima energía de mi cuerpo al enjoyado entretejido que conforma el grandioso final. Elio Canale consideró que podía tocar esa obra con la Orquesta Sinfónica de Córdoba. Creí que bromeaba, como lo hacía a menudo. Pero una tarde anunció que había arreglado un encuentro con su director en el maravilloso Teatro Rivera Indarte, una de las mejores salas líricas del país.

Me pareció irreal. Moví los labios sin emitir sonido y mis cejas se elevaron hacia el cielo raso en busca de confirmación. A menudo yo concurría a ese teatro, compraba la entrada más barata, la del llamado "gallinero", me instalaba cerca de la bóveda levemente coloreada y, desde allí, gozaba la visión de los músicos ordenados sobre un escenario hundido en la profundidad distante, pero iluminada por concentrados focos.

Di la mano al director de abundante melena gris que evocaba la de Beethoven, pero se presentó sin su smoking, desde luego. Con Elio de acompañante, conversamos en las aterciopeladas butacas rojas de la platea cuyo confort disfruté por primera vez. Dijo que estaba enterado de mi calidad pianística y le encantaría incorporarme a sus programas. La conversación no se extendió, porque lo esperaban otros compromisos, pero antes de cerrar la entrevista quiso escucharme. En consecuencia, trepé al escenario. Mis pisadas fueron cautelosas, como si ingresara en un amenazante círculo encantado. Desde el tablado lustroso donde solían deslizarse los bailarines de un ballet o se instalaban las sillas de los músicos, se desplegó ante mis ojos el intimidante hueco del teatro vacío, con su hemiciclo de balcones a media luz donde titilaban relieves barrocos. En el centro el escenario, igual a un animal antediluviano con su tapa abierta, aguardaba el piano de cola, el mismo instrumento del que habían brotado maravillas gracias a los dedos de muchas celebridades como Arthur Rubinstein, Witold Malcuzynski, María Tipo, Claudio Arrau, Friedrich Gulda. Me senté en el mullido taburete, observé las teclas y, desconfiado de la realidad, apreté una negra y otra blanca para enterarme si sonaban.

Levanté los brazos y descargué ambas manos sobre el primer acorde. De inmediato el segundo. Y el tercero. Hasta que me sentí empujado por la energía de esa música endiablada. En mi cabeza sonaba la orquesta, que Elio había ensayado conmigo desde el otro piano en la sala principal del conservatorio. No volvió a presentarse el antiguo bloqueo adolescente. En las porciones donde debía lucirse el piano solo, aprovechaba para obtener el mejor sonido, incluso con silencios que aumentaban mi seguridad.

Cuando me apoyé sobre el último acorde, permanecí quieto durante casi un minuto. Mis brazos descendieron con lentitud. Al cabo de un instante escuché los aplausos del director y de Elio.

Descendí con cautela, transpirado y feliz. Conversamos otro rato, porque el beethoveniano músico parecía haberse olvidado de sus compromisos siguientes. Me sugirió ajustes en la velocidad y los volúmenes de ciertas porciones. Elio asentía y yo tomaba nota.

Cuando salimos a la calle, una manifestación enardecida llenaba la avenida General Paz. Los caóticos gritos a veces se articulaban con insultos a Perón. La policía montada quería disolver esa multitud a bastonazos. Golpeaba en los hombros, espaldas, pechos y hasta cabezas de los manifestantes.

—Esto no terminará bien —profetizó Elio.

En efecto, la Revolución Libertadora que puso fin al gobierno peronista tuvo lugar en septiembre de ese mismo año, el mes en que iba a tocar el Concierto de Liszt con una orquesta de verdad. Gran frustración. "Uno propone y Dios dispone", me consolaron los amigos con ese trillado lugar común.

Dos años antes me habían conmovido dos momentos inolvidables. Se trataba de un concierto colectivo en el Jockey Club de Córdoba, en el gran salón del edificio blanco que inyecta elegancia al cruce de las avenidas centrales de la ciudad. Lo organizaba el mismo Conservatorio Beethoven con una intensa publicidad por radios y periódicos. Participaban sólo cuatro estudiantes, descriptos como "los nuevos valores". Una bambolla angustiante, porque a mí no se me borraba el examen en Cruz del Eje ante el frío tribunal de las tres esfinges y el doloroso anudamiento de mis dedos. La sala se llenó de gente y no alcanzaron las butacas: buena parte de la audiencia tuvo que permanecer de pie junto a los ventanales cerrados por cortinas de voile y terciopelo rojo.

Elio me había elegido una partita de Juan Sebastián Bach. ¡Otra vez Bach!, protesté. Me convenció de que era la opción más acertada, porque daría aplomo a mi ejecución. La obra, además, alternaba porciones lentas con veloces y esa alternancia excitaría al público.

Antes del inicio se acercó la vivaz esposa de Ferruccio y madre de Elio, también pianista.

—¿Cómo te sientes?

—Contento —dije, pero mis ojos expresaban angustia.

—Debes lucirte.

—Tengo miedo de equivocarme… —confesé, perseguido aún por el papelón de aquel examen.

Ella me miró fijo y se corrió un ondulado manojo de cabellos blancos que se deslizaba sobre sus ojos. Esperaba que me acariciase con una palabra de aliento. Pero no fue de aliento, sino de castigo.

—Si piensas equivocarte, ¡mejor no toques! No estás aquí para tropiezos infantiles.

Mi cabeza se vació de sangre. Pero también de ansiedad. Quedé drogado, como un guerrero antes de la batalla. Iba a morir, pero eso ya no le interesaba a nadie.

Llegado mi turno, caminé hacia el piano de cola. Aún de pie, miré al apiñado y expectante auditorio e incliné mi tronco como había visto hacer a infinidad de concertistas en el Teatro Rivera Indarte. Me acomodé en el taburete y esperé que el silencio llegara hasta el último rincón de la sala. Alcé las manos y, con dedos seguros, abrí los matemáticos grifos de Bach, que "siempre suena igual y siempre distinto". Dilaté las breves pausas que separan las sucesivas porciones de la suite y, cuando estaba llegando al final, me rozó el ala de un pensamiento indiscreto: había sorteado casi toda la obra sin cometer un solo error. Demasiado para mi retorcida timidez. Al instante se desencadenó una pelea entre mi deseo de llegar a un final impecable y el emergente diabólico de perpetrar una disonancia. Los dedos siguieron martillando sin incurrir en la tentación maligna. Alcancé un alivio supremo al teclear las últimas notas, que fui desgranando con la progresiva lentitud que Bach exige para el término de sus composiciones. De inmediato se levantó una polvareda de aplausos, me puse lentamente de pie y saludé con más ceremonia, inclinando el tronco mientras cruzaba el antebrazo derecho sobre mi abdomen.

Esa noche Elio Canale ofreció una recepción en su casa, en el elegante barrio del Cerro de las Rosas. Su mujer era bella, elegante, más alta que él y ferviente adventista. El éxito del concierto me proveyó soltura y conversé con tanta energía como lo había hecho en los frecuentes mordentes de la partita. No sospechaba qué iba a suceder pocos días después.

En efecto, Elio me miró fijo al terminar la clase semanal. Los gruesos cristales de sus anteojos parecían haber adquirido un raro color.

—Marcos —dijo—, tu futuro se abrirá en los Estados Unidos. Desde allí saldrás al mundo.

Parpadeé confundido. En esos años sólo se marchaban del país las víctimas del peronismo, como lo habían hecho en el XIX los perseguidos por Rosas.

—Averiguaremos qué necesitás para viajar a Philadelphia y estudiar con Aarón Copland.

Me asombré más aún, porque Elio lo tenía más planeado de lo que yo hubiera intuido. En esos minutos ni siquiera pude agradecer su confianza en mi capacidad.

Bajó su cabeza, quizás arrepentido por haber cruzado la raya. A partir de entonces nunca volvió a tocar el tema. Tampoco pude sacarme del corazón la bala que descerrajó su propuesta. Cada vez que oía referencias a Copland o escuchaba alguna de sus obras, recordaba aquel episodio fugaz y eterno. Fue una asignatura que repicó durante años. Y quedó pendiente.

A continuación me propuso estudiar el Concierto para piano número uno de Franz Liszt, que casi ejecuté con la Orquesta Sinfónica, como ya relaté.

Otra vez debo retroceder.

Antes de abandonar Cruz del Eje con quince años de edad, releí muchas veces *Relatos de la Biblia. Héroes y príncipes hebreos,* de Joachim Prinz. Muchas, no exagero. El autor, con lenguaje sencillo y didáctico, narraba historias de los patriarcas, jefes tribales (llamados jueces), reyes y profetas. Enhebró una colección de relatos que se me grabaron en el alma, porque ya me los había anticipado papá, esquemáticamente.

El placer de esa obra, sin embargo, fue herido por otro volumen. Tenía tapas blandas, desagradables y verdes, como la piel de una serpiente. Su título equivalía a un anzuelo: *Contradicciones de la Biblia.* Lo he perdido en alguna mudanza y no recuerdo el nombre de sus autores. Demostraban con referencias precisas las contramarchas, reescrituras y absurdos que contienen sus versículos. Sólo podrían comprenderse como versiones distintas que se articularon en el curso del tiempo al modo de un hábil (o torpe) collage. La teología —"reina de las ciencias"— dejaba de dar placer y generaba en mi cerebro un insoportable prurito. Incrementé mis lecturas investigativas mientras me rascaba los habones.

Pronto me deslumbró la *Historia de la religión de Israel* en varios tomos, del uruguayo Celedonio Nin y Silva, uno de cuyos descendientes conocí en Montevideo décadas después, asombrado, porque pudo constatar que aquel investigador latinoamericano (no francés, ni inglés, ni alemán, ni austríaco) había existido de verdad. Mientras recorría sus interminables páginas, advertí que la Biblia (revelada, santa, verdadera, sobre la que tanto me había contado papá) estaba acribillada de desajustes, lo cual confirmaba que no era un texto de divina perfección. Por otra parte, Nin y Silva explicaba milagros y hechos fantásticos mediante alternativas racionales, aunque no siempre seguras. También era autor de otro libro polémico: *Jesús, el carpintero de Nazareth. Su deificación y el cristianismo primitivo*. Desde una posición histórico-científica daba mazazos contra los rascacielos de la fe.

En medio de esas correntadas apareció la bella *Vida de Jesús* de Ernest Renan, cuyo estilo me enamoró, en especial su cautivante descripción del monte de las Beatitudes. También me conmovió su autobiografía, donde narra la crisis que sufrió al abandonar el sacerdocio durante su juventud, parecida a la crisis que yo mismo padecía en ese momento. Aquel hombre de pluviosa cabellera blanca había trabajado con ahínco las lenguas semíticas. En 1890 se trasladó en misión arqueológica a la gran Siria, que incluía el Líbano y toda Tierra Santa. Al regreso cargaba en su maleta el manuscrito del primero de los siete volúmenes que dedicaría a los orígenes del cristianismo, expurgados de toda referencia sobrenatural. En esa época su proyecto era una insultante herejía y desató reacciones enconadas. Si hubiera sido alguien que analizaba con igual rigor el Corán o la vida de Mahoma, lo habrían decapitado. Pese a críticas e insultos, no se dio por vencido. Otra de sus obras fue *Averroes y el averroísmo*, que inició mi interés por el Islam. Averroes, además, era un cordobés coetáneo de Maimónides, también racionalista. Por lo tanto, más leña para mi fuego histórico-teológico.

Apareció en un escondido rincón de la biblioteca un volumen titulado *Moisés como legislador y moralista* del Marqués de Pastoret. Ese libro analizaba el cuerpo legislativo que presuntamente legó aquel patriarca, con páginas aburridas hasta la náusea. No pude completar su lectura pese al denuedo, porque era interminable la catarata de leyes y ritos que describía, analizaba, elogiaba y escupía, todo a la vez. Alguien, a mi lado, preguntó cómo hacía para desempolvar semejantes mamotretos. Me halagó su curiosidad, pero no le confesé que algunos de esos libracos deberían hacerse humo, para no arruinar el placer de la lectura.

Una obra de larga resonancia fue *Mahoma y el Korán* (así escrito, con K) de Rafael Cansinos Assens, quien fuera maestro e inspirador de Borges. La relación entre esos dos genios (Cansinos y Borges) generaba deslumbramiento en mis coordenadas, porque Borges solía afirmar que Cansinos Assens era un español de origen sefardí que había leído todos los libros y sabía todos los idiomas. En efecto, entre las lenguas que dominaba, además de las más usadas en Occidente, figuraban el hebreo, el árabe y el ruso. Fue traductor de Dostoiesvki, entre otros autores. A *Mahoma y el Korán* lo leí dos veces y aún sobrevive en mi biblioteca, codeándose con un ejemplar del Corán en castellano.

Resultaba evidente que el Corán debía casi todo al judaísmo. Empecé a captar el intercambio de mitos, leyendas y ceremonias de las diversas creencias y comunidades, un intercambio que fue más intenso de lo sospechado. Operó en favor de mi visión sobre el Islam enterarme sobre el mérito de los teólogos musulmanes que, tras la expansión de su fe por todo el Medio Oriente, comenzaron a estudiar y valorar la filosofía griega incorporándola a Occidente.

Experiencias de aquellos años adolescentes, que debo llamar inicio de mi (frustrada) profesión teológica, me depararon más sorpresas. Perón había instituido la enseñanza católica obligatoria para ganarse el apoyo de la Iglesia, aunque nadie iba a sospechar que años después la humillaría. Quienes profesaban otros cultos tenían la opción de retirarse durante las clases. Los pocos padres judíos de Cruz del Eje conversaron entre sí y decidieron que sus hijos no salieran del aula para evitar gestos discriminatorios o embarazosas preguntas. Tuve como profesor a un sacerdote de abdomen globuloso y amplia sotana. Cuando formulaba preguntas, yo sobresalía de inmediato. No tuve la astucia del silencio, arte que aprendí más adelante. Asombrado, inquirió si mi familia era protestante, porque no me veía en la iglesia. Sólo atiné a pronunciar un monosílabo: No. El cura fue discreto y pasó a otro tema. Su sospecha tenía fundamento: nunca me había visto en la iglesia y exhibía un conocimiento de la historia sagrada superior al de mis compañeros. Entre los protestantes se lee mucho toda la Biblia; los católicos, en cambio, se conforman con porciones del Nuevo Testamento.

Esa ondulante o imperfecta formación teológica me sirvió para la época de mi deslumbramiento ante el Concilio Vaticano II, el inolvidable encuentro que tuve con Juan XXIII en su palacio veraniego de Castelgandolfo, la redacción de *La cruz invertida*, mis tres libros de diálogos con el obispo Justo Laguna y numerosas actividades pluriconfesionales, algunas bastante riesgosas. Pero de todo eso hablaré más adelante.

Ahora me parece que ha llegado el momento de describir uno de mis modestos descubrimientos teológicos (aunque tal vez la palabra "descubrimiento" resulte exagerada).

Me parecía poco lógico que Jesús hubiese sido recibido en Jerusalén un domingo (llamado después "Domingo de Ramos"). No tenía nada de especial, excepto que dentro de pocos días se celebraría Pésaj (Pascua, en recuerdo de la liberación de la tiranía egipcia). Lo acogieron con profusión de palmas, flores y enorme alegría. Pero en Jerusalén, hasta ese momento, era casi un desconocido. En sólo seis jornadas, desde aquel curioso domingo al viernes, tuvieron lugar impresionantes acontecimientos de naturaleza y efectos contradictorios. Esos acontecimientos desembocaron en su arresto tras la Última Cena, que era el *séder* de Pésaj (la solemne celebración de la Pascua), donde quien conduce la ceremonia reparte el pan y ofrece el vino. Jesús, mediante esos tradicionales gestos, instauró la Eucaristía. A continuación se sucedieron los desgarrantes capítulos de la pasión, con su arresto, los juicios, la tortura, el camino hacia el Gólgota, su crucifixión y muerte. En sólo seis días. ¿No era muy poco tiempo para tanta historia? Pensé que ese lapso debió haber sido más extenso, pero no tenía cómo fundamentarlo. ¿Un mes? ¿Dos? ¿Tres?

Hasta que caí en la cuenta de que la jubilosa fiesta de Sucot tiene lugar *seis meses* antes de Pascua. Si la Última Cena coincidió con el *séder*, el ingreso triunfal de Jesús en Jerusalén debió haber tenido lugar seis meses (no seis días) antes, en la alegre Sucot, precisamente. Esa fiesta rememora los cuarenta años que los hebreos pasaron en el desierto del Sinaí, conducidos por Moisés y habitando bajo techos precarios. Como recuerdo se construyen chozas elementales para comer y dormir dentro de ellas. Además, corresponde "agitar las cuatro especies" para recordar que Dios gobierna sobre toda la naturaleza: el *etrog* (la cidra, una fruta con deliciosa fragancia), el *lulav* (rama de la palmera), el *hadás* (rama del mirto) y la *aravá* (la rama del sauce cuyas hojas tienen una punta fina). Esa vegetación danzaba en las calles de la ciudad y parte de ella se derramó delante de Jesús, que venía montado en un burro, como había anunciado la profecía, rodeado de sus discípulos y seguidores.

De esa forma me pareció solucionar con lógica la confusión que se produjo por pifiar el número seis de los *meses* con el número seis de los *días*, sin alterar el relato de los Evangelios ni saltear detalle alguno de lo allí narrado. Pero dejé en ese punto la cuestión, no lo publiqué ni escribí hasta ahora. Necesitaba dedicarme a otros menesteres. Quizás en algún momento vuelva a este tema, que me suena tan atractivo.

En la porción referida a mi discutible andar por los caminos de la teología, corresponde mencionar las obras a cuatro manos que mucho después compuse con el obispo Justo Laguna. Pese a la novedosa cordialidad interreligiosa que crecía en Occidente, no aparecían libros de diálogo franco entre representantes confesionales. Aún estaba lejos la colaboración entre el obispo Jorge Bergoglio y el rabino Abraham Skorka. Tampoco era yo un teólogo formal ni un hombre dedicado al culto. Me acostumbré a calificarme agnóstico, lo más cercano a mis convicciones. Además, ¿puede calificarse de ateo a Spinoza o a Einstein, dos de mis modelos en esta materia? Después de un primer tomo con Laguna, en Italia se publicó el libro de diálogos entre Umberto Eco y monseñor Carlo Maria Martini, arzobispo de Milán. Seguro que ellos no sabían del trabajo realizado en la Argentina, pero de todas formas era meritorio que les hubiéramos ganado en el tiempo. Por otra parte, si se compara la extensión, profundidad y franqueza de los productos, Eco y el milanés deberían reconocer que fueron superados por nosotros desde este cono austral del mundo.

¿Explico a qué se debió mi asociación con Laguna? Antes de que este obispo apareciera en mi horizonte teológico-político-literario había fallecido mi inolvidable esposa Marita. Caí en un pozo de tristeza y devastación. Mi editorial, a través de su talentosa directora, Gloria Rodrigué, se desesperaba por levantar mi ánimo relanzando una hermosa serie de mis mejores obras. Era una iniciativa que expresaba confianza en mi producción. Más confianza de la que yo mismo le tenía. Se trataba de una lujosa docena de tomos en tapa dura y sobrecubierta ilustrada, que incluía novelas, cuentos y ensayos. En simultáneo con esa iniciativa se le ocurrió invitarme a escribir un volumen de diálogos con el obispo Justo Laguna, que había alcanzado popularidad gracias a su apertura y visión progresistas. Fuimos invitados a cenar en su casa y discutimos la propuesta, que sonaba extraña. Era un desafío para aquel momento. Un obispo y un agnóstico generaban disonancias que no se podían ignorar.

Cautivaba el carácter de Laguna, porque se zambullía sin rodeos en temas difíciles. Por eso muchos lo querían y muchos lo odiaban. Nos habíamos visto por primera vez unos años antes, cuando yo era secretario de Cultura de la Nación y tenía que expedirme sobre exhibiciones pictóricas acusadas de pornografía (aún impregnaba al país la censura dictatorial). Pero recién conversamos a fondo en la casa de Gloria. Ella quería un libro con desnudas opiniones. Y mejor si se pellizcaban las divergencias. Programamos una serie de encuentros con el grabador de por medio. Seguiríamos un temario, por supuesto, y luego ese material sería editado por una personalidad de indudable oficio como Gabriela Esquivada. La cena terminó con un firme compromiso: hablar con franqueza.

El producto fue un volumen de 186 páginas con un largo título: *Diálogos sobre la Argentina y el fin del milenio*. Apareció en noviembre de 1996. En dos meses exigió seis abultadas reediciones. Luego siguieron otras. Por varias razones produjo gran revuelo, dentro del cual también hubo pedradas de izquierda y de derecha.

Tan espontáneo era monseñor Laguna que en un reportaje por televisión me puso rojo y enseguida me hizo reír con su punzante ironía. Nos preguntaron acerca de un intríngulis teológico sobre el que cada uno dio su respuesta. Él lo hizo primero, yo después. Al terminar mis frases pegó un salto: "¡Sabés más de cristianismo que yo, es un escándalo!".

Laguna nació en Buenos Aires en 1929, en el mismo edificio donde funcionaba la tradicional confitería Del Molino, frente al Congreso Nacional. Ingirió mucha literatura, teatro y completó su formación teológica en los claustros de Salamanca. En épocas políticas duras este sacerdote, empleando la fuerza de su investidura y el talento de la diplomacia, se lanzó entre claroscuros a socorrer víctimas, encontrar desaparecidos y consolar a los deudos.

Gloria Rodrigué volvió a consultarnos sobre otros asuntos que habían quedado en el tintero. Le parecía que nuestro primer trabajo había incentivado el apetito en lugar de satisfacerlo. No habíamos explorado con suficiente intensidad temas que urgían en el país, como el rol de las fuerzas armadas, la relación entre la Iglesia, la guerrilla y los años de la dictadura, la compleja cuestión social, la intolerancia y los prejuicios, la pobreza, los vínculos entre religión y política o entre religión e ideologías. Tampoco nos habíamos atrevido a navegar tópicos subjetivos como el amor y la amistad, la relación entre padres e hijos, la soledad, los dramas de la vida posmoderna.

La editorial nos encerró en el hotel Del Bosque, en Pinamar, durante diez días, acompañados por Diego Mileo, quien manejaba el grabador y azuzaba con nuevas preguntas cuando llegaba la fatiga. Pedimos que las ocurrentes intervenciones de Diego también figurasen. De esa forma, en un clima íntimo y relajado, reímos, nos disgustamos, corregimos, descubrimos y sazonamos. Dimos a luz *Nuevos diálogos*, también editados con destreza por Gabriela Esquivada.

Mi relación con este obispo se profundizó. En una ocasión me dijo: "Vos provenís de Maimónides, de Spinoza, de Einstein, de Kafka y de Freud". Le pregunté: "¿Provengo de ellos porque fueron judíos?". "No sólo por eso: fueron racionalistas que aceptaban la existencia de un infinito al que el hombre no consigue dominar."

No supe si callar o agregarle un aditamento. Pero hice algo mejor: abrazarlo.

Conocí a Jorge Bergoglio años después, al final de una misa dedicada a cierto acontecimiento que me cuesta recordar. Conversamos un rato a la salida y sentimos que nos acercaba un lenguaje común. Después Bergoglio fue ungido cardenal y nos encontramos en un avión. Bergoglio, que conocía mejor mis ideas que yo las suyas, orientó sus palabras hacia la política argentina. Y lo hizo de un modo tan directo como Laguna. Escuché su opinión negativa sobre Néstor Kirchner, no sólo como presidente, sino sobre las cualidades que debe tener una persona que guía un país, ausentes en ese hombre autoritario y sospechado de corrupción.

Más adelante, cuando fue elegido Papa, me pareció que hubiera sido glorioso celebrar semejante designación con alguien tan parecido a él como Justo Laguna. Me recibió en el Vaticano y recordó la conversación que habíamos mantenido en el avión. Soltó su risa: "¡Me insultaron porque había estado conversando con usted!". Yo no me quedé corto y le dije, a riesgo de parecer irrespetuoso, algo terrible. Unos días antes había recibido a Cristina Fernández de Kirchner con una delegación de treinta personas que incluso tuvieron el mal gusto de llevarle camisetas de La Cámpora. Lo miré a los ojos y pronuncié el siguiente párrafo: "Perdone si parece ofensivo, pero hace unos días usted ha saludado aquí al liderazgo de Sodoma y Gomorra". A Francisco se le borró la sonrisa y dijo en tono grave: "¡Yo lo sé!". Añadí: "El nivel de corrupción y el veneno de inmoralidad que han inyectado en la sociedad impiden que muchos puedan distinguir el mal del bien". Entonces repitió, con seriedad y mucha tristeza, "¡Yo lo sé!".

Laguna me habría felicitado.

No quiero marear al lector, así que regresemos a mi primera profesión.

Todavía me asombran los progresos que obtuve cuando creía haber alcanzado el pináculo. Fue un buen ejercicio para conservar la modestia y mantener la flexibilidad. Cuento esto para compartirlo con quienes pasan por circunstancias parecidas.

Entre las partituras amontonadas en un rincón de la librería de Córdoba donde las compraba, se asomó un folleto de tapa color madera. Era pequeño, como si se encogiera de vergüenza. Su título me pellizcó: *La moderna ejecución pianística*. El nombre de los autores apenas se leía: Leimer y Gieseking. Mis dedos hesitaron. Sabía que Walter Gieseking dictaba un curso en la Universidad de Tucumán sobre la obra pianística de Debussy. Su ingreso a la Argentina había sido cuestionado por su vinculación con el nazismo. Integraba el tenebroso rosario de criminales que llegaban desde el fin de la guerra con pasaportes falsos o verdaderos, con disfraces o a cara descubierta.

Una curiosidad morbosa me empujó a extraer el librito. Se trataba de una clase de Karl Leimer que se publicó en 1930, antes de que el nazismo tomase el poder. Pero Gieseking había añadido un encomiástico prólogo, porque esa clase de Leimer le había regalado muchas enseñanzas, decía. Lo hojeé, dudé, salí con los puños crispados, regresé y, por fin, lo compré. En casa lo leí de un tirón, luego releí y pronto elevé a la altura de guía maravillosa. No comenté esa travesura a nadie, ni siquiera a Elio Canale. Consideraba haber cometido un pecado. Pero un pecado al que no iba a renunciar.

Sus hojas me incomodaban y atraían al mismo tiempo. Repasaba algunos segmentos con desagrado, pero no dejaba de practicar sus indicaciones cada vez que me sentaba al piano. Era como aprender de asesinos. No asistía más al conservatorio y me apliqué a modificar por cuenta propia la técnica que usaba hasta entonces. Me convertí en el secreto alumno de un maestro impresentable.

Gieseking había sido un prodigio: a los cuatro años tocaba piano y no necesitó concurrir a ningún establecimiento para aprender. Su evolución dejaba mudo al padre, que también ejecutaba música. Para darle formalidad a tan evidentes dotes, lo hizo ingresar a los quince años en el conservatorio de Hannover dirigido por Karl Leimer, quien, advertido sobre el pequeño monstruo, lo tomó a su cargo. Consiguió que en sólo dos años ejecutase de memoria y con cegador brillo casi todas las obras para piano de Mozart, Beethoven, Schubert, Chopin, Schumann y Mendelssohn. Leimer aseguraba —y

Gieseking lo confirmó— que los agotadores ejercicios de técnica son una pérdida de tiempo. Para obtener buenos resultados alcanzan pocas horas de ejercicio, pero con una concentración muy intensa. La clave reside en el buen uso de la concentración, que no es cualquiera, sino la reflexiva. Es decir, incorporar al cerebro los mínimos detalles de la partitura antes de que los dedos toquen las teclas. No lo entendí al principio, pero luego se convirtió en mi hábito.

Walter Gieseking encontró a Serguei Rachmaninov en los Estados Unidos y lo dejó boquiabierto cuando memorizó con una rapidez fuera de lo común su difícil Concierto número tres. Años más tarde, durante la guerra, tocó en varias salas de los territorios ocupados por el Reich. No actuaba en política ni desempañaba cargos públicos, pero se había afiliado al Partido Nazi. Luego pretendió excusar semejante traspié: dijo haber sido un joven ignorante, distraído, y que sólo deseaba seguir tocando en público, para lo cual necesitaba manifestarse aliado del régimen. Esa complicidad le llenó de piedras la rehabilitación posbélica. Al fin, entre culpas, absoluciones y su innegable genialidad, empezaron a multiplicarse invitaciones a conciertos y grabaciones en varios países, hasta que murió en 1956.

Claro que yo no le perdonaba su adhesión al Partido Nazi, aunque él hubiera sido un músico ingenuo. Hedía inmoralidad. Me enteré con el tiempo de que la mayor parte de los artistas suelen bordear la inmoralidad.

Su cabeza calva y rectangular, asociable a la de un verdugo, no me dejaba comprender cómo podía ordenar a sus dedos que extrajesen de cada tecla el más refinado color. Su aspecto no evocaba el incendio de Beethoven, ni la depresión de Schumann, ni el romanticismo de Chopin, ni la furia acrobática de Liszt, ni la sensorialidad de Debussy. Introvertido, cuando se sentaba al piano se transfiguraba. Soltaba los brazos hasta lograr una relajación extrema. Luego, con el primer toque, hacía estallar el milagro.

Con ese folleto empezó mi última etapa musical, en la que decidí revisar todo mi repertorio. Tenía la súbita pasión de un converso. Me di cuenta de que, pese a los aplausos, mi calidad no perforaba las nubes. Tocaba bien, pero no era maravilloso. Los *pianissimos* y *legatissimos* sonaban correctos, no fascinantes; advertía que los trinos y mordentes adolecían irregularidades que me costaba corregir. Y que nunca pude corregir del todo. No obstante, aún podía convertirme en un sólido concertista.

El método de Leimer-Gieseking no exigía muchas horas diarias, lo cual facilitó mi alternancia con los libros, apuntes y prácticas de la medicina. También podía continuar con mis incursiones semanales en las catedralicias naves del contrapunto y la orquestación en la Escuela de Bellas Artes.

Como indicaban esos autores, elegía algunos compases y memorizaba con lupa su imagen gráfico-musical.

Luego acomodaba mi cuerpo sobre el taburete y me imponía una intensa relajación de treinta segundos. Recién después comenzaba a ejecutar el trozo memorizado. Siempre con la máxima atención. Debía obtener una flor con cada toque. No se trataba de producir música, sino de convertirla en un producto divino. Perfeccioné el *legatissimo* con erótica sensibilidad en las yemas de los dedos, a los que mantenía ligeramente flexionados para que no perdiesen su relajación. Ya no los extendía como bayonetas ni doblaba en exceso, porque esto último ponía las uñas en contacto con las teclas. Aprendí a obtener seductores *legatos* ejerciendo una presión suave sobre la tecla y, sin que el dedo se separase por completo de esa tecla, hacía sonar la siguiente.

Los mordentes también son difíciles cuando aparecen en medio de muchos sonidos. Los ha utilizado con frecuencia Juan Sebastián Bach. Los modernizó con idéntica frecuencia Astor Piazzolla. Comparten ese rasgo, que les imprime el sello de únicos; también son hermanos en otros aspectos, porque suenan "siempre iguales y siempre distintos". El mordente, como es sabido, consiste en la sucesión rápida de tres notas contiguas. A las tres corresponden la misma duración y fuerza, de lo contrario se transforman en un adorno rengo.

Siguiendo con el *legatissimo* —que no es lo mismo que tocar suave— hay dificultades para repetir mucho tiempo una misma nota y que siga manteniendo su individualidad. Se debe dejar subir la tecla hasta dos tercios de su altura solamente, así continúa su sonido. De inmediato se la bajará de nuevo.

También es complejo el ligado de las octavas, aunque a menudo ese ligado se consigue con la trampa del pedal. No está bien. Un oído entrenado advierte irregularidades. La solución consiste en reproducir el método empleado con los ligados simples: levantar sólo parte de las teclas mientras se aprietan las siguientes.

Tomé conciencia de que el relevo de una mano por otra o cruzarlas sobre el teclado exige una especial atención, para que no aparezca el desequilibrio que genera ser diestro o zurdo. Los acordes deben hacer sonar claramente todas las teclas, aunque algunas merezcan más volumen por las demandas del ritmo o el dibujo de la melodía.

En las partituras suelen figurar los matices deseados por el compositor. La tarea fina corresponde al ejecutante. Es obvio, pero poco tenido en cuenta. Debe gobernar la *agógica:* pequeñas modificaciones de tiempo no marcadas en la partitura. Por ejemplo, todos los finales de Juan Sebastián Bach se lentifican sin que él lo haya señalado. Pero en el resto de los compositores la regla varía. Mínimos retardos y apresuramientos son legítimos, mientras no distorsionen la partitura: permiten expresar los sentimientos del ejecutante. Lo mismo vale respecto de la intensidad del sonido: por lo general se la aumenta cuando la melodía trepa hacia los agudos y disminuye cuando se oscurece en el sentido opuesto. No siempre, claro, pero sí a menudo.

Voy a terminar esta parte con otro detalle: el *staccato*. Nunca debe ser violento; algunos concertistas, para impresionar, suelen usarlo para exagerar la teatralidad de las manos. A los pocos entendidos impresiona, pero ese procedimiento maltrata la ejecución. Aquí corresponde señalar una excepción a la regla. La *Danza ritual del fuego* de Manuel de Falla se había convertido por aquella época en una presencia ineludible en casi todos los conciertos de piano solo. Hasta la trasmitían los parlantes callejeros de Cruz del Eje. A poco de aprenderla gocé un reportaje filmado a Arthur Rubinstein, en el que explicaba cómo la había convertido en una de sus piezas más aplaudidas. Cuando llegaban los acordes que alternan ambas manos como golpes de tambor para imprimir un ritmo salvaje, él no se limitaba a ejecutarlos, sino que levantaba exageradamente cada mano hasta la altura del hombro, para dejarla caer enseguida como un peso muerto. Parecía un acróbata de circo. Técnica opuesta a la predicada por Leimer, que la hubiese condenado sin rodeos. Pero era sólo una excepción a la regla, como dije. Y Rubinstein era Rubinstein.

Ese conjunto de sugerencias se convirtieron en normas que mantenía vigentes desde el principio hasta el fin de cada nueva pieza que estudiaba o en el repaso de las que ya estaban fijadas en mi memoria.

No obstante, aún faltaba lo mejor.

Llegó la anhelada etapa de conciertos en el auditorio de Radio del Estado. Esa sala había sido inaugurada junto al nuevo y musculoso edificio de Correos. Tenía la forma de un cilindro con semiesferas de color adosadas a su techo y los muros laterales, para conseguir mejor acústica. El piso fue alfombrado de azul y las butacas tapizadas con paño rojo. Los anuncios de cada concierto se propalaban por la misma emisora y ocupaban un respetable espacio de los diarios que, a veces, anticipaban el programa íntegro. Había una puerta accesoria para el ingreso de los empleados y también de los músicos.

Papá me llevaba en su auto, aunque vivíamos cerca, para no llamar la atención callejera con mi nuevo traje negro. Después, él, mamá y mi hermana ingresaban como el resto del público al salón y se instalaban en butacas próximas al escenario. Antes de aparecer yo solía beber un vaso de agua y cambiaba palabras con los funcionarios, para aflojarme. Cuando hacía frío me lavaba las manos con agua caliente.

Llegada la hora, ingresaba por la puerta lateral del escenario. Avanzaba con paso aparentemente sereno y miraba de costado la sala llena, sumergida en una blanda oscuridad. No me esforzaba por descubrir parientes o amigos, ni siquiera en las primeras filas. Saludaba con la convencional inclinación del tronco y me sentaba sobre el taburete, al que de inmediato le trataba de ajustar su altura, como vi hacer a numerosos pianistas, un ritual no siempre necesario, pero que ayuda a conseguir más relajamiento. En las cavernas de mi alma seguían vivas las esfinges del siniestro tribunal que me trastornó en Cruz del Eje.

Los conciertos eran irradiados en directo. En sucesivas presentaciones incluí obras de Villa-Lobos, Ravel, Mozart, Beethoven, Ginastera, Chopin, Albéniz, Grieg, Haendel, Rossini, Schumann, Scarlatti, Poulenc, De Falla, Mendelssohn, Debussy, Rachmaninov. A medida que me soltaba y conseguía mejores interpretaciones, más exultante era mi vínculo con el arte. Escribí en un cuento —de los pocos que escribí en aquellos años— que la música tenía más fuerza que un beso, una caricia o un susto. Me halagaban las críticas positivas de los diarios locales, a las que recortaba, pero no supe guardar. Sólo me quedan unas pocas y amarillentas, como devaluadas estampillas.

En la Escuela de Bellas Artes conocí al pianista y compositor Stelvio Ferrero: joven, flaco, muy parecido al histriónico Franz Liszt, ese gigante que parecía venir a mi encuentro mediante sucesivas reencarnaciones. Admiré la rapidez con la que Stelvio leía e interpretaba una nueva partitura. Enseñaba contrapunto, armonía y orquestación. Nos mostramos las recíprocas composiciones. Era autor de sonatinas, sonatas, variaciones sobre diversos temas propios y un ballet.

En uno de sus programas de concierto había decidido incorporar su reciente *Sonatina de abril celeste* para cuatro manos. Me pidió que lo acompañase y esa idea me colmó de alegría. La experiencia de otro sentado en el mismo taburete, adherido a mi costado, leyendo la misma partitura y repartiéndonos el teclado común, fue sensorialmente inolvidable. Con Stelvio tocaría a cuatro manos por primera vez ante un gran público. El evento tendría lugar en el vasto salón de la Sociedad Española de Córdoba, donde poco antes, sobre el mismo escenario, Pablo Neruda había recitado —sin la teatralidad que por entonces desplegaban quienes tomaban como modelo los espectáculos grandiosos de Berta Singerman— fragmentos de sus *Veinte poemas de amor y una canción desesperada.* Ese poemario ya se había convertido en un objeto de culto para todas las edades e ideologías. En mi cabeza se habían fijado varias estrofas que vertía en las orejas de mis primeras novias.

Más sorpresa que tocar a cuatro manos con ese músico me produjo su decisión de dar a conocer en un próximo recital varias de mis propias composiciones. Su generosidad me sacudió y asistí en estado de gracia. Me pareció vivir una película, como si Stelvio fuese Liszt tocando a Chopin. Me recorrió un hormigueo desde la frente hasta los pies cuando ejecutó algunas de mis piezas con su particular estilo, bastante diferente al mío. Era igual y era distinto. Aprecié la sonoridad, el ritmo y los nuevos colores que extraía de mis partituras. Corroboré cuánto aportan las interpretaciones de un buen artista.

Fastidiaba a mis compañeros de medicina porque a las seis y media de la tarde partía hacia la Escuela de Bellas Artes. Habíamos estudiado juntos en libros y apuntes desde la mañana, con un breve intervalo para el almuerzo o las interrupciones exigidas por una práctica. Pero cesábamos a las seis y media por mi culpa.

Mi profesor de composición, recibía por correo las obras recién impresas del revolucionario Arnold Schönberg. Me asaltó la curiosidad. Él las tocaba al piano y exclamaba: "¡Sublime!". Lo miraba para entender qué sucedía en su cerebro y en su corazón. Para mí, sólidamente entrenado en los clásicos, se trataba de una partitura incomprensible, un conjunto de sonidos incoherentes, absurdos tiros al azar. ¿Esa era la nueva música? ¿Esa era la vanguardia? ¿Por tan erráticas sendas deberán desarrollarse mis futuras creaciones? Comenzó una taladrante y letal decepción, como sucedió con ciertos aspectos de la teología. Las consecuencias irían más lejos de lo que me atreví a imaginar. Perdón: en secreto las imaginaba, y eran horribles. Esa música no me emocionaba, ni intrigaba, ni seducía.

Había comenzado a leer *Doktor Faustus* de Thomas Mann, su última gran novela. Lo había inspirado la obra de Schönberg, precisamente. Describía un nuevo Fausto que pacta con Lucifer para conseguir una innovación musical sobrehumana: el sistema dodecafónico. La minuciosa prosa de Mann y el suspenso que imponía a su narración me impresionaron mucho, en especial las páginas donde trepidan fenómenos que develan al Maligno. Pero no lograron convertirme.

Entonces advino algo grave.

En esa época descubrí un volumen de 660 páginas que me angustió, textualmente. Su autor era el musicólogo argentino Juan Carlos Paz y se titulaba *Introducción a la música de nuestro tiempo*.

La obra de Paz golpeó mi cabeza como un ladrillo. ¡Qué frustración para mi imaginario! Su texto era bello, fluido y convincente. Pero me sacaba del universo conocido. Derribaba algunos iconos, acusándolos de reaccionarios o imbéciles. Sólo valían los autores que se dedicaban a audaces experimentos, los nuevos de verdad, los resistidos, los locos: cada etapa de la historia musical luce grandes creadores vilipendiados en un principio. Las páginas de Paz, hermosas y persuasivas, me causaron devastación. Tomé conciencia de que la música seguía un derrotero diferente al que había considerado inmortal. No sólo el dodecafonismo, sino que hasta me costaba disfrutar del último Ginastera, de quien tocaba algunas piezas de inspiración folklórica.

El último Ginastera —supe después— era el mejor. Años después se estrenó su ópera *Bomarzo*, censurada por la puritana dictadura militar de entonces, encabezada por el general Onganía. Como suele ocurrir, la censura aumentó su fama. Pero el nuevo estilo no me convencía.

Mientras leía y releía con ambivalencia a Paz, recordaba los insultos contra Brahms que profirió Romain Rolland en sus diez tomos de la novela *Juan Cristóbal*. Ya no entendía cómo se puede odiar tanto a Brahms. El personaje Juan Cristóbal lo odiaba de verdad porque Brahms, para él, era un conservador que no se despegaba de quienes lo habían precedido. Era mi caso, me alarmaba. Romain Rolland me habría despellejado por ser un conservador en materia artística, que no cesa de amar a todos los grandes creadores que produjeron obras capaces que excitar el corazón y el cerebro.

Un horror. Juan Carlos Paz anunciaba el Apocalipsis de la música. O el fin de la creatividad gozosa. Componer se convertiría en una tarea extraña, matemática, desprovista de sensibilidad. Leonardo da Vinci había dicho que *l'arte è cosa mentale* y con esa frase empezaba el libro de Paz. Pero Leonardo no sólo fue un trabajador mental, me decía para conseguir algo de consuelo. En definitiva, transité el camino de Damasco, pero sin obtener la luz. No podía convertirme en Pablo ni en nada valioso para la música del presente y el futuro. Era espantoso. Más adelante me consoló Woody Allen al afirmar que la buena música sólo se desarrolló hasta el fin de los años sesenta; después siguieron los funerales.

Mi cultura no me había provisto aún de suficiente información sobre el curso de las demás artes: plástica, letras, arquitectura. Me llevó años apreciar el estilo atonal, así como las innovaciones en los ritmos, la cualidad de las disonancias y sus nuevos colores, que abarcan tanto la música clásica como la popular. Mientras, me había resignado a dejar de componer, pese a mi entrenamiento en contrapunto y orquestación. Como despedida escribí un trío para cello, violín y piano. Pero, en el fondo, no quería dejar huellas y *se perdió* el manuscrito. Sí, se perdió... Sólo continuó mi afán por dar conciertos. No advertía que esto también sangraría. Aún me mareaba el vago optimismo de que tocaba mejor que nunca. No serviría de mucho, sin embargo. En una de mis últimas presentaciones en Radio del Estado logré una interpretación tan brillante de *Rhapsody in Blue* que la audiencia me aplaudió de pie. Fue la interpretación de un cisne antes de morir.

Después viajé a Buenos Aires para mi especialización en neurología y neurocirugía, asunto sobre el que más tarde hablaré sin tapujos. Allí mi jefe, Alfredo Givré, enterado de que era un buen pianista, propuso a la Sociedad Hebraica Argentina que me auspiciara un concierto. En aquella época esa institución era un templo de la cultura nacional. Con frecuencia se realizaban conferencias y mesas redondas con la participación de Jorge Luis

Borges, Alberto Gerchunoff, Victoria Ocampo, Adolfo Bioy Casares, Ernesto Sabato, Gregorio Weinberg, León Dujovne, Estanislao Lewin, José Luis Romero, Félix Luna, Syria Poletti, Marco Denevi, Gregorio Klimovsky, Marta Lynch y tantos otros. Durante los períodos dictatoriales —entre los que no se debe excluir el gobierno de Perón—, Hebraica se constituía en el refugio de la *intelligentsia*. Era la resistencia secreta y obstinada contra los avasallamientos a la libertad. Borges solía instalarse en la oficina del director de Cultura de Hebraica por tres horas diarias con un secretario para dictarle poemas, cuentos, prólogos y responder a su correspondencia. El director de Cultura era un ensayista exquisito, con quien desarrollé después una entrañable amistad: Bernardo Ezequiel Koremblit. También exponían los mejores plásticos, se daban conciertos de cámara y circulaban por sus salones los agitadores del espectáculo porteño como Ben Molar, Samuel Eichelbaum, César Tiempo, Paulina Singerman y la vibrante Blackie.

Allí, ante una sala llena, protagonicé mi último concierto en la Argentina.

En la Argentina, no en mi vida.

Cuando viajé a Francia en el barco *Louis Lumière*, surgió la imprevista oportunidad de otro lucimiento. Algunos de mis compañeros en la clase económica —la lingüista Ivonne Bordelois, el psiquiatra Mario Strejilevich y el abogado Jorge Martínez Favini—, conocedores de mi arte, se empeñaron en que brindase un concierto en alta mar. El capitán respondió encantado y se organizó para la noche posterior al cruce del Ecuador. Tendría lugar en la primera clase, sobre el espejado Steinway que ocupaba un ángulo estratégico del gran salón de fiestas. A la hora fijada estuvieron ocupados todos los asientos. Pero, ¡ojo!, en la audiencia había un personaje que fue descubierto por Ivonne. Se trataba de Eugène Ionesco, líder del original teatro del absurdo, que había embarcado en Río de Janeiro y hacía furor en el mundo, menos en mí, que desconocía su obra y, por el momento, despreciaba el absurdo.

Quedó tan maravillado con mis interpretaciones —entre las que hice resonar las *Impressões Seresteiras* de Villa-Lobos— que se acercó e invitó a comer junto a mis amigos en el restaurante de primera clase. Fue uno de los almuerzos más divertidos de todo el viaje. Ionesco tenía un desopilante sentido del humor y se reveló extremadamente cordial. Hasta escribió frases que guiñaban picardía en cada uno de los menús, para que los llevásemos de recuerdo. En esa oportunidad explicó el motivo por el cual los rumanos debían cambiar la última sílaba de su apellido en Francia. *Cu* en francés significa "culo". Por lo tanto su verdadero apellido, Iones*cu*, debió cambiarse por Iones*co*, trámite ineludible para los rumanos que se radicaban en Francia. Cuando llegué a París encandilaron mis ojos las calles empapeladas con *Rhinocéros*, su reciente obra teatral, que incluso había aumentado el fanatismo por otras como *La cantatrice chauve* y *La leçon* que aún, muchas décadas después, siguen en cartelera. Quise visitarlo en su casa, porque en esa época los escritores no mezquinaban revelar su intimidad. Pero tanto me había impactado su fama que no me animé a importunarlo. ¡Maldita timidez!

Hacia el final de mi estadía, Jorge contó que grababa reportajes a las grandes figuras del momento para difundirlas por radio en la Argentina. Entre otros, había entrevistado a Ionesco.

—¿Sabés qué preguntó?... —contrajo enigmáticamente el entrecejo—. Preguntó: ¡¿Qué se hizo de ese brillante pianista que vino a estudiar neurocirugía?!

Me mordí los labios.

Pude conseguir alojamiento en el Pabellón Argentino de la Cité Universitaire, donde cerraría definitivamente mi carrera musical. Había ganado una beca del Gobierno francés mientras terminaba mi estadía en Buenos Aires. Antes de partir realicé un curso intensivo del idioma (los años que le dediqué en el colegio secundario no habían dejado más que el recuerdo de profesoras cómicas e ineficaces).

Además, convertido en un voraz entomólogo de mi especialidad, recorrí como despedida los principales servicios de neurocirugía de Buenos Aires, porque no me alcanzaba con lo aprendido junto a Givré. Algunos, en aquella época, eran muy buenos profesionales. Traté de captar las sutiles diferencias entre los "grandes maestros", a quienes había escuchado en simposios y congresos. Entre ellos se clavaban cuchilladas para obtener el mayor reconocimiento. Formaban una hirviente hermandad, con los conflictos que enloquecen a muchos hermanos, como pasa desde Caín y Abel. También quise publicar artículos científicos basados en los casos que había estudiado. Me acicateaba la urgencia por nutrir mi endeble curriculum, y lo conseguí gracias a la insistencia. Caso aparte era mi amado manuscrito sobre Maimónides, pero éste pertenecía a otra profesión: la literatura.

Dediqué varias semanas al Instituto Costa Buero de la Universidad de Buenos Aires, que había creado Ramón Carrillo en 1944. Por allí transitó la crema de la neurocirugía: Germán Hugo Dickmann, Julio Ghersi, Raúl Carrea, Juan Carlos Christensen, Manuel Oribe, Raúl Matera, Rogelio Driollet Laspiur, Osvaldo Betti, Carlos y Enrique Pardal, Armando Basso. Ya se delineaban subespecialidades: patología neurovascular, base de cráneo, columna raquídea, área selar y periselar, nervios periféricos, neurocirugía pediátrica. Driollet Laspiur me entusiasmó con la flamante estereotaxia, que exigía extrema precisión y lograba milagros en las enfermedades extrapiramidales (Parkinson, atetosis, corea, temblores inespecíficos). Me aconsejó viajar a Friburgo, en el sur de Alemania, donde se habían logrado avances espectaculares. Ni corto ni perezoso, apenas obtuve la beca francesa inicié los trámites para ganar otra, la alemana.

A lo largo de mi estada en Buenos Aires, antes de dirigirme a París, había vivido un romance imposible. Aún me inquieta. Ella era hermosa, de ojos húmedos y voz cálida. Estaba divorciada y tenía cuatro años más que yo. La conocí cuando efectué mi primer viaje a Israel, previo a mi especialización en Buenos Aires. Se llamaba Sonia. La reencontré en el trasatlántico, durante mi regreso.

Fue una alegre sorpresa que luego atribuimos al destino, como suele hacerse con los caprichos del azar. La nave hizo escala en Dakar y ambos bajamos para recorrerla. Caminamos mucho y había oscurecido cuando emprendimos el regreso al muelle. Mientras avanzábamos por las calles africanas cargadas de misterio, calor y fragancia, empezamos a rozarnos las manos. Conocida técnica. Pronto le acaricié los dedos y, al cabo de minutos, se los entrelacé con ternura. Luego vinieron el abrazo y un beso súbito, como había hecho con Elsa en el túnel de Mar Chiquita y con Dina en un teatro de Córdoba. Subimos al barco sintiendo una promisoria complicidad. Las conversaciones que después mantuvimos hasta desembarcar en Buenos Aires la revelaron como una mujer culta y sensible, capaz de alegrar los oídos con infinitas anécdotas. Como había ocurrido en otras oportunidades, el primer golpe de vista fue suficiente para que la flecha de Cupido atravesara mi inmaduro corazón. Lo complicado de aquel momento era que en la Argentina me esperaba otro amor intenso: Dina, precisamente, decidida a casarse y con quien había ensayado todos los besos imaginables.

Para no confundir, dejo por un rato estos romances —pronto surgirán los de Alejandra y Charlotte— y vuelvo a mi ingreso al Pabellón Argentino de la Cité Universitaire en París, compuesto por dos pabellones. En el anterior se alojaban los varones y en el posterior las mujeres y los matrimonios, con absoluta prohibición de violar las monacales reglas. Eran tiempos aún dominados por una represión sexual que ahora produce muecas de lástima.

Me ofrecieron un dormitorio austero, provisto de una ancha mesa y un lavatorio donde podía enjabonar mis camisas y la ropa interior. Era un cuarto cuya belleza e higiene contrastaban con la ratonera que padecí en Buenos Aires, y sobre la cual aún no hablé bastante. Olía a limpio. En la planta baja atraía un salón provisto con sillones de cuero, amplio surtido de diarios, alfombra espesa y una rica biblioteca vidriada. Otro salón era utilizado para las fiestas y un eventual concierto. El desayuno era servido en un ambiente lateral, presidido por un alto televisor donde se escuchaban las noticias. A través de su pantalla en blanco y negro pude absorber varios discursos del majestuoso presidente Charles de Gaulle.

Bruno Gelber cumplía dieciocho años de edad y rengueaba por su juvenil poliomielitis. Había sido un ejecutante precoz. Durante el tiempo en que guardó cama sus padres, ambos músicos, desmontaron la lira del piano para que continuase practicando. Enterado de que yo era pianista, su padre me propuso alquilar un buen instrumento a medias e instalarlo en el sótano del pabellón, que estaba casi vacío. Ofreció ocuparse de todos los trámites. No me costó decidir y en una semana el piano de cola ya esperaba en ese espacio libre de intrusos. Convine con Bruno en que me dejase el final de la tarde, cuando yo regresaba del hospital.

Al principio dedicaba casi una hora en mantener actualizado mi repertorio. Llegaba del Hospice de la Salpêtrière con el metro, hambriento y cansado. Al emerger a la superficie topaba con una panadería y compraba la crocante *baguette* que me entregaban parcialmente envuelta en un papel. A medida que atravesaba el cromático parque de Montsouris rumbo a la Cité, iba arrancando con los dientes costras del pan como si tuviese los incisivos de un ratón. Cuando llegaba, sólo quedaba en mi mano el bollo de papel y un trozo de queso. Tenía ganas de meterme en la cama con un libro y empezar a dormir. En consecuencia, mis descensos al sótano musical se fueron espaciando. Ya se había instalado la guillotina a mi profesión de músico y sólo faltaba soltar la cuchilla. Ocurrió pronto, después de la Pascua.

Para esa fecha me regalé un divertido viaje al sur de Francia con Jorge y las tres beldades chilenas que perfeccionaban su francés y estudiaban historia del arte. Combinaríamos turismo, cultura y romance en mi pequeño y desgastado Volkswagen. Ya me había enredado con Alejandra y Jorge con Patricia, siendo la tercera muchacha quien se ocupaba de ejercer una severa vigilancia (por suerte burlada) sobre la honra que debían preservar sus amigas, actitud que paradójicamente estimulaba el anhelo de transgresión en cualquier momento y lugar. Los cinco recorrimos embriagadores paisajes descritos en *Lettres de mon moulin* de Daudet, algunos espacios pintados por Van Gogh, la Costa Azul ida y vuelta por sus tres cornisas, y regresamos por el exigente Macizo Central. Tenía una loca sed de absorber Francia y lo conseguí en gran medida. Era un exagerado que disimulaba su exageración. A mi regreso esperaba la sorpresa cruel.

Luego de deshacer mi valija descendí al sótano para ejecutar algo en el piano. Me asaltó un agresivo olor a orina de gato. Era evidente que por las claraboyas había entrado una legión de felinos que acampó su extendida promiscuidad. Huí descompuesto. Le pregunté a Bruno si se había enterado de la invasión. No, no sabía, porque también partió de vacaciones. Y el olor de la orina no le molestaba.

—¿No?

—No.

¿Su exquisita sensibilidad auditiva le había atrofiado los nervios olfativos?, me pregunté. Bruno siguió estudiando piano en el inhabitable sótano a razón de ocho horas por día. Yo no podía reingresar ni por ocho segundos. Cayó la pesada cuchilla de la guillotina sobre mis dedos y no volví a rozar una tecla hasta más de un año después. Dolorosamente, asumí que la profesión de médico y la de concertista no eran compatibles. Un inesperado factor externo había iluminado por completo mi interior. Herido, decidí practicar un *renunciamiento*, palabra que se había puesto de moda cuando Evita fue obligada a declinar su deseo de convertirse en vicepresidente de la Nación. Era una palabra potente.

No me resisto a compartir una inolvidable experiencia vinculada con la buena música y una artista de excepción. Me refiero al impacto que me produjo la cantante Edith Piaf. Tuve el privilegio de conocerla un año antes de su muerte, cuando aún estremecía París con sus últimas actuaciones. Un fin de semana sugirieron mis amigas chilenas que las acompañase al Teatro Olympia, porque querían escucharla, era "el gorrión de París". Conseguimos ubicarnos en el centro de la platea. Aguardé su aparición con taquicardia. En medio del círculo de luz se clarificó su endeble figura cubierta por un vestidito gris. Tenía el aspecto de una avecilla moribunda. Caminó vacilante sobre el escenario, porque ya se había desplomado un año atrás en Nueva York. Cuando empezó la música, su voz inconfundible se elevó con un rulo tan intenso que me puse de pie para correr a abrazarla. La amiga que tenía al lado me tironeó de la ropa para contenerme. Edith Piaf gorgeó sus canciones más conocidas y fue aplaudida de forma incansable.

Durante años, mientras viajaba en tren o en auto, solía canturrear su *Non, rien de rien/ non, je ne regrette rien*. Sabía un poco de su atormentada vida, pero no que se iba a morir con apenas 46 años. Había nacido en la calle, bajo la luz de un farol —tal como proclama el lugar común—, quizás un paradójico anuncio de las luces escénicas. Su madre no la pudo mantener y la arrojó en brazos de la abuela, también muerta de hambre. La alimentó con vino fermentado, lo cual la hacía dormir o vomitar. Más adelante, cuando ejercí la medicina en Río Cuarto, llegó a mi consultorio un niño agonizante, porque sus padres lo alimentaban con vino debido a que la radio martillaba que era "la bebida de los pueblos fuertes". Recordé a Edith Piaf. Su padre reapareció por milagro antes de marcharse a la Primera Guerra Mundial. Trasladó la abandonada hijita hasta la vivienda de su propia madre, que regentaba un prostíbulo en Normandía. Poco después la pequeña contrajo una meningitis que le produjo ceguera transitoria. Su papá regresó medio loco de la contienda y decidió usar a Edith como lastimosa acompañante en sus actuaciones callejeras. Edith cantaba y sostenía el tazón de lata donde tintineaba la limosna. Quedó embarazada de un joven demasiado chico para asumir responsabilidades y su bebé también contrajo meningitis. Un señor llamado Lepleé advirtió la belleza de su voz y la llevó a grabar un disco que presentaría a los productores de modestos escenarios. Era un hombre generoso al que ella empezó a llamar "papá", ya que su verdadero padre había vuelto a desaparecer.

Al poco tiempo fue asesinado Lepleé y Edith regresó a la calle, donde se entregó al alcohol, las drogas y relaciones accidentales. Quería fugarse de este mundo. Esa muchacha deshilachada fue redescubierta por empresarios del music hall. A partir de esa casualidad empezó su ascenso. Atrajo la curiosidad de varios artistas con buen oído. Su cuerpo estaba siempre disponible para ser usado, su rostro irradiaba una melancolía embriagadora y su voz era excepcional. Por sus tristes labios, temblorosas caricias y lechos transitorios pasaron Yves Montand, Marlon Brando, Charles Aznavour, Théo Sarapo y Georges Moustaki.

No me parecía verosímil esa historia. Ella, de ninguno se enamoró. Durante la Segunda Guerra Mundial, aunque frágil e inestable, ya fue muy requerida. Provista de la conciencia que le cinceló la mano maestra de sus precoces desgracias, se arriesgó para salvar a colegas del espectáculo. Después compuso *La vie en rose* y desencadenó un éxito arrasador en los Estados Unidos. Allí, por fin, descubrió al amor de su vida: el boxeador marroquí Marcel Cerdan, casado y con hijos. Su abrasadora relación alternaba la felicidad extrema con una desgarrante angustia. Edith, en una de sus crisis nerviosas, le rogó que fuese a verla enseguida. Pero Marcel no pudo llegar, porque murió en un accidente de aviación.

En la Cité Universitaire de París conocí numerosos estudiantes africanos que recorrían sus senderos y jardines, se amontonaban en el comedor común y sobresalían en la sala de espectáculos. Vestían ropas de colores estridentes, casi siempre estaban cubiertos por amplias camisolas y llevaban gorros bordados. En sus mejillas se notaban las cicatrices de los ritos de iniciación religiosa. Curioso, me acercaba a conversar con ellos cada vez que los tenía cerca. Provenían de las ex colonias francesas recientemente independizadas, pero que habían decidido integrarse a una laxa Communité Française teñida por la lengua y el pasado compartidos. Casi todos eran hijos o parientes de los nuevos líderes. Venían a estudiar carreras vinculadas con la política, la administración pública y la economía. Les esperaba la conducción de sus flamantes países. En las conversaciones me asombró su conocimiento de América latina. Lo confesé con vergüenza.

—Ustedes saben mucho de mi continente. Yo de África apenas tengo una noción elemental. ¿Qué los indujo a informarse tanto?

Las respuestas también venían acompañadas de sonrisas, pero no de vergüenza sino de orgullo.

—¡No queremos repetir los errores de América latina!

Me dejaron mudo y los admiré. No podía imaginar que muchos de ellos, en pocos años, se convertirían en dictadores asesinos, insaciables corruptos y culpables directos del gran fracaso que se abatió sobre uno de los rincones más ricos del planeta. Tampoco que iban a ser socios de los guerrilleros latinoamericanos que ensangrentarían y atrasarían ambos continentes, alienados por una ideología autoritaria y perversa.

Al mismo tiempo, angustiaba a Francia el conflicto de Argelia, que trepaba hacia una interminable oleada de crímenes. Había generado ideales libertadores que enamoraban a los filósofos, intelectuales, periodistas y estudiantes. Argelia era una colonia francesa desde 1830 —¡había pasado un entero siglo y medio!— y el diez por ciento de su población más culta tenía mentalidad y origen europeos. Ese diez por ciento era próspero y no aceptaba cambios. Una década antes de mi llegada a París se había formado el FLN (Frente de Liberación Nacional), que inició hostilidades contra la metrópoli. Las matanzas se multiplicaron por ambos lados y Francia, rabiosa, llegó a desplegar un ejército de medio millón de efectivos. La insurgencia argelina contaba con el apoyo del nacionalismo panárabe liderado por el egipcio Gamal Abdel Nasser, la izquierda encabezada por la Unión Soviética y una creciente simpatía universal. Túnez y

Marruecos ya habían obtenido su independencia, así como varios otros del África negra, lo cual incentivaba el volcán argelino, elevado a emblema de la lucha por la emancipación a mediados del siglo XX.

El enfrentamiento armado crecía de forma acelerada, comprometía objetivos civiles y militares de forma indistinta y la represión de los paracaidistas del general Jacques Massu fue espantosa. Centenares de sospechosos eran arrastrados hacia lóbregas cámaras de tortura y ejecución. En el mundo se hablaba con vehemencia de "la batalla de Argel" con encendidos espacios en la prensa y una participación febril de artistas y políticos. Ante el inminente peligro de una guerra civil fue reclamada la vuelta al poder del general Charles de Gaulle. La Organisation de l'Armée Secrète (OAS) exigía la exterminación impiadosa del movimiento independentista encabezado por Ahmed Ben Bella. El arrogante general De Gaulle contaba con el entusiasmo de los nacionalistas, porque se daba por descontado su apoyo irrestricto a la "Argelia Francesa". Asumió en junio de 1958 y exigió en la Asamblea General plenos poderes, con los que creó la V República, aprobada masivamente por un referendo. Al año siguiente obtuvo la presidencia venciendo de forma abrumadora al líder comunista Georges Marrane. Su carácter soberbio hacía presumir que incrementaría la represión. Pero se concentró en tomar medidas económicas mientras maniobraba el cambio político.

Algunas noches me quedaba a mirar los noticieros en la única pantalla de televisión que existía en la sala de la Maison Argentine. Allí escuchaba el erudito francés de Charles de Gaulle, como ya adelanté. Impresionaban sus finales ardientes, rubricados por el sonoro *"Vive la France! Vive la Republique!"*, al que seguía la Marsellesa excitante. Todos los rostros eran tentados a lagrimear y el corazón latía emocionado.

Sorprendió con una novedad elíptica: *"L'Algerie pour les algeriens!"* Miré en torno para encontrar la interpretación exacta de semejante afirmación. ¿Quiénes eran los argelinos?, ¿sólo los árabes?, ¿los árabes y los europeos?, ¿sólo los europeos?, ¿una rara suma algebraica de europeos y árabes? Los nacionalistas franceses entendieron que abría las puertas de la autodeterminación, y que De Gaulle los había traicionado. Se produjo un levantamiento militar rápidamente sofocado. Después estalló otro golpe organizado por cuatro generales, entre ellos Raoul Salan y Maurice Challe, que habían sido jefes del Ejército. Los temidos paracaidistas vendrían en negras bandadas y caerían como bombas sobre Francia para destituir a De Gaulle. El país entero estuvo pendiente de su discurso decisivo. Lo escuché con el mentón apoyado sobre mi puño. Vestía el uniforme de general y describió sin maquillaje la grave situación que se vivía. Pidió al pueblo que saliera a los campos para recibir a los paracaidistas y hacerlos entrar en razón. Cerró su dramático discurso con palabras que jamás pudieron borrarse de mi memoria. El orgulloso De Gaulle, el que se rebeló sin armas contra el gobierno pronazi de Vichy, el que llamó a la resistencia desde Londres, el que sacaba de las casillas a Churchill, el que consiguió ser el primero en atravesar el Arco de Triunfo cuando se logró la liberación de París, inspiró profundo y reclamó humildemente el apoyo de sus conciudadanos. Dijo con la mirada extática: "*Françaises, Français, aidez moi!*". Tras dos segundos, cerró como siempre: "*Vive la France! Vive la Republique!*". Y vibró la Marsellesa.

SEGUNDA PARTE

Espinas y pimpollos

Desde joven consideré insalubre el fanatismo nacionalista. No equivale al patriotismo, porque lo deforma. Fui y me considero patriota —no nacionalista—, de tres identidades: argentina, judía y universal. Esta última, la más fuerte, se la debo principalmente al humanista y celebrado escritor Stefan Zweig, que leí con fervor durante mi juventud.

En el último grado de la escuela primaria me clavaron un puñal contra una de mis identidades. El director se llamaba Gordillo, un escribano de vigorosa estampa, piel oscura y voz grave. Solía hacer formar a todo el alumnado en el patio central antes de comenzar la primera hora de clase, saludaba con afecto y narraba una breve historia edificante, a veces provista de humor. Lo queríamos. Su firma tenía un pico al comienzo y otro en el medio, unidos por una ondulación que parecía formada por letras susurrantes. Influyó en la creación de mi propia firma, que también comienza con una elevada M seguida por ondas que llegan al salto de la A y siguen con un leve temblor hasta el final.

Una mañana faltó mi maestra y él se hizo cargo de la clase dedicada a geografía. Consideró importante referirse a dos pueblos que no figuraban en el mapamundi. "Son los apátridas", dijo. Formuló sus nombres y luego los escribió en el pizarrón: *gitanos* e *israelistas*. Escribió *israelistas* con una "s" interna que sacudió mi cabellera. Entendí que la condición de apátrida denunciaba minusvalía. Era insultante. Los "israelistas" (es decir, los judíos) no tenían patria, insistió. ¡Pero por ella están sacrificándose!, hubiera querido gritarle. No advertí algo más importante: esa hiriente referencia inauguró mi vocación intensa por la historia y la política.

Apenas mudados a Córdoba, inducido por Isidoro, compré la *Historia del pueblo judío* de Margolis y Marx, que leí detenidamente, con fruición, dos veces en el curso de un año. No exagero al decir que esas páginas me sabían a un manjar. Era un libro de tapas duras forradas en tela azul, pero con hojas demasiado delgadas, casi de papel biblia. Aún lo conservo, pese a su vejez. Hace unos años quise recuperar la emoción de mi adolescencia releyendo algunas páginas, pero caí en la cuenta de que el texto carece de magia. ¿Cómo pudo haberme gustado tanto? En cambio el placer volvió a inundar mis ojos unos años después, al navegar con buen viento en otras obras, especialmente *La historia de los judíos* del católico liberal inglés Paul Johnson.

Vuelvo a señalar que papá había vertido en mis oídos esponjosas anécdotas antes de que yo realizara mi *Bar Mitzvá*. Recuerdo gestos y ondulaciones de su voz cuando narraba las peripecias de Sansón contra los filisteos o las audacias de David, que era un hábil disparador de honda y gran músico al mismo tiempo: dos profesiones que luego pasaron a ser tres cuando se convirtió en rey y en cuatro al consagrarse como escritor de los Salmos. Varias profesiones, como llegaría a ser mi caso. Una suerte de profecía o llamado a la modestia: yo no era único.

Mi infancia estuvo acompañada por la certeza popular de que la sopa era el más nutritivo de todos los platos. La cocinaban espesa, con carne, verduras y queso. No me gustaba, como tampoco a la mayoría de mis amigos; luego fue un rechazo institucionalizado por Mafalda, la perspicaz creación de Quino. Para conseguir que abriese la boca mi padre contaba esas historias con el plato hondo lleno en su izquierda y la cuchara atenta como una lanza en su derecha, siempre próxima a mis labios. A medida que avanzaban las anécdotas, se iba terminando la ración. En torno se sentaban mis amiguitos, también extáticos. Por eso evoqué a papá en la dedicatoria de *La gesta del marrano*, porque hubiera disfrutado la heroicidad del personaje.

La medianera de casa lindaba con la Biblioteca Pública Jorge Newbery, como ya dije. Adherido a ella, fue construido el corral del caballo que se uncía a nuestro sulky. Era el animal que me permitía soñar cabalgatas feroces haciendo girar el lazo sobre mi cabeza, igual a los cowboys de las películas. Cumplí once años cuando mis padres compraron el Ford 36 fabricado en Inglaterra, con el volante a la derecha, amplios estribos junto a las puertas y un baúl que sobresalía en la parte posterior. Hasta entonces sólo usaban el sulky, incluso para las emergencias.

Tras cansarme de mirar cómo papá y el peón de la mueblería cuidaban a Negrito, exigí que lo dejasen a mi cargo. Era *mi* caballo, y yo, *su* jinete. Con un balde de agua jabonosa y un cepillo de cerdas amarillas lo empecé a limpiar hasta dejarlo brillante. Los enormes ojos del animal me miraban agradecidos y de cuando en cuando su boca liberada del freno lanzaba un relincho feliz. Después yo abría los grandes bloques de alfalfa y los desparramaba sobre un cajón colgado de la pared, a la altura de su cabeza. Mientras masticaba ruidosamente, le agregaba unos chorros de maíz seco. No me olvidaba de llenar su bebedero con agua limpia.

El corral tenía dos partes, una cubierta por el techo de cinc que lo protegía del sol y de la lluvia, y otro donde solía orinar y defecar. Tenía buena educación. Con un rastrillo juntaba el guano y con una pala lo cubría de tierra. Al terminar me dirigía hacia una pileta de cemento provista de un potente grifo, lavaba mis alpargatas impregnadas de orina, frotaba las suelas entre sí y, por último, las colgaba de una soga.

Los bloques de alfalfa estaban guardados en una galería. Solía trepar hasta la parte superior, cercana al techo. Allí me ataba un toallón como si fuese una capa y saltaba al piso convertido en Batman o Superman. Además de jinetear sobre el bruñido cuero de Negrito, sabía volar. Mi agilidad permitía cumplir la hazaña sin inconvenientes, embriagado por el penetrante olor de la alfalfa. Hasta que una vez me enredé cuando estaba por lanzarme al vacío, agité las inútiles manos y no fui sostenido por la capa. En lugar de aterrizar sobre mis pies, lo hice sobre la frente. Chillé antes de tocar el cemento y fugué hacia la nada. Me despertaron las lágrimas de mamá. Con el plano de un cuchillo ella trataba de aplastar el chichón que emergía bajo mi dolorida piel. El mundo giraba y yo suponía que iba a morir como los bandidos que mataban los héroes. Fue mi primer desmayo.

¿Evoco los demás? El segundo lo sufrí en un acto público, mientras los alumnos de las escuelas formábamos durante horas bajo un sol asesino para rendirle homenaje a Bernardino Rivadavia. El tercero fue cuando asistí a la castración en vivo y en directo de un conejo durante los trabajos prácticos en el Colegio Normal para Maestros

Regionales, precedido por la cuchillada que sentí en mis propios testículos al estallar la identificación con el pobre animal. El cuarto tuvo lugar mientras observaba la disección de un cadáver en las prácticas de anatomía, quizás envenenado por el formol que hedía en la sala, o quizás por la insensibilidad del bisturí que cortaba jubiloso a diestra y siniestra algo que había sido una persona. El último fue provocado por una encefalitis viral que me produjo un coma de dos semanas e instaló en el umbral de la muerte. De todas esas fallas cerebrales, curiosamente —dicen mis próximos—, salía mejorado, como si hubiera estado en un spa.

La política ofrece varias puertas de ingreso.
En el año 1945 fue inaugurado el dique de Cruz del Eje, obra iniciada por el ex gobernador radical Amadeo Sabattini, médico y carismático político domiciliado en la pequeña localidad de Villa María. Ejercía la presidencia del gobierno militar Edelmiro J. Farrell, amigo del coronel Perón, a quien había designado ministro de Guerra y vicepresidente, además de dejarle conservar la Secretaría de Trabajo y Previsión Social. Farrell era producto del hábil Perón, quien había convencido a sus camaradas de que le otorgasen la primera magistratura, así él se garantizaba libertad de acción para ganar más adelante, con elecciones, el mando del país.

Para la inauguración del dique llegó el mismo Farrell en uno de los confortables trenes que habían construido los ingleses. Lo acompañaba una rumorosa comitiva de uniformados y embajadores. Entre estos se desplazaba con aplomo el recién llegado embajador de la URSS. Konicoff se le acercó temerario y le habló en ruso, su lengua natal. El hecho fue muy comentado. No sólo por la presencia del diplomático soviético en medio de militares que olían a fascismo, sino porque un vecino de Cruz del Eje como don Enrique Konicoff pudo acercársele y desarrollar una conversación que incluyó comentarios sobre la Segunda Guerra Mundial. Mi hermanita de cinco años era sostenida en brazos por mamá y, al acercarse a la ventanilla de uno de los suntuosos vagones, un oficial con varias condecoraciones en el pecho elogió su belleza y le regaló un escudito que conmemoraba el 4 de junio de 1943, fecha del golpe de Estado que se exaltaba como una "revolución" y no como una violación de las instituciones republicanas. Su inmediata consecuencia —a menudo escamoteada por la historia— fue aceitar el ascenso del peronismo.

Al cumplir quince años nos mudamos a la ciudad de Córdoba. Allí ingresé en el Colegio Nacional Deán Funes, donde también habían estudiado mi primo Isidoro y el Che Guevara, como ya dije. Corría 1950, declarado *Año del Libertador General San Martín* en conmemoración del centenario de su muerte. La larga frase debía incluirse obligatoriamente en todos los documentos públicos. El ímpetu patriotero y militar se filtraba por doquier. El país fue dividido entre "peronistas" y "contreras". En los conciertos debía ejecutarse una pieza de autor argentino como mínimo, aunque fuese muy breve, y en los entreactos de las películas un conjunto folklórico interpretaba canciones ante la pantalla del cine. Un método eficiente para espolvorear la convicción de que se vivía en una etapa de fuertes rasgos nacionalistas.

Fue lanzado un concurso nacional sobre el libro *La guerra gaucha* de Leopoldo Lugones, que habría de influir en mi carrera de escritor. Esa obra era una antología de relatos en prosa que se había publicado en 1905, inspirados en la lucha de los campesinos comandados por Güemes. Lugones había viajado a conocer personalmente

los paisajes norteños, fijar datos sobre su flora y fauna, e internarse en el lenguaje local. Por eso el texto contiene alhajas deslumbrantes y resulta endiabladamente complejo. Los estudiantes tuvimos que hacernos del libro. El torrente de arcaísmos, neologismos, denominaciones ignoradas e interminables dispersiones poéticas llenaban de dificultades cada página. A veces Lugones se detenía hasta la desesperación en la pulpa de un capullo, las ondas de un remanso o los ásperos bucles de un arbusto atravesado por los rayos del amanecer.

El capítulo que más me gustó —o que pude leer salteando palabras desconocidas— fue "Carga". Narraba el insólito combate al que se arrojaron los gauchos para destruir un campamento español utilizando caballos que se desbocaban al prenderles fuego a sus colas. Mientras leía, asocié esa lucha con una anécdota parecida de Sansón contra los filisteos y las recientes batallas de los judíos inermes de Israel contra los poderosos Estados árabes que lo rodeaban. Imaginé otro curso del relato basado en el mismo tema, como si fuese una variación musical. Trabajé un par de días y entregué el tembloroso manuscrito. Era literario y político a la vez.

Pasados unos meses me llamaron al despacho del rector. Varios docentes hacían fila para darme la mano. ¡Alucinante! No lograba entender que todos los colegios de la provincia de Córdoba me habían consagrado ganador del concurso. Faltaba saber quién llegaría a la cumbre del país. No supe cómo responder a esos halagos, mi boca

tiritaba. Me apoyé contra una mesa para frenar las oscilaciones, pero hice caer varias carpetas. Entre ese tropiezo y la calesita de mis ojos, las carpetas retornaron mágicamente a su sitio por manos que parecían desprendidas de los cuerpos. El rector anunció que el profesor Centeno, quien sonreía a mi lado acomodándose los anteojos de grueso armazón oscuro y era un erudito en literatura, se encargaría de ayudarme a perfeccionar el texto antes de mandarlo a Buenos Aires, su estación final. Al volver al aula mis compañeros me recibieron con palmadas en los hombros.

Fue el primer reconocimiento literario. También la primera oportunidad en la que iba a trabajar con un editor. Los consejos que daba Centeno mientras leíamos línea por línea se grabaron para siempre. Ese pequeño triunfo, que entonces parecía el más trascendental del universo, estimuló la composición de nuevos cuentos, artículos y ensayitos, aventuras secretas que venía cometiendo desde mi pubertad en Cruz del Eje.

En esos años la Argentina comenzó a intensificar la tendencia a no cumplir promesas. Era una expresión más de la decadencia que iría creciendo. Nunca se supo qué pasó con mi trabajo, ni se supo que alguien hubiese ganado en el nivel nacional. El concurso sobre *La guerra gaucha* murió sin funerales. Después pasaría lo mismo con la tesis que rendí para el título de doctor en Medicina y Cirugía, que obtuvo la más alta calificación y le correspondía, por reglamento, que la universidad la publicase. Ni asomo de publicación. Había ingresado en el leviatánico universo de la vida política argentina, donde alternan avances y retrocesos, paradojas y situaciones reñidas con la lógica. A ese hervidero de ideas, esperanzas y frustraciones, le consagré varios libros en el futuro.

Mi inconcluso éxito en la lidia sobre *La guerra gaucha* despertó curiosidad entre los compañeros de mi aula, quienes me invitaron a ingresar en una organización juvenil que hasta ese momento sólo contaba con siete miembros. "Somos como los siete brazos del candelabro", poetizó uno. "Pero en lugar de siete seremos nueve, como las velas de Jánuca", completó otro. Con ellos entré en la política por una puerta más ancha.

También en ese año tuve la ocasión de pronunciar mi primera conferencia. Digo primera porque después fueron numerosas, demasiadas quizás. ¿Las conferencias conformaron otra de mis profesiones? Llamar profesión al arte de ser "conferencista" suena exagerado. No obstante, en muchos curriculums advertí la palabra *lecturer*. Suena más serio. No voy a enumerar los tópicos que desarrollé en mis centenas (¿o millares?) de disertaciones pronunciadas a lo largo de mi vida en ámbitos científicos, artísticos, políticos, académicos, sociales, caritativos, literarios, religiosos o periodísticos. Ahorraré esos detalles y me limitaré a la que constituyó mi bautismo y sus inmediatas consecuencias.

Fue una charla de veinte minutos, aprendida de memoria. Completamente de memoria. ¿Por qué me invitaron? Un club juvenil, enterado de mis estudios musicales y el éxito logrado en toda la provincia de Córdoba con mi texto sobre *La guerra gaucha*, sugirió que hablase sobre historia de la música judía. Consideré que el desafío era enorme para mi edad y mis conocimientos, pero acepté complacido porque unos meses antes había aterrizado en mis manos el libro *La música de Israel*, por Peter Gradenwitz, que aún conservo.

Su análisis partía de las remotas etapas bíblicas y llegaba a los compositores que ya lucía el flamante Israel. Entre otros temas, se refería a la Orquesta Sinfónica llamada "Palestina", creada en esa tierra desierta por el aclamado violinista Bronislaw Huberman e inaugurada por Arturo Toscanini (un católico que adhería al sionismo) mucho antes de la independencia, sobre el gran escenario de la flamante Universidad Hebrea en el monte Scopus. Tras ingerir ese volumen marqué las partes más sabrosas y organicé un relato. No me atrevía aún a hablar sin muletas, pero tampoco quería mantener los ojos fijos sobre el papel y aburrir, como fue el caso de una conferencia que escuché en la biblioteca pública de Cruz del Eje. ¡Aquello había sido terrible! No lo podía olvidar.

Rememoro.

La señorita Britos me había invitado a una actividad novedosa.

—Esta tarde habrá una conferencia, no faltes —dijo.

—¿Qué es una conferencia?

—No faltes.

Llegué antes de tiempo y me senté en medio de la sala, que había sido acondicionada con sillas acarreadas de un lugar desconocido. Cuando estuvo llena, un hombre flaco y calvo se puso anteojos de cristales con muchos círculos y sólido armazón, depositó varios papeles sobre el atril que tenía delante, iluminado por una lámpara de pie. Y comenzó a leer su texto con voz monótona. Tras pocos minutos de curiosidad y otros tantos de hastío, empecé a vagar por los cristales que cubrían los anaqueles llenos de libros bien ordenados del techo al zócalo.

Pero una segunda conferencia, también escuchada en Cruz del Eje, me ofreció una visión diferente. Tuvo lugar en un cine y fue pronunciada por el historiador Efraín Bischoff, que miraba al público con intensidad, aunque de vez en cuando regresaba a sus apuntes. Subía y bajaba el volumen y lograba emocionar. Se refería al encuentro del general San Martín con el director supremo Juan Martín de Pueyrredón en la cercana y pintoresca aldea de Saldán. Ya mudado a la ciudad de Córdoba, escuché una tercera conferencia dictada por Isaac Wolaj sobre el aprovechamiento de las riquezas contenidas en el mar Muerto. Especialista en enfermedades pulmonares, las disertaciones de Wolaj más concurridas versaban sobre los progresos científicos en general. Sobre la mesa apilaba hojas que pasaba de derecha a izquierda a medida que avanzaba su exposición, pero nunca las miraba. Se parecía al director de una orquesta que hace girar las páginas de la partitura sin concentrarse en ellas.

Para esa primera oportunidad intenté imitar los buenos ejemplos de Bischoff y Wolaj. Estudié mi disertación como si se tratara de un poema. Ensayé aumentando el volumen de la voz en ciertos párrafos y dándole relieve a las palabras poco usadas. También tuve el buen criterio de no emular a la famosa Berta Singerman, cuyo estilo era de imitación obligatoria en los institutos de recitado. Berta Singerman había recibido, entre otros grandes reconocimientos, la Gran Orden de Isabel la Católica, gesto que mereció el repudio en voz baja, entonces, de muchos judíos, porque significaba inclinarse ante el dictador Francisco Franco, que había negado asilo a víctimas del nazismo y ese premio, además, tenía el nombre de la reina que firmó la trágica expulsión de 1492.

A mi disertación sobre música acudieron los compañeros del colegio Deán Funes, interesados en conocerme mejor. Los divertía asumir el papel de tribunal. Ansioso, hablé demasiado rápido, como yo mismo comprendí después. Pero no salteé un solo párrafo.

Al poco tiempo empecé a disertar sobre variados temas ante mis compañeros. Y también en reuniones con jóvenes de otras organizaciones. Mi práctica se volvió intensa. Estudiaba y daba clases informales sobre historia, filosofía, artes plásticas, teoría marxo-sionista de Dov Ber Borojov, literatura, Maimónides y capítulos diversos de historia. Esos ejercicios facilitaron un extraordinario enriquecimiento de mi propia cultura general y una novedosa fluidez en mi expresión oral y escrita.

El nombre completo (dilatado, formal) de la flamante asociación político-juvenil fue Centro Sionista Apartidario Doctor Teodoro Herzl. Como ya anticipé, la habían creado siete adolescentes que no querían ingresar en una organización caracterizada por definiciones políticas precisas, aunque casi todas respondían a variaciones del espectro socialista que se disputaban la Verdad (casi religiosa), tales como Hashomer Hatzair (marxista-leninista-estalinista), Dror (social-demócrata) y Hanoar Hatzioni (liberal). Eran laicas y respondían a la mística de llevar jóvenes pioneros a un kibutz de su signo. En ese centro aprendí el fervor de los debates estériles.

Mi virginidad fue desgarrada por una discusión desopilante, que duró varias semanas, para decidir si se incluía la palabra "Doctor" en el largo nombre del Centro. Esa palabra aún tenía lustre y Herzl había sido abogado. Ahora no sé si reír o encogerme de vergüenza.

Los *bajurím* (compañeros) se llamaban Natalio Kirtchuk, Emilio Kuschnir, Israel Klein, Horacio Gurvich, Jaime Arquilevich, José Rabinovich y Boris Levisman, a los que se agregó Oscar Hanz —cuya tía colaboraba con Alfred Khan en la traducción al castellano de Stefan Zweig y Emil Ludwig—, quien ingresó conmigo para formar el número nueve. Los recuerdo con enorme cariño. Incluso me insistieron, años después, que escribiese un libro sobre las aventuras, desventuras, maravillas, ridiculeces y deslumbramientos compartidos.

Se decidió expandir la entidad incluyendo *bajurot* (compañeras). La mujer compartía los mismos derechos y deberes desde el inicio del sionismo, para escándalo de árabes y otras identidades humanas. Por distintos contactos aparecieron nombres de varias muchachas. Resultó útil que algunas hubiesen pertenecido a organizaciones de orientación *jalutziana* (manifiestamente pionera), porque llegaban con las mochilas cargadas de bailes y canciones, juegos sociales y una fresca audacia en los debates.

La comunidad de Córdoba empezó a mirar con aprecio ese conjunto de jóvenes que practicaban una política laica y culta, sin exigir la inmediata incorporación a un kibutz para cumplir el sueño de "volver a la tierra".

Entre las chicas que ingresaron había una de grandes ojos oscuros, juguetona cabellera, mejillas ebúrneas, labios tiernos y un perfecto cuerpito que me atrajo enseguida. Se llamaba Betty. Me estremecía verla bailar con mucha gracia. Pese al tácito acuerdo de no resbalar hacia romances que llamábamos "burgueses", ni poner fin a la sagrada virginidad de las chicas —consideradas hermanas—, resultaba difícil mantenerme lejos de ella. Al término de nuestras reuniones la acompañaba hasta su casa en un destartalado tranvía, porque quedaba en un barrio periférico y algo peligroso. Ella después se burló de mi temeridad encubierta, porque en uno de esos viajes aproveché el sísmico ruido del tranvía para hacerle comprender que me gustaba, que me gustaba mucho. Tanto, que resultaba imposible encontrar las palabras justas. Arrancaba de la tráquea, tos incluida, mi declaración manchada de torpezas. Cuando llegamos a su vivienda en el fondo de un corredor, tras una breve, nerviosa e irrelevante charla le estampé un beso en la boca. Fue un piquito cobarde, como el que di a Elsa en el túnel de Mar Chiquita. La penumbra ocultaba su reacción. Temía que fuera de burla o de repugnancia. Hubo silencio, incomodidad, ganas de salir a la carrera. Siguió un ¡Chau! y el vacío.

Era verano. Cuando me encerré en el dormitorio abrí la ventana para mirar el cielo e inspirar los aromas de la noche. Me daba cuenta de que por fin la había besado y que ella no me rechazó. Fantaseé sobre la próxima oportunidad. Habría otra, claro que sí. Al beso, más prolongado, le añadiría un abrazo que me pegaría a su cuerpito de los pies a la cabeza y, además, mantendría durante varios minutos mi mejilla adherida a la suya. Así fue. Pero hubo una interferencia brutal: apareció su padre.

En la penumbra simuló no habernos visto e ingresó en la casa. Betty se abstuvo de hacer comentarios, pero yo masculé una maldición. ¡Me habían atrapado, era un perverso! Y ella recibiría una penitencia que la haría llorar durante semanas. De regreso, abrí de nuevo la ventana, miré las estrellas, inspiré los aromas nocturnos. Sentía una culpa atroz y decidí componer una marcha fúnebre. Volqué en el pentagrama mi angustia, como si fuera un moribundo compositor romántico bajo el peso acongojado de Beethoven, Schubert, Schumann y Chopin a la vez.

El idilio continuó, porque su padre nada dijo (nada vio o nada le importó) y ella estaba contenta. Ya no nos limitamos a encuentros furtivos. La esperaba en una parada céntrica del tranvía y nos lanzábamos a alegres caminatas por el parque Sarmiento. Deambulábamos entre canteros floridos con los dedos enlazados, bajábamos y subíamos los escalones del teatro griego, nos sentábamos a mirar los patos que hacían dibujos sobre las aguas del laguito y, por último nos refugiábamos en un banco rodeado de arbustos que operaban como biombos. Allí nos abrazábamos y derretíamos en una insaciable investigación de besos adolescentes.

Nuestra agrupación aumentó su número de miembros. La mayoría simpatizaba con los partidos de izquierda. Hasta su estructura seguía el modelo soviético, porque la autoridad máxima se llamaba secretario general, no presidente. Los demás cargos eran tesorero, director de Cultura, director de Relaciones Interinstitucionales. ¡Mucha ilusión! Me asignaban casi siempre la dirección de Cultura y no pude asumir la secretaría general, pese a mi manifiesta aspiración. Empecé a sentir en la lengua el sabor de las negociaciones, intrigas, frustraciones, estrategias y demás condimentos de la política. El Centro Herzl me brindaba un entrenamiento humanista más importante de lo que podía advertir en aquellos años.

Otras organizaciones se interesaron en cooptar a nuestro grupo. Pronto llegaron invitaciones para participar en coloquios y congresos de diversos signos.

En el colegio Deán Funes me atrajo la fervorosa prédica de un compañero cuyo apellido, List, asocié enseguida con el compositor Franz Liszt. Era rubio y flaco, como imaginaba al músico. Me prestó un grueso folleto ajado:

nada menos que el *Manifiesto Comunista*. Me detalló los fundamentos del marxismo-leninismo-estalinismo, más allá de lo que me había inculcado Isidoro. Me suscribí al periódico *Nueva Sión*, que derramaba noticias y artículos doctrinarios. Lo leía con fervor de la primera a la última frase, porque irradiaba fuego, seguridad y epopeya. Respecto del giro antiisraelí que había adoptado la URSS a partir del año 1951 y las impúdicas acciones antisemitas de Stalin, ese periódico siempre ofrecía respuestas tranquilizadoras. Todavía recuerdo la contratapa que le dedicó a Josef Stalin en 1953, cuando falleció. Describía algunos de sus errores como minucias, y dotaba de cualidad sobrehumana sus méritos. Me conmovía el esfuerzo que hacían estos sionistas de izquierda para ser aceptados y queridos por el idealizado aparato estalinista: insistían en su repudio al revisionismo (los socialdemócratas), el trotskismo y el titoísmo (referencia al mariscal Tito, dictador de Yugoslavia y líder de los Países No Alineados o del Tercer Mundo).

Aún recuerdo el impacto que causó el informe secreto de Nikita Jruschev ante el XX Congreso del Partido Comunista de la URSS. A los pocos meses apareció *El dios caído* de mi admirado Howard Fast (autor de *Espartaco* y *Mis gloriosos hermanos*) y supe de los suicidios que cometían comunistas atacados por la desilusión. Después leí una confesión del compositor genial que fue Dimitri Shostakovich: "Yo he visto a Stalin, he hablado con él, y no he sentido ni siquiera terror, porque no había nada excepcional en su persona. Era un hombre común, petiso, grasoso, pelo rojizo, la cara llena de picaduras de viruela. La mano derecha era notablemente más pequeña que la izquierda. Por eso la ocultaba".

De todos modos, en esos años me había convertido en un marxista-leninista-estalinista apenas crítico. Estaba seguro de que por allí pasaba la solución de los grandes problemas humanos. Pero el antisemitismo de Stalin (que millones no veían) me salvó de considerarlo un dios, pecado del que estuve cerca, porque el aparato de propaganda soviético penetraba como agua encantada por infinitas rendijas.

Nuestro centro consiguió un *shelíaj* (mensajero, entrenador). Lo esperamos expectantes, felices. Se llamaba Arié Shoval, un joven nacido en un kibutz y que manejaba con solercia el castellano. Organizó debates, cursos y actividades recreativas que nos hacían imaginar la idealizada y vanguardista sociedad del nuevo Israel. Programó campamentos los fines de semana en las sierras de Córdoba. Allí trepamos las montañas, jugamos al fútbol, practicamos lucha libre, tratamos de explorar los alrededores como si quisiéramos descubrir trampas y nos concentrábamos a la noche en torno de una fogata para cantar canciones o escuchar historias. Nos ilusionamos con estar formando parte de las milicias que operaban la milagrosa resurrección del devastado pueblo judío.

Los ríos de las sierras eran cantarinos y bondadosos. En algunas partes se formaban ollas como piscinas donde se podía nadar a gusto. Pero aún yo no sabía nadar; era y sigue siendo una asignatura pendiente. En una de esas ollas comencé a hundirme. Las cuatro extremidades se movían angustiadas en el acuoso vacío. Más me desesperaba, más me hundía. Presentí la muerte. Estúpida y grotesca. Mi desorden motor no contribuía a elevarme, sino a bajar en línea recta. Terminaría en el fondo. ¡Qué manera idiota de ponerle llave a mi existencia!

De súbito la mano del *shelíaj* me agarró un brazo y elevó a la superficie. Había tragado tanta agua que debí toser un tiempo incalculable para recuperar la normalidad. Escupía flema y pulmones, agua y espíritu. El consuelo que trataban de darme los compañeros aumentaba mis puteadas contra las prohibiciones que en Cruz del Eje me impidieron aprender a nadar cuando se debe, es decir, cuando uno es niño. El Club Independiente, donde se representó mi ballet, tenía una amplia piscina. Papá me llevaba. No era un gran nadador, pero hacía la plancha o avanzaba de costado, con movimientos a cargo del brazo derecho y la cabeza fuera del agua. Elemental. Mamá no me dejaba ir solo ni con mis amiguitos; tenía miedo, era exageradamente protectora. Recién a los treinta años, junto a Marita, que nadaba con la gracia, velocidad y picardías de una sirena, me quité el hábito de nadar con la cabeza fuera del agua, braceando como un loco a punto de morir. Aprendí algunos estilos. Pero nunca adquirí suficiente relajación ni seguridad. Lo cuento teniéndome lástima. Siempre miré atento a los buenos nadadores y advertía los beneficios de la relajación y la técnica. Las podía describir y por eso las enseñé a mis hijos, que ahora son peces en el agua. Y se ríen con cariñosa agresividad de mi contradicción: "Haz lo que digo, no lo que hago".

Con Arié Shoval me reencontré en Jerusalén unos treinta años más tarde. Lo eligieron para servirme de guía en la Ciudad Vieja. Me alegró la frescura de sus recuerdos, que coincidían con los más exaltados de mi propia memoria. Hablamos de la nutrición espiritual que había significado el Centro Herzl. Hacía poco se había concluido la excavación del Cardo, la calle central o el "corazón" de Jerusalén en los tiempos de la dominación romana. Me volvió a conmover el esfuerzo de los israelíes por recuperar su pasado de infinita riqueza. En viajes posteriores volví a recorrer el Cardo, que ya quedaba ligado a aquel juvenil shelíaj que me había salvado la vida en una minúscula olla de las sierras cordobesas.

Por esa época llené dos cuadernos de treinta hojas, con apretada caligrafía. Era un ensayo de título ambicioso: *El legado bíblico*. Condensaba historia, teología, legislación y ética. Se refería a la trascendencia que hasta el presente seguía ejerciendo ese texto sobre toda la humanidad, cualquiera sea la religión o falta de religión. Mi letra, prolija y microscópica, denunciaba la miopía de tres dioptrías, llamada "escolar", que entonces se atribuía a los esfuerzos de la lectura. Utilicé la escasa bibliografía que pude rastrear en casi todas las bibliotecas de Córdoba. No era abundante, lo cual determinó que sólo pudiera llenar dos cuadernos en lugar de veinte. A ese trabajo lo segmenté, para organizar una sucesión de charlas que ofrecí a mis compañeros, tratando siempre de atrapar su atención mediante anécdotas ilustrativas.

Las tres centurias de relativa convivencia religiosa en la Edad Media de España me indujeron a intimar con sus figuras descollantes. Escribí breves ensayos sobre algunos de ellos. El de Maimónides fue más extenso. Consideré que su vida y su obra daban para mucho más, pero la bibliografía se secaba pronto, aunque introdujera mis manos hasta el subsuelo de las bibliotecas públicas y universitarias de Córdoba. Recorrí pesados volúmenes sobre la historia de la medicina en el Medioevo, porque Maimónides había sido un gran médico, uno de los mejores. Pero debí ampliar mi escrito con ayuda de la imaginación. Rogué a una compañera que cambiara mi manuscrito a mano por la letra de imprenta. Era dactilógrafa, un arte que en aquellos tiempos pocos dominaban. Aceptó feliz. No era bonita y, aunque tenía un buen cuerpo, su cara me resultaba incómoda; ya en esa época mi gusto se volvió estúpidamente exigente. El texto incorporaba metáforas poéticas y unas pizcas de ficción. Tal como hacían Emil Ludwig y Stefan Zweig, cuyas obras devoraba como un caníbal.

Comenzaba el relato con la visión de Tierra Santa que habría gozado el joven Maimónides desde la proa del barco que lo conducía hacia el puerto de San Juan de Acre. Era el más importante del país, puesto que allí desembarcaban los belicosos cruzados. Imaginé que Maimónides vio primero, a su derecha, el bíblico monte Carmelo. Nunca había visitado ese lugar, pero cuando lo hice años después, comprobé jubiloso que la imaginación no me había fallado. Maimónides me abría el camino para acercar las tres religiones abrahámicas cuando aún se consideraba poco atractivo ese intento. Me impulsaba el deseo de desmontar la hostilidad árabe contra la progresista construcción del sionismo.

Consideré que la obra terminada podía ser impresa como un pequeño libro. Pero mi Córdoba natal carecía de editoriales, de modo que aproveché el tiempo de posgrado en Buenos Aires, más adelante, para recurrir a las que allí existían, muchas de un prestigio que desbordaba las fronteras. Recibí entonces las bofetadas de un rechazo tras otro. Algunos más ofensivos, otros hipócritamente dulces. Mi trabajo no interesaba. Había comenzado a trepar los horribles peldaños que ofenden el comienzo de muchos escritores.

Por último lo entregué en un sitio donde no habría esperanzas, porque sólo publicaba en ídish. Fue una jugada ridícula, el último movimiento de alguien decidido a morir. Ni soñaba que unos años después, al regresar de Europa, recibiría una carta del IWO (Idishe Wisenshaftliche Organisatzie, Organización Científica Judía), comunicándome su voluntad de publicar ese libro gracias a una donación recién recibida. ¡Increíble!

Sería mi primer libro, la puerta de mi excesivamente expectante ingreso en la profesión de escritor. Lo titulé *Maimónides, un sabio de avanzada*. Desde el principio me había fascinado la racionalidad de aquel hombre, su conocimiento de Aristóteles, su apertura hacia otras tradiciones, sus sacrificios como médico, su capacidad de síntesis, su amor por el acervo cultural judío y su talento para llegar también a los no judíos. Fue criticado en vida, como sucede con los innovadores. Y fue equivocadamente fosilizado por los ortodoxos que pretenden convertir sus reflexiones osadas en textos sagrados. Con esa biografía no sólo hacía literatura, sino también política, desde luego.

El IWO había alcanzado mucho prestigio en las comunidades de Europa oriental, que fueron arrasadas por el Holocausto. Después floreció en la Argentina y se convirtió en una importante productora cultural. Incluso llegó a traducir poemas de Borges al ídish. Cuando se presentó el opúsculo de este maestro me invitaron a concurrir, porque ya era un autor reconocido (y el primero que el IWO había publicado en castellano). Me honraron sentándome junto a Borges ciego, quien, apoyado con sus dos manos sobre el bastón, mantenía fijos sus desiguales ojos en un punto del infinito y escuchaba con deleite sus versos volcados al ídish. Su alemán autoaprendido le alcanzaba para entender cada palabra. De vez en cuando giraba mi cabeza para contemplarlo con éxtasis, porque imaginaba que era Kafka resucitado. También Kafka amó el sabroso ídish, aunque escribía en alemán.

Antes de que publicasen mi libro diserté mucho y en diversos lugares sobre Maimónides. Mis clases exudaban pasión, identificación, prédica. En mi primer viaje a Israel seduje con su vida a mis compañeros del trasatlántico. Y lo seguí haciendo con frecuencia después. Uno de los más recordados seminarios tuvo lugar en la Academia del Sur, en Punta del Este. Editores y lectores me pidieron reeditar esa biografía. Por momentos picaba la tentación. Comencé a revisitar la bibliografía, que se había multiplicado mucho. Ya era un huerto maduro en comparación con el desierto por el que me arrastré mientras cometía mi "pecado de juventud". Si bien reuní varias ideas para ampliar el texto, llegué a la deprimente conclusión de que no conseguiría escribirlo mejor. Mis editores se resistieron a compartir semejante derrota, pero yo la consolidé. Ahora sólo me limito a repetir que con aquel gigante me unen varias coincidencias: ambos somos cordobeses (uno proviene de la Córdoba española, el otro de la Argentina), nacimos en el mismo año, apenas separados por el fino tabique de ocho siglos: 1135 y 1935. Ambos somos médicos. Ambos amamos la filosofía y la historia. Ambos somos judíos sin que el judaísmo nos limite. Ambos somos escritores. Ambos somos racionalistas. Ambos utilizamos la política para estimular el progreso y la fraternidad. Ambos somos criticados por quienes se niegan a reconocer ese detalle.

Para no infatuarme, podría reducir esas coincidencias al fenómeno de la identificación que se produce entre el autor y sus personajes. Y aunque también las he tenido con otros, Maimónides sigue instalado en un alto butacón.

Es hora de darle más espacio a una de mis profesiones centrales: la medicina.

Tardé en elegirla. Mi débil salud en la infancia resignó a mis padres para que llegase por lo menos a farmacéutico; sonaba imposible un premio mayor. Querían un título universitario a toda costa. En la Argentina había tenido gran éxito la obra del uruguayo Florencio Sánchez titulada con desenfadado localismo *M'hijo el dotor*. Expresaba la ambición de los inmigrantes —muchas veces analfabetos— por alcanzar las mejores profesiones. Pero también era la guerra entre los ámbitos cosmopolitas y las fijaciones arcaicas. José Ingenieros aseguró que el drama de Florencio Sánchez expresaba el choque de tradiciones centenarias con una moral nueva. Lo ponía en escena bajo el manto ordinario de la vida criolla. El público aplaudió durante años esa pieza y los cronistas teatrales celebraron su elaboración. En muchas familias hervía el anhelo por tener "doctores". Les encantaba el vértigo del ascenso académico. Equivalía a los deseos europeos de ganar un título nobiliario.

Mamá se asustaba ante cualquier desajuste de mi salud, en especial cuando tenía fiebre. Ocurrió más de una vez y comentaban con risa o fastidio que la fiebre aumentaba durante la noche y el doctor Illia no llegaba. Entonces varias veces mi padre tuvo que uncir el caballo al sulky bajo el fulgor de las estrellas heladas, mamá me envolvía con ponchos y partíamos raudos hacia la estación de ferrocarril para tomar el Cochemotor que salía para Córdoba al amanecer. Cuando llegábamos a destino yo sonreía, plenamente curado. Mis enfermedades contenían un inexplicable cinismo. Nos alojábamos en casa de mis abuelos y regresábamos por la tarde.

También me asistieron en Cruz del Eje otros médicos, como el doctor Arrigoni, que ofrecía los primeros turnos para las tres de la tarde, aunque recién se asomaba a las cuatro debido a la santidad de su siesta. Estaba de moda peinarse con gomina y su cabello lucía como una joya.

En la adolescencia mis fiebres se desplazaron hacia una urticaria gigante que combatía untando las tumoraciones con almidón disuelto en agua. Refrescaba, astringía o me daba la tranquilidad de que hacía algo. En Córdoba el doctor García Faure me auscultaba, percutía, palpaba, observaba los ojos, las orejas y la piel, hundía sus dedos en la región del apéndice, examinaba la garganta metiendo un salvaje bajalenguas hasta la tráquea y, cuando no conseguía darme una solución original, solía abandonar el consultorio para dirigirse a la habitación contigua, donde las paredes estaban forradas de libros. Con mamá aguardábamos largo rato charlando con susurros para no alterar la inspiración del silencio. Las recetas no eran muy diferentes a las anteriores. Más adelante los resfríos desembocaban en crónicas sinusitis con moco amarillo y fuerte dolor en los senos paranasales. Había empezado la época de los antibióticos que García Faure indicaba e Isidoro, estudiante de medicina, me inyectaba.

Empecé a usar anteojos. Se creía que casi todos los profesionales usaban anteojos, que era su emblema, como las medallas en el pecho de los héroes. Fue quizás la primera premonición de que lograría llegar a médico. Me los puse con estúpida vanidad.

Por otro lado, mis calificaciones en el secundario borraban la condena de que sólo cursaría una carrera menor. Pronto los anteojos dejaron de producirme orgullo y fueron una molestia adicional cuando empecé a calzarme el barbijo de cirujano.

A los objetos que mis padres vendían en la mueblería le adosaban una etiqueta provista de varios dígitos. Cuando los empecé a ayudar, grande era mi despiste. El número de la etiqueta indicaba el costo, al que disfrazaban agregando cualquier otro dígito al comienzo y al final. Si alguien se interesaba por esa enigmática cifra, contestaban que era el número del artículo. ¿A quién se le ocurriría averiguar a qué artículo se referían o cuál era la relación entre artículo y precio? Al principio me divirtió el mecanismo, pero después dejó de gustarme, lo sentía tramposo. No había trampa, sin embargo, porque funcionaba de recordatorio. Sobre el costo real que cantaban los números del medio, mis padres elevaban la suma para obtener una ganancia. Pregunté cómo hacía el médico para obtener su ganancia. ¿Cada enfermedad tiene un artículo?, ¿cada receta? Illia no cobraba honorarios, sino que dejaba a criterio del paciente poner algo en su famosa palangana. García Faure cobraba un monto preciso. Me produjo vergüenza cuando mi madre lo acompañó a la puerta luego de una visita a domicilio.

—¿Cuánto le debo, doctor?

—Lo de siempre.

Mamá, siguiendo la costumbre de quienes ganan con sudor y se sienten obligados de pedir descuento por las dudas, murmuró si podía hacerle una rebaja.

—¡No quiero que me pague un peso! —reaccionó indignado.

—Doctor, perdone. Le daré lo que diga.

—¡No acepto ni un peso! Adiós.

Empezó a bajar las escaleras y mamá lo siguió implorándole que cobrase su honorario. Por fin, en el hall de acceso aceptó los billetes y se despidió con parca caballerosidad.

Reproché a mamá. Le dije que había ofendido a ese buen médico. Que a un profesional no se le debe escatimar el honorario. Honorario deriva de honor. El hecho volvió a repetirse cuando tiempo después acompañé a mamá y mi abuela a lo del doctor Isaac Wolaj para que le examinase una presunta afección pulmonar. Cuando dio a conocer su honorario, mamá estuvo a punto de repetir la escena con García Faure. Pero las llamas de mis ojos la frenaron a tiempo. En otras palabras, la remuneración por el trabajo médico me producía una precoz incomodidad, desde un tiempo anterior a recibirme. Siempre me afectó como problema. Cuando practiqué la neurocirugía en Río Cuarto me aliviaba que el administrador de la clínica se ocupase del trámite. Los montos que a veces recaudaba me sorprendían; una parte quedaba para el sanatorio, otra para los anestesistas y ayudantes, y una considerable tajada para mí. Pero todo eso ocurría al margen de mi acción.

Antes de inscribirme en la Facultad de Medicina volví a pensar en la otra alternativa, el doctorado en Historia, como había aconsejado mi profesor. El ocurrente tío Abraham opinaba diferente: ninguna de las dos, y señaló mi facilidad para el dibujo, lo cual apuntaba hacia la Arquitectura. Varios amigos consideraban que me destacaría como abogado por mi fluidez argumentativa. Pero yo ya había establecido conexiones múltiples con Maimónides (médico, filósofo, teólogo, legislador) y me atraía la perspectiva de conocer al ser humano en su totalidad, como lo había hecho aquel grande. Era una utopía renacentista que no me animaba a confesar. A esa totalidad no se llega de golpe. Georg Christoph Lichtenberg había comparado la curiosidad con el hambre. Tenía hambre, mucha hambre de conocimiento. Mi ambición no podía ser expresada con palabras diáfanas. Pero empujaba hacia ese alto y abarcador castillo llamado medicina.

Imaginaba la medicina como un bosque encantado, cubierto de niebla, lleno de misterio, de terror, de poder y de magia. Habría mucho estudio, lo sabía. También sabía que el contacto con los pacientes vendría luego de incorporar un océano de información.

El primer año se presentaba como definitorio, aunque se condensaba en una agotadora memorización de la anatomía y la histología humanas. Se comentaba que el nuevo profesor de histología había ganado la cátedra por su militancia peronista, no por méritos académicos. En cambio el de anatomía era un viejo verde que no podía disimular su morbosidad, más interesado en las pocas alumnas que había entonces que en la política. A poco de empezar me explicaron en un recreo qué era el "paquete vásculo-nervioso", no sólo el conjunto de vena, nervio y arteria, sino la reacción de ese docente lascivo al despedir a una joven que se fue balanceando las nalgas con arte. Babeándose, exclamó en cordobés: "¡Pa' qué te vas... culo nervioso!".

Compré los monumentales cuatro volúmenes del *Compendio de anatomía descriptiva* de Testut y Latarjet. Eran unos ladrillos atemorizadores. Resultaba extenuante sostenerlos sobre la falda y tampoco resultaba cómodo leerlos inclinado sobre una mesa. De modo que busqué un atril de violinista y allí acomodaba esa partitura de miles de páginas e infinitas ilustraciones.

Seguía balanceándome entre la música y la incipiente medicina. Eran los años de mucho progreso en el conservatorio y gran curiosidad por lo que aprendería en la facultad. Me sentaba en mi habitación frente al mamotreto de Testut durante horas, examinaba los esquemas, las tablas, y releía extensos párrafos para recordarlos mejor. Me sorprendían datos nuevos, palabras desconocidas, sutilezas en las que jamás había pensado. Mamá, diligente y cariñosa, venía a visitarme con un mate en la mano. En esa época tomaba mate y lo hacía a menudo para eliminar la somnolencia. Conmigo hablaba en castellano, pero en ídish con papá y su familia, idioma que incorporé de oído y me sirvió después para aprender rápido el alemán. Pero tanto papá como mamá recordaban algo del rumano y el ruso que debieron hablar durante su infancia y adolescencia en Moldavia. Mamá también había estudiado latín y francés. Me ayudaba a descifrar la etimología de ciertas palabras engorrosas.

Empecé con osteología. Necesitaba proveerme de huesos humanos y averigüé entre los compañeros. En las clases circulaban nombres y lugares poco santos. La mayor parte del macabro comercio con huesos se efectuaba en el Barrio Clínicas, así llamado porque albergaba el hospital público de ese nombre. Algunos vecinos se ganaban la vida profanando tumbas. Luego de enredadas gestiones entregaban el botín envuelto en papel de diario, como si fuesen objetos despreciables. Y lo eran, por su bajo precio. Sin embargo, estremecía saber que habían pertenecido a alguien que tuvo nombre, que sufrió, que rió. Bajo el brazo llevaban un cadáver. Sobre mi escritorio acomodé las piezas secas y ebúrneas. Parecían artificiales, como si no hubiesen formado parte de un ser vivo. Las miraba y acariciaba fascinado. Tenían superficies planas, prominencias, porciones redondas, surcos. Más adelante conseguí una calavera. La asocié con las novelas de piratas. La crucé con dos fémures y emergió ante mis ojos la famosa bandera que horrorizaba los mares. Esa calavera, con su redonda bóveda y detalladas prominencias, iba a ser el sitio que visitaría a menudo como neurocirujano.

El aprendizaje de la osteología —se me ocurre ahora— habría sido más atractivo si ya en esa época hubieran sido frecuentes los desfiles de modelos. Sus anoréxicas protagonistas exhiben huesos apenas cubiertos por la piel; se los puede estudiar con detalle. Lo feo son sus caras de odio, fruto de las dietas extremas a que se someten.

Sobre la mitad del primer año, con Emilio Kuschnir, Horacio Gurvich y Ernesto Itkin decidimos estudiar juntos. Formamos un cuarteto para vencer el sopor de libros y apuntes tan compactos. Cada semana alternábamos de casa. Nos reuníamos desde el alegre desayuno hasta la cansada finalización del día, con las interrupciones que demandaban asistencia a clase y los trabajos prácticos. Uno leía en voz alta y los demás escuchábamos o seguíamos con la vista. De vez en cuando había que releer una página. Nos formulábamos preguntas capciosas para desenmascarar al que se hubiera distraído. De esa forma engullimos materias tan diferentes como anatomía, patología, química, microbiología, farmacología, semiología, cirugía, urología, oftalmología, neurología y demás.

Al principio, cerca de los exámenes, practicamos el estudio nocturno. Procuramos imitar a quienes se pasaban días y noches sin dormir para enfrentar el tribunal con la cara deformada por las ojeras. Pero luego de intentarlo algunas veces comprendimos que el horario diurno nos sentaba mejor. Bastaba seguir con la implacabilidad de muchas horas bien aprovechadas durante todos los días y llegar vigorosamente nutridos al examen. Polemicé con mis compañeros cuando algunas tardes debía asistir a mis clases de armonía y composición. Lo veían como un injusto recreo, pero no cedí. En esos años la música y la medicina pudieron caminar acompasadamente.

El régimen peronista trató de seducir a los estudiantes universitarios, que lo detestaban. Instituyó los exámenes mensuales, lo cual permitía rendir y volver a rendir cada treinta días, hasta aprobar la asignatura. Era un instrumento facilista y corruptor, típico del populismo. En la práctica ningún estudiante dejó de aprovecharlo. Tampoco nosotros. Otro recurso demagógico fue otorgar a los líderes estudiantiles afiliados al Partido Peronista el derecho de rendir a puertas cerradas, sin testigos. Los profesores no podían aplazarlos, porque corrían el riesgo de perder su cátedra. El examen se reducía a una conversación sobre el estado del tiempo. De esa forma aparecieron varios líderes obsecuentes, dispuestos a "dar la vida por Perón" y, al mismo tiempo, crecía la repulsa mayoritaria del estudiantado.

Los trabajos prácticos resultaban a menudo más instructivos que las clases. No obstante, algunos profesores eran buenos docentes y brindaban una enseñanza eficaz y hasta divertida. Al terminar nuestro segundo año, el doctor Marshall, brillante titular de química biológica, eligió despedirnos con el ejemplo de un científico que había cambiado la historia. Aclaró que se trataba de Jaim

Weizmann, primer presidente del Estado de Israel. Ese Estado recién había cumplido un lustro de independencia y emergía con esfuerzo de sus severas dificultades iniciales. Weizmann era químico, se destacó como líder desde la primera hora y había desarrollado su profesión en Suiza e Inglaterra. Entre 1916 y 1919 dirigió los laboratorios del almirantazgo británico, donde descubrió un procedimiento para sintetizar la acetona a partir del maíz, cuando la industria de guerra británica sufría un grave déficit de ese componente, esencial para la fabricación de explosivos. Su aporte le proporcionó una posición privilegiada y se convirtió en el representante del movimiento sionista ante el gobierno de Londres. Dijo entonces nuestro profesor que Inglaterra, en premio a ese logro impresionante, "le regaló el Estado judío".

Con mis compañeros cambiamos miradas de estupor. El doctor Marshall exhibía buenas intenciones, pero sufría una confusión de manicomio. Me gustó el elogio a Weizmann y que lo haya enarbolado como ejemplo. Pero sabía demasiado bien que el Estado de Israel no fue producto de un regalo y que Inglaterra había olvidado la contribución de Jaim Weizmann cuando se entregó a viles maniobras para sabotear la resurrección israelí.

Hubiera deseado tener grabadas las clases de otro docente, el profesor Grenci, tanto las que pronunciaba en el aula como las que desarrollaba junto al lecho de los pacientes en la gran sala del hospital. Era un orador histriónico. Esquivaba con picardía los temas políticos y logró conservar su cátedra durante muchos años. Describía con entusiasmo síntoma por síntoma, al extremo de que los estudiantes nos sentíamos tentados a palpar con angustia, en nuestro propio cuerpo, los ganglios, las articulaciones, los tendones, o nos tomábamos el pulso para detectar una irregularidad en el latido cardíaco. Los estudiantes rodeábamos la cama de un enfermo de la sala, crónicos en su mayoría, para escuchar la detallada explicación del doctor Grenci quien, además, efectuaba las maniobras que ponían en evidencia los síntomas. Cada uno de esos pacientes absorbía una y otra vez las características de sus trastornos. Durante los exámenes, esos enfermos soplaban a los estudiantes sus dolencias a cambio de dinero.

Microbiología fue estudiada con apuntes. Así llamábamos a las baratas copias que reemplazaban a los libros. Fue una costumbre que aumentó exponencialmente, en paralelo con la decadencia moral del país. El titular de la cátedra era un alemán que había llegado a la Argentina después de la guerra. Flotaba la sospecha de que en Europa había sido un nazi activo. Para colmo, ese profesor era pequeño y flaco. Sus ojos azules, piel transparente, cabellera escasa y dientes adelantados lo convertían en una suerte de rata blanca, como las usadas en los experimentos.

Microbiología era la inabarcable especialidad que indagaba un mundo que sólo se dejaba ver con las lentes del microscopio. Comprendía una misteriosa fauna de seres diminutos que pueden estar constituidos por una sola célula, a su vez provista o no de un núcleo definido. Me asombró enterarme de que a pesar de los trescientos años que llevaba el estudio de esos microorganismos prodigiosos, apenas se conocía el uno por ciento de los que habitan nuestra biosfera. La mayor parte continúa escondida y es una tarea pendiente de las actuales investigaciones.

Grande fue la sorpresa —y motivo de discusión con mis compañeros—, al enterarme del error grosero de considerar a los microorganismos una maldición. Se los hacía responsables de muchas enfermedades, lo cual es cierto, pero se ignoraba su tarea para el sostenimiento de la vida. Las unidades patológicas son una parte menor de esa fauna. La mayoría de los microorganismos merece elogios porque desempeña un rol decisivo para el bien del planeta. Algunos ejemplos son las bacterias que fijan nitrógeno atmosférico y contribuyen a la existencia de los vegetales, o las bacterias del ciclo del carbono, encargadas de proveer al suelo materia orgánica. Ni hablar de la multitud de bacterias que funcionan de modo simbiótico en nuestro aparato digestivo. Desde la antigüedad, sin conocerlas por ese nombre, se las usaba para la fermentación y para producir la gloria de las bebidas alcohólicas. Ahora se utilizan para la fabricación de antibióticos, hormonas, enzimas y tantos otros productos. También sirven para elaborar proteínas y llevar a cabo la clonación de genes.

Los exámenes de microbiología eran largos en aquel tiempo y se extendían hasta avanzadas horas de la noche. Al germánico profesor le costaba dormirse bajo las estrellas y gozaba perversamente cuando a los estudiantes se les desarticulaban las mandíbulas con bostezos. Me tocó sentarme ante su inquietante persona cerca de la medianoche. Desarrollé el contenido de tres bolillas y respondí sin hesitación a sus preguntas. Con mis compañeros ganamos el trofeo de la calificación más alta. Sabíamos mucho, pero las futuras especializaciones en otras ramas de la medicina nos borrarían fardos de palabras y datos en latín y griego, que habíamos conseguido memorizar con esa materia.

Antes de dejarme salir del aula donde tomaba los exámenes custodiado por profesores adjuntos, el germánico titular volvió a leer mi apellido y preguntó:

—¿Usted es griego?

—No.

—Está bien, puede irse.

Me agradó esa referencia. El apellido Aguinis suena a griego, efectivamente, por su terminación en "is", pero en casa nunca se habló de esa posibilidad. Más bien lo atribuían a una deformación de algún Aguirre o Aguinaga que, generaciones atrás, había llegado desde España hasta el mar Negro, o a un antepasado nórdico que marchó hacia el sur con la "is" tan frecuente en los apellidos de Lituania.

Hacia el final de la carrera decidí especializarme en psiquiatría. Era una asignatura del último año y, cuando empecé a cursarla, supuse haber llegado al puerto anhelado, como si la carabela que me había conducido por las ondas del océano médico me depositasen por fin en la playa donde encontraría mi tesoro. Pero ese entusiasmo trasuntaba inquietud. Pronto entendí la causa.

El jefe de la cátedra se llamaba Carlos Morra, y era hijo del ex rector León S. Morra, quien debió escapar por una ventana cuando se produjeron las históricas revueltas estudiantiles de 1918 y se impuso la Reforma Universitaria. Córdoba había sacudido su monacal modorra en aquel año y se convirtió en una colmena vibrante. Protagonizaría rimas de ese espíritu levantisco y progresista unas décadas después, cuando el autoritarismo peronista se ocupó de pisotearlo y, bajo su corrupta ala, volvieron muchos docentes aduladores del poder, con insignias conservadoras y clericales. Antes de aquella Reforma de 1918, por ejemplo, se debía estudiar derecho canónico. Con el peronismo no volvió el derecho canónico, pero sí numerosas concepciones arcaicas. Carlos Morra representaba esta tendencia. Relativamente joven, se peinaba con gomina y estaba blindado contra las novedades que aportaba la moderna psicoterapia. Los demás psiquiatras de Córdoba lo aborrecían y reclamaban que se llamase a concurso, en lugar de concederle la cátedra por portación de apellido.

En el Hospicio de Alienados (nombre que producía disgusto, desde luego) funcionaban las cátedras de Psiquiatría y de Neurología. En la parte anterior se sucedían las mesas de la burocracia, despachos de los profesores y un aula para cien personas. Las salas de los pacientes internados habían sido desplazadas al fondo del patio trasero, aprovisionadas y cerradas para evitar fugas. Eran depósitos de pacientes crónicos cuya única salida se efectuaba con los pies para adelante. Bastaba ingresar en esa atmósfera con olor a creolina, sopa descompuesta y zapatillas hediondas para convencerse de la impotencia que caracterizaba a los tratamientos. Se utilizaban chalecos de fuerza, duchas frías y electroshocks. En algunas ocasiones el perfumado doctor Morra hacía el recorrido de sala y una cohorte de cinco a diez estudiantes lo seguían para beber sus palabras, que nunca me parecieron notables. Una mañana se detuvo a la vera de un anciano de ojos mortecinos, que había sido poeta y estudió varios idiomas. Los olvidaba en riguroso turno, primero los aprendidos al final. Era un camino que marchaba en sentido opuesto a la cronología. Terminaría con su lengua materna, y por último no le quedaría ni siquiera ella.

Testimoniaba una de las injusticias naturales que mancillan el mundo. Morra se limitó a describir el fenómeno.

Hubiera preferido tener como docente a Gregorio Berman, considerado un psiquiatra de avanzada que incluso mencionaba a un tal Sigmund Freud, desconocido en mi universidad. Su filiación comunista le imponía a Berman dificultades en la profesión y un exilio permanente de los claustros. Pero era una época de relativa caballerosidad hasta en las maniobras represivas. Por ejemplo, una vez fueron a su casa para llevarlo preso y mandó decir a los policías que no podía levantarse debido a una congestión gripal. Los policías se marcharon. Para sonreír, ¿no es cierto?

C omencé a frecuentar la vecina cátedra de Neurología, donde el clima científico parecía superior
al de Psiquiatría. La asignatura era densa y los tratamientos carecían de eficacia. Sin embargo, algunos profesores adjuntos se revelaban brillantes, como Alfredo
Cáceres, que se había formado en Madrid y siempre
dedicaba un tiempo a examinar en el microscopio sus
preparados de anatomía patológica. Se expresaba con
lenguaje florido y sacaba pecho en sus clases llenas de
erudición. Su saber intimidaba. No sospechaba yo que
apenas tres años más adelante nos reencontraríamos en
Roma, en el Congreso Mundial de Neurología, y sería
ese mismo Cáceres quien a su regreso contaría maravillas de mí. Muchísimo en poco tiempo, casi como los
seis *días* de Jesús en Jerusalén.

Ejercía como profesor titular Rafael Hernández
Ramírez, quien amaba la política (rasgo común a muchos médicos de entonces) y llegó a diputado nacional. Además, no sólo era neurólogo sino cirujano. Su
pulposa hija trabajaba como secretaria, y tanto estudiantes como docentes la masticábamos con los ojos

y revolvíamos en voz baja nuestros obscenos piropos. Antes de viajar a Buenos Aires para iniciar mi posgrado con Alfredo Givré, Hernández Ramírez me invitó a su casa. Era una distinción excepcional. En el living tenía un piano de cola, donde ejecutó un par de piezas. Luego me cedió el taburete, porque sabía de mis actuaciones en Radio del Estado. Toqué Villa-Lobos y Rachmaninov. No pudo frenar su entusiasmo, me abrazó y deseó que fuese tan buen neurólogo como pianista. ¡Extraordinario halago! También me abrazó su hija y las turgencias de sus formas masajeándome el cuerpo operaron un hechizo, porque abandoné por unos segundos el pudor y la apreté hasta sentirla con intensidad. Lástima que debía viajar al Instituto Neurológico Argentino de Buenos Aires y fenecieron las perspectivas de un reencuentro.

Meses después, cuando ya me había instalado en la Capital, Hernández Ramírez pidió que fuese a visitarlo en el Congreso Nacional. Me condujo por corredores mágicos hasta la imponente Cámara de Diputados, que estaba vacía. Reinaba un aroma a madera, terciopelo y majestuosidad. Caminamos hacia su butaca y me invitó a sentarme en ella. Dudé, porque emitía un resplandor sagrado. Insistió y, con torpeza, me aflojé en su onírico confort.

—¿Qué se siente?

No se me ocurrió algo más interesante que decir "Es cómodo…".

Fuimos al restaurante del Congreso, donde se servía casi siempre un clásico arroz con pollo. Ese sobrio menú era incluso objeto de chistes en las tiras de humor. Durante la comida se le ocurrió presentar un gran proyecto, inspirado en el amor que ambos compartíamos por la música. Construir un templo, sí, un gran Templo de la Música. Algo fabuloso. Un emprendimiento de alcance internacional como el que Wagner y Luis II de Baviera levantaron en Bayreuth. Que en ese templo se estudiase, produjera y ejecutase, que hirviera un intercambio mundial de estudiantes, compositores, directores de orquesta y ejecutantes del más alto nivel. Con debates sobre la nueva música y sus relaciones con el resto de las artes. Propuso hacerme llamar por el embajador de Rumania, de quien era amigo. Ese país proveería seguro respaldo. El nombre del eminente neurólogo rumano, Marinesco, serviría de puente. Mis padres provenían de Rumania, recordó Hernández Ramírez (en realidad, de Moldavia, que en aquellos años pertenecía a Rumania). Tantas coincidencias eran auspiciosas, dijo, y en mi cabeza se dispararon otras. Varias profesiones, varios países y varias lenguas se estaban combinando.

La taquicardia del entusiasmo me precipitó a la biblioteca de Givré para buscar en sus libros de neurología los aportes de Gheorghe Marinescu. Enseguida apareció el síndrome que lleva su nombre. Figuraba acompañado por el sueco Henrik Sjögren. Habían descubierto una enfermedad rara de carácter hereditario que se trasmite según el patrón recesivo. Los primeros síntomas surgen durante la infancia, con dificultades en la marcha y el equilibrio provocadas por una atrofia en el cerebelo. Es frecuente que en estos pobres niños también haya retraso mental, catarata precoz e hipotonía muscular generalizada. Un aquelarre de trastornos. Se trata de una maldita enfermedad que afecta unas cinco personas cada millón de habitantes. El defecto genético ya pudo ser detectado, informaba el estudio. Pero el tratamiento etiológico era imposible. Sólo se mitigaban algunos síntomas para que esos pacientes alcanzaran una edad media. Quedé triste y perplejo, porque se confirmaba mi temor. La neurología era una rama de la medicina llena de síndromes raros, algunos espantosos. Atesora cuadros que inmortalizan los nombres de quienes pudieron detectarlos, organizarlos y prenderles la medalla de una entidad nosológica. Ofrece un territorio áspero, en el que se deben memorizar interminables patologías y resignarse a no poder curarlas.

A pocas páginas de distancia, en el *Tratado de Neurología*, figuraba la enfermedad de Huntington. Este apellido es frecuente y se ha popularizado gracias a personajes de la historia, la sociología, la economía, la física y el arte. No imaginé que esa enfermedad sería descripta unos años después, de forma magistral, por un novelista que no sabe neurología, pero se valió de un brillante asesoramiento. Es la novela *Sábado* de Ian McEwan. Con prosa envidiable y gran suspenso, deja caer la llovizna de los disturbios que afectan a uno de sus protagonistas.

La literatura brinda allí una lección diagnóstica precisa e inolvidable. Otra vez me asaltaba la evidencia de que no sólo la música, sino la literatura y la medicina pueden marchar juntas. Retornaba a mi cabeza la galería de quienes fueron médicos y escritores: Arthur Conan Doyle y Somerset Maugham, así como Rabelais, A. J. Cronin, Axel Munthe, Anton Chéjov, Pío Baroja y tantos más.

Del embajador de Rumania no tuve noticias y el sueño de Hernández Ramírez se apagó. Era el destino frecuente de muchos proyectos ilusorios, aunque bienintencionados.

Conversando con Givré sobre la impotencia que generan muchos cuadros neurológicos, sugirió que profundizara en un capítulo vasto y con puertitas hacia inesperados descubrimientos terapéuticos. Era una enfermedad que había suscitado la atención de mucha gente en la antigüedad, fue objeto de conjeturas demoníacas y estaba ligada al misterio del poder, porque la habían padecido grandes personajes de la historia. Me refiero a la epilepsia.

Empecé a dedicarle varias horas todos los días. Devoraba libros y artículos sobre sus manifestaciones, etiología, tratamiento y recursos diagnósticos durante los cincuenta minutos que tardaba en viajar al servicio de neurocirugía del Hospital Salaberry. En ese hospital (que ya fue demolido) me entrené en la teoría y en la práctica de la neurología y la neurocirugía, agilicé mi mano y mis ojos en las neumo, angio y electroencefalografías y realicé las primeras operaciones de cráneo, columna cervical y nervios periféricos.

El trayecto al hospital tenía dos segmentos. Durante quince minutos iba parado en la atestada línea del subterráneo que tomaba en Congreso y me depositaba en Primera Junta. Esa línea constaba de vagones históricos. Fue la primera del hemisferio sur, de toda América latina y de todos los países de habla española. Eran los tiempos en que la Argentina protagonizaba un crecimiento febril. Fue inaugurada en el año 1913. Con una mano me agarraba de algo firme y con la otra sostenía el libro. Los treinta y cinco minutos restantes viajaba en el ómnibus que salía de Primera Junta. Como resultado de los protocolos que hacía a los pacientes que pasaban por mi examen, ese fin de año me animé a borronear algunos artículos científicos. La obsesión médica no daba tregua a mis ansias de escribir.

Mi desembarco en el Instituto Neurológico Argentino tiene una sorprendente historia. Había regresado de mi primer viaje a Israel con 23 años, vivía aún en la casa de mis padres en Córdoba, tenía pocos meses de recibido y proyectaba perfeccionarme en los Estados Unidos.

Sonia, con quien me había enganchado en las calles nocturnas de Dakar, según ya conté, me entregó el recorte de un diario en el que se anunciaba la beca Teubal para el perfeccionamiento en neurología, neurocirugía y neurofisiología en Buenos Aires. Tentaba quedarse en la Argentina, donde acababa de ganar la presidencia de la Nación Arturo Frondizi, que devolvía al país su entusiasmo por la modernidad. No perdía nada presentándome. Con respecto a Estados Unidos, lo único que había iniciado era un curso de inglés. Envié mi brevísimo curriculum y a las pocas semanas me comunicaron que la había ganado. Tal vez fui el único concursante... Pero gané, sonaba magnífico.

El instituto funcionaba en un edificio de la avenida Belgrano. Carta fue y carta vino hasta que me presenté en una sala de espera llena de pacientes. Fui recibido por Givré en persona, de estatura media, frente amplísima y corto cabello negro. Su consultorio era enorme y muy luminoso, con paredes tapizadas con libros y retratos de personalidades médicas cruzados por dedicatorias personales. Me explicó que durante las mañanas concurriría al Hospital Salaberry y por las tardes trabajaría en ese instituto. En la terraza había un par de habitaciones con jaulas para cobayos, donde se realizaban experimentos neurofisiológicos. Las perspectivas de aprendizaje eran superiores a las que vislumbraba en Córdoba donde, curiosamente, no me había puesto en relación con ningún neurocirujano. Quienes conjeturan sobre las misteriosas intervenciones del destino dirán que, gracias a esos zigzagueos, se me abrió el aún inesperado pórtico de Europa y las ricas experiencias que luego desarrollaría en mis primeras novelas.

La mitad del amplio último piso estaba ocupado por el instituto. Conformaba su porción deslumbrante. La otra mitad correspondía a una pensión miserable, del mismo nivel que los nauseosos conventillos donde se amontonaban los inmigrantes recién llegados. Ahí podría instalarme; viviría junto a la sede del trabajo vespertino, su alquiler era barato, almorzaría y cenaría en la olorosa cocina comunitaria todas las veces que quisiera.

Me pareció burdo y degradante, pero el monto de la beca no daba para lujos. Ni siquiera comenté a mis amigos que la alegría de esa beca cargaba ese costo. O quizás en aquel momento ese costo no me afligió.

Hablé con el dueño de la pensión, un mastodonte con fuerte acento andaluz que jamás se quitaba su manchado delantal de cocina. Me ofreció una cama en un dormitorio de tres; en otras palabras, debía compartir ese cuarto con dos hombres, uno de ellos recién llegado de España y que se vanagloriaba de no saber escribir ni leer y tampoco frenar sus sonoras flatulencias. Los dormitorios, de paredes estrechas y techos altos, estaban alineados a lo largo de un pasillo que conducía al único baño. A veces era necesario hacer cola, con el cepillo de dientes en la mano y una toalla sobre el hombro. Me resigné a no tomar una ducha diaria o, en todo caso, lo hacía por la tarde, cuando disminuía la demanda. La precariedad del ambiente y hasta los olores pocos gratos que reinaban no apagaron mi decisión de seguir adelante. La pobreza que conocí en Cruz del Eje me había inmunizado contra cualquier ausencia de confort. Pero, de manera retorcida —asociados a la falta de calefacción—, se manifestaron mis conflictos: otra vez la urticaria, algunas cefaleas y muchos resfríos con fiebre y sinusitis. Givré cruzaba la puerta que dividía el instituto de la pensión para rendirme visita cuando debía guardar cama. Me hacía sentir gratificado. En aquel momento lo consideraba un maestro ejemplar, cosa que después, como sucede con las idealizaciones, se extinguió.

Tras un año, cuando se aproximaba el fin de la beca, evalué mi próxima etapa. Quería ir al exterior. Sabía que Givré había pasado mucho tiempo con el famoso profesor Herbert Olivecrona de Estocolmo, casi un año en el Mount Sinai de los Estados Unidos y otro año más en la Salpêtrière de París. Le resultaba más fácil —o cómodo— recomendarme a su amigo, el profesor Jacques Le Beau de París. Así lo hizo y me comía las uñas esperando su respuesta. Contestó que aceptaba integrarme a su equipo, pero debía conseguir una beca por otro lado, porque su servicio no contemplaba este tipo de incorporaciones (un extranjero que recién empezaba su especialización). Entonces recurrí a las que ofrecía la embajada de Francia. Se habían presentado más de doscientos candidatos para diversas profesiones y las vacantes apenas sumaban veinte. Tras otra ansiosa espera, la gané. Al concurrir para recoger los papeles, un alma generosa de la misma embajada me aconsejó recurrir de inmediato al Ministerio de Educación argentino, del que dependía la Maison Argentine de la Cité Universitaire, para solicitar alojamiento. El trámite fue complicado, como exigen los sadismos de la burocracia, pero también llegó a un buen final. ¡Ya tenía donde estudiar, trabajar y dormir!

Me puse a estudiar francés con un profesor que atendía en su domicilio. Era alto, barrigón y calzaba chancletas. Junto con las precisiones gramaticales, dictados y ajustes a mi pronunciación cargada de acento cordobés, me hizo leer *Bonjour tristesse* de Françoise Sagan, una novelita que ella escribió a los dieciocho años y hacía furor en el mundo de entonces. Memoricé sus primeros párrafos como los versos de un poema: "A ese sentimiento desconocido cuyo tedio, cuya dulzura me obsesionan, dudo en darle el nombre, el hermoso y grave nombre de tristeza... La tristeza siempre me ha parecido hermosa... me envuelve como una seda, inquietante y dulce".

Antes de partir, además de confiar al IWO —sin esperanzas— mi biografía sobre Maimónides, conseguí que varios artículos médicos que escribí durante ese año fuesen aceptados para su publicación en revistas científicas. Era una suerte que los superticiosos habrían atribuido a un estrafalario poder. Se basaban en las investigaciones que realicé en Buenos Aires desde mi primer día. En cuatro de ellos presioné para obtener la colaboración de otros especialistas; yo aportaba la investigación y la compulsa bibliográfica, ellos su experiencia y conocido nombre. Reconozco que era temerario, o que mi timidez se tomaba revancha por esa vía. Tres fueron publicados antes de zarpar hacia París. Brincaba de alegría. En mis venas se mezclaban ciencia y arte, búsqueda de la verdad y guerra para mejorar el mundo, aunque sea limpiando mínimas excrecencias de la medicina. Me irritaba el abuso de nombres en la neurología, por ejemplo, lo cual complica el descubrimiento de los factores etiológicos y el hallazgo de un buen tratamiento.

La nosología —que deriva de taxonomía, ciencia de la clasificación— pretende explicar y clasificar la variedad de síntomas existentes. Pero suele petrificarse en un bosque de cuadros que se estudian y recitan como dogmas. Mis lecturas y lucubraciones teológicas, abundantes en cuestionamientos subversivos, se proyectaron durante esos años sobre la clínica neurológica. Una pasión influía sobre las otras.

Una de mis investigaciones se titulaba "Enfermedad de Strumpell-Lorrain, su proteiforme cuadro clínico". En base a la casuística que presentaba con prolijo detalle, pretendía demostrar que su nombre clínico de "paraplejía espástica familiar" era erróneo. Una audacia, desde luego. A esa paraplejía —explicaba— se suelen agregar trastornos amiotróficos, sensitivos, cerebelosos, extrapiramidales y hasta psíquicos. Los preparados de anatomía patológica también revelaban lesiones en zonas ajenas al sistema piramidal. Mi propuesta fundada, pero riesgosa, era que había mucho parentesco entre las afecciones hereditarias del sistema nervioso central, y no se trataba de cuadros independientes, pese a sus rimbombantes nombres diferenciales. El recuerdo-homenaje a los científicos que daban nombre a esas patologías inducía a considerarlas desconectadas entre sí. Los pacientes que había estudiado revelaban, a la inversa, que la enfermedad de Strumpell-Lorrain se aproximaba a muchas otras: el síndrome de Aran-Duchenne, la esclerosis lateral amiotrófica, la enfermedad de Friedrich, la enfermedad de Pierre Marie y la miopatía escápulo-humeral de Erb. ¿Qué tal?

Otro trabajo se titulaba "Contribución al conocimiento de la miopatía seudohipertófica de Duchenne-Griesinger". ¡Vaya título! La casuística de esta rara entidad comprendía los miembros de tres familias que atendí en el Hospital Salaberry. En la mayoría de ellas la herencia había sido dominante. Las historias clínicas de esos casos refutaban que los síntomas tuviesen una aparición precoz. También negaba la simetría de los trastornos.

En la *Revista Argentina de Alergia* me despaché sobre las comprobaciones que hasta ese momento marcaban la relación entre alergia y epilepsia, muy poco tenidas en cuenta, pese a que era un vínculo incierto y algunas correlaciones electroencefalográficas parecían notables. Manifestaciones como la jaqueca, el asma, la urticaria, el eczema, pueden alternar en un mismo sujeto con crisis convulsivas, como si fuesen "equivalentes". A menudo hacen una parábola conjunta en su aparición, ascenso, paroxismo y regresión. Los momentos propicios para la exacerbación de la alergia lo son también para la epilepsia: menstruación y emociones, por ejemplo. La disritmia electroencefalográfica se presentó en muchos pacientes con asma, urticaria, y era casi constante en el período del escotoma migrañoso. Ciertas reacciones alérgicas como el edema angioneurótico de Quincke producen crisis de pérdida del conocimiento y hasta convulsiones. Estos señalamientos fueron ilustrados con una abundante casuística y reforzados con 74 referencias bibliográficas. Como no seguí trabajando en esa investigación, ignoro si mi aporte sirvió para algo.

En *El día médico*, junto con otros dos becarios del instituto, describí el componente neurológico de la enfermedad de Spurway-Eddowes. Con el oftalmólogo Pedro García Nocito escribí sobre la importancia de la electroencefalografía en las degeneraciones tapeto-retinianas, que fue presentado y discutido en la Sociedad de Neurología, Psiquiatría y Neurocirugía. Envié a *La Prensa Médica Argentina* un artículo sobre las amiotrofias neurales y la enfermedad de Friedrich, que recién se publicó unos años después, a mi regreso de Europa.

Era una máquina que pretendía hacer muchas cosas al mismo tiempo: afinar mi ojo clínico, descubrir novedades dentro de los exámenes rutinarios, sumergirme en oceánicas bibliografías, mejorar mi incipiente ejercicio quirúrgico y escribir *papers*. Sabía que un buen curriculum necesita forestarse de *papers* hasta convertirse en un bosque que nadie pueda ignorar. Escribirlos, pulirlos y verlos publicados me obsesionaba y me daba intenso placer.

Las universidades argentinas habían empezado su declinación con el peronismo, tal como lo vengo diciendo con dolor desde hace mucho: impuso el premio a la obsecuencia, estimuló el facilismo y expulsó profesionales meritorios sin otra razón que la política. Mi práctica quirúrgica, por ejemplo, recién comenzó después de apretar con ambas manos mi diploma de médico. Me recibí sin antes haber tocado jamás un bisturí, lo cual es una grave falencia pedagógica. No me enseñaron siquiera a lavarme bien las manos. Y pronto comenzaría a usar ese instrumento con más frecuencia que una lapicera, pero fuera del claustro. Al recibirme, como dije, aspiraba a ser un psiquiatra con métodos modernos, cosa que no encontraba. Mis héroes médicos de entonces eran humanistas como José Ingenieros, Ricardo Gutiérrez, José María Ramos Mejía, Eduardo Wilde, Baldomero Fernández Moreno (que preguntaba si el médico mata al poeta o el poeta mata al médico) y los escritores de prestigio universal que amaba porque también fueron médicos: Rabelais, Arthur Conan Doyle, Georges Duhamel, Cronin, Somerset Maugham, Axel Munthe.

Mi aproximación a la psicología había sido elemental. Casi nula. Jamás sospeché que unas décadas más tarde también me especializaría en psicoanálisis. En el secundario tuve un estúpido profesor que me enseñó a odiar la psicología; lo único "bueno" de ese monstruoso docente era pasar horas comiendo bananas en la puerta del Jockey Club mientras derramaba piropos fálicos a las chicas. Solía unirse a un viejo loco, muy popular en Córdoba, llamado Jardín Florido, porque usaba bigotes de mosquetero, un rancho amarillo con larga cinta azul, el tallo de una rosa sobre la oreja y otra en el ojal de su chaqueta, una corbata de moño con lunares, y chorreaba versos empapados de miel a cuanta joven se le acercaba. Entre mi profesor y ese viejo verde enarbolaban el estandarte de que nada serio podía esperarse de la psicología.

Recién durante mi estadía en Buenos Aires, fuera de la universidad, inicié mi acelerado aprendizaje clínico y quirúrgico. No me faltaba destreza digital gracias a la práctica del dibujo y los años de pianista. Me anotaba para ser ayudante en todas las operaciones que se programaban en el instituto o el Hospital Salaberry. Durante esa época no sabía qué era estar cansado. ¡Cómo la extraño! Calzaba el gorro y el bozal de tal forma que mis anteojos no se empañaran con el aliento. Dedicaba varios minutos al lavado de manos, muñecas y antebrazos con jabón y cepillo. Aprendí a ingresar en la sala operatoria con fuerte olor a desinfectante sin usar los miembros superiores y ni siquiera rozar con los hombros el marco de la puerta. Ya dentro del santasanctórum extendía los brazos para que la instrumentadora me pusiera el delantal estéril mientras otra enfermera lo ataba por atrás. Recibía los guantes doblados de tal forma que los podía calzar, incluida la muñeca, sin contaminar la superficie exterior. Era protagonista de la misma escena que me había hecho conocer Elio Canale hacía mucho, cuando me llevó desde el conservatorio a la Clínica Mayo para presenciar una operación cerebral.

Dentro de una tensa calma cada uno de los profesionales se movía con las antenas alertas y en direcciones exactas, preestablecidas, como los sacerdotes cuando celebran un oficio religioso. Echaba un vistazo a la mesa donde se habían alineado con prolijidad los esterilizados instrumentos y me instalaba en el lugar del ayudante cuando se trataba de operaciones mayores y en el lugar del jefe cuando eran menores.

La intervención podía ser craneana, raquídea o de nervios periféricos. Si era craneana, la cabeza del paciente debía ser fijada con anterioridad, apenas comenzada la anestesia. El jefe marcaba sobre el rasurado cuero cabelludo la línea de la incisión. Acto seguido, como ayudante, efectuaba la toilette del campo operatorio con una gasa embebida en alcohol yodado u otra sustancia equivalente y rodeaba el área con paños estériles. Una vez completado el aislamiento, empezaba la delicada tarea sobre el cuerpo del paciente. Ahora me tocaba comprimir los bordes de la incisión que realizaba el cirujano con mente fría. Debía impedir el sangrado —objetivo que no se lograba de forma total—, porque el vigoroso corte incluía piel, tejido subcutáneo y aponeurosis. Con pinzas hemostáticas se atrapaba el conjunto y evertía. Las pequeñas arterias sangrantes eran ligadas con hilo quirúrgico o electrocoaguladas. El corte semicircular permitía levantar un amplio colgajo que se envolvía con gasa húmeda y quedaba así expuesta la superficie ósea de color marfil, como lo había advertido por primera vez en la Clínica Mayo.

Seguía entonces la agresiva trepanación. Resultaba asombroso que esta maniobra hubiese sido practicada por los incas y los antiguos egipcios con instrumentos de piedra, oro u otros objetos duros. El trépano eléctrico ahora asusta a quienes no están acostumbrados. Fue un notorio avance, pero requiere la destreza de comprimir su mecha contra el hueso hasta conseguir la perforación completa y detenerse justo antes de que el acero se hunda en la materia cerebral. La práctica automatiza esa etapa. Se hacían cuatro o más agujeros según el espacio que se necesitaba explorar. Enseguida se introducía un pasador que iba de una perforación a otra. Era imprescindible usarlo, para que la sierra de Gigli que se deslizaba por la cara interior del hueso no dañase la meninge. Se enganchaba esa sierra a dos pequeñas manoplas y se serruchaba con movimientos de vaivén, a partir de los hombros. Desde la primera vez que observé ese curioso movimiento de danza, advertí que tenía el objetivo de conseguir un biselado que impidiera el hundimiento del hueso cuando se lo reinstalaba al finalizar la cirugía. A continuación se rebatía el colgajo óseo sobre su pedículo muscular y arropaba en gasa húmeda. Hasta ese momento, pues, se habían hecho dos colgajos: el de las partes blandas y el del hueso. La técnica estaba bien reglada.

Quedaba expuesta una fina y resistente membrana llamada duramadre, que envuelve al sistema nervioso central. El bisturí abría un pequeño ojal en alguno de sus límites y continuaba todo alrededor, menos en el tramo con vascularización importante, para mantener irrigado el colgajo que se labra. Por fin quedaba expuesto el cerebro.

Si había que extirpar un tumor, se hacía una incisión en la zona menos vascularizada. Siempre sangran un poco las pequeñas arterias, que se electrocoagulan con breves toques eléctricos. A veces la irrigación con suero fisiológico tibio es suficiente para cohibirlas. Se avanzaba sin apuro con maniobras suaves de espátulas y algodones planos hasta aislar el tumor. Se debía trabajar relajado, como cuando se toca un instrumento musical. Si yo actuaba en calidad de ayudante, me encargaba del aspirador, que absorbía la sangre o el suero fisiológico usado para irrigar. Es importante tener limpio el campo quirúrgico y captar los menores detalles de su geografía. Cumplidos el aislamiento y la extracción de la neoplasia, se procede a coagular los capilares que aún sangran en el lecho vaciado. Se irrigaba nuevamente con suero tibio y controlaba que la hemostasia fuese completa y permanente. A veces era necesario tapizar algunas porciones con esponja de fibrina en plancha. Terminaba el tramo difícil.

El cierre solía quedar a cargo de los ayudantes. De esa forma empezaron mis ejercicios: con el cierre. Eran ejercicios equivalentes a los de Juan Sebastián Bach en mis inicios musicales. Siempre iguales y siempre diferentes. Nunca aflojar la atención, nunca equivocarse. Revisar otra vez la hemostasia de cada plano quirúrgico, porque si no, habría sangrado y complicaciones. La duramadre se suturaba con puntos separados. Se reponía la plaqueta ósea y cosía el periostio. Si la plaqueta quedaba algo móvil, entonces correspondía efectuar una fijación ósea con puntos de alambre. Luego se reponía el colgajo blando con puntos en la aponeurosis. Por último, se suturaba la piel. En los casos que se temía una eventual continuación del sangrado, aunque pequeño, se dejaba un avenamiento al exterior con cinta de goma. El vendaje también exigía arte, porque debía ser compresivo, elegante y cómodo.

En Buenos Aires, y luego en París, Friburgo y Colonia, asistí como ayudante y me desempeñé como cirujano en numerosas operaciones. Llevaba en mi bolsillo una libretita donde anotaba la fecha, el nombre del paciente y de la intervención. Hubiera querido añadirle un breve protocolo, pero lo hice en pocas ocasiones porque no disponía de tanto tiempo libre. Por desgracia, en mis mudanzas perdí esas libretas, que habrían sido un deslumbrante recordatorio y me habrían servido en este momento.

Al cabo de tres años había participado en la extirpación de decenas de tumores malignos y benignos, evacuación de hematomas extradurales, subdurales e intracerebrales, tratamiento de la hidrocefalia con las recién inventadas válvulas, clipado de los peligrosos aneurismas en la base del cerebro, tratamiento de hernias raquídeas, sutura de nervios periféricos, reparación en los traumatismos de cráneo. Varias veces por semana realizaba, leía y evaluaba los rutinarios exámenes complementarios que se hacían a destajo: raquicentesis, electroencefalogramas, ventriculografías con aire, angiografías contrastadas, mielografías.

A fin de adentrarme mejor en la electromiografía viajé desde París, por unas semanas, a la hermosa Estrasburgo, donde tuve una curiosa experiencia extraquirúrgica: la atractiva jefa de enfermeras me dijo que nunca había cruzado el Rhin para conocer la ciudad alemana que estaba enfrente. Me llamó la atención su inextinguible resentimiento por los estragos de la última guerra, de la que sólo había una separación de dieciséis años. Ni yo, cuyos familiares fueron asesinados con inhumana ferocidad, sentía tanto rechazo.

Ahora me referiré a algo terrible, que avergüenza a la neurocirugía.

Mi entusiasmo por ingresar en la Salpêtrière junto a Jacques Le Beau había prendido cuando descubrí en la biblioteca del Instituto Neurológico Argentino su obra *Psychochirurgie*. Mientras escardaba sus páginas con ilustraciones, mapas y esquemas, renacieron mis deseos por conquistar la psiquiatría, pero esta vez mediante el inesperado y aparentemente fabuloso puente de la cirugía avanzada. Las lobotomías para curar psicosis eran frecuentes, relativamente fáciles y había ayudado a Givré en dos casos. Pero tenían la peligrosa fama de las panaceas. Aún no intuía que aliviar las enfermedades mentales (esquizofrenia, depresión, angustia intensa, agresividad, obsesiones compulsivas) cortando porciones del cerebro en base a un mapa presuntamente exacto, equivalía a una utopía criminal. Estaba a punto de lanzarme contento a esa horrible batalla. Eran los días previos a la irrupción de la psicofarmacología, que daría un vuelco de campana a todo el asunto.

En 1949 el portugués António Egas Moniz había recibido el premio Nobel de Medicina por la eficacia de la lobotomía prefrontal. Despertó tanta esperanza ese reconocimiento que se efectuaron decenas de miles de intervenciones (¡casi medio millón!) en el mundo. Por otro lado, la biografía de Egas Moniz me hizo parpadear: era un nombre y apellido que descendía en línea directa del antiguo Egas Moniz (1080-1146), consejero del rey Alfonso I de Portugal. El Moniz contemporáneo estudió medicina en la Universidad de Coimbra y completó su formación en Bordeaux y París. En 1911 lo designaron jefe de neurología en Lisboa. Pero antes había ingresado en la política como diputado. Escribió textos de historia. Luego fue embajador en España. Y posteriormente llegó a ministro de Asuntos Exteriores de Portugal, culminando su tarea como presidente de su delegación a la Conferencia Mundial de la Paz en París. Médico, político, diplomático, varias profesiones. ¡Me encantó! Se lo consideraba una eminencia extraordinaria por haber inventado la angiografía cerebral contrastada, que hasta ahora sigue en vigencia. Pero lo asaltó la tragedia. En 1938 un paciente le disparó ocho tiros, dejándolo paralítico por el resto de su vida. Once años después obtuvo el premio Nobel. ¡Vaya historia!

Su peregrinaje hacia la lobotomía empezó en 1935, durante el III Congreso Internacional de Neurología, al cual acudieron figuras prominentes de la neurociencia experimental como Pavlov, Fulton, Wilder y Penfield.

Egas Moniz lució su técnica pionera de diagnóstico, la angiografía cerebral, que produjo cerrados aplausos. En el mismo congreso John Fulton expuso sus experimentos sobre la fisiología de los lóbulos frontales y las lobotomías en chimpancés. Moniz asumió la esperanza de lograr los mismos efectos en seres humanos, con el propósito de reducir o anular el componente agresivo de los trastornos psiquiátricos. Lo impulsaba una fantástica temeridad. A diferencia de Fulton, salteó la experimentación en animales y, junto con su colega Pedro Almeida Lima, realizó lobotomías a veinte pacientes internados en un depósito psiquiátrico, como merecían llamarse entonces aquellos institutos. La mayor parte de los enfermos revelaron mejoría. A partir de ahí el procedimiento cobró notoriedad y Moniz bautizó la que parecía una nueva especialidad con el nombre rimbombante de "psicocirugía".

La técnica consistía en seccionar las fibras nerviosas de la región prefrontal y desconectar esa porción del resto del cerebro. Eran inmediatos los efectos sobre las emociones y la conducta. Jacques Le Beau describía en su libro las variadas técnicas y las exactas porciones cerebrales que debían ser seccionadas o resecadas.

En realidad, la idea de que la cirugía podía influir en el tratamiento de los trastornos psíquicos había surgido a fines del siglo XIX, cuando Friedrich Goltz resecó porciones de los lóbulos temporales de sus perros y constató que, luego del procedimiento, se mostraban más tranquilos. En esa época, el principal objetivo de la reclusión de enfermos mentales era aislarlos de la sociedad "sana". No preocupaba la locura en sí, sino su agresividad. "Los locos son un peligro." La lobotomía, al disminuir su agresividad, ofrecía un magnífico recurso, mejor que el shock insulínico en la esquizofrenia y el electroshock en la depresión. Mientras devoraba el libro de Le Beau, no capté la impotencia de los pacientes frente a médicos insensibles y cuán fácil era convertir a los seres humanos en animales de experimentación, como fue denunciado más adelante. Estaba entusiasmado como un guerrero antes de una batalla incierta.

Me produjo escalofrío la lobotomía transorbitaria que Walter Freeman empezó a realizar en los Estados Unidos. La llamó *icepick lobotomy* (lobotomía con picahielo). Consistía en introducir un punzón de metal a través del techo de la órbita mediante un golpe de martillo, que comunica directamente con el lóbulo frontal y, de este modo, secciona de inmediato sus fibras nerviosas. Esa técnica ofrecía los beneficios de hacerse en forma rápida, ambulatoria, barata, prescindiendo de la anestesia general. Una cadena industrial atroz.

En consecuencia, reinaba el boom de la lobotomía. Por esa operación pasó hasta Rosemary Kennedy, hermana del presidente. Transformar un paciente psiquiátrico violento en un ser indiferente y dócil era asumido como un triunfo terapéutico en las décadas del cuarenta y cincuenta. Se partía del supuesto de que los trastornos mentales radicaban en conexiones neurales anómalas (algo discutible) y se llegaba a la conclusión de que "cortando" dichas conexiones se solucionaba el problema. En el siglo XIX la fascinación por los estudios anatómicos y fisiológicos había llevado a la errónea búsqueda de localizaciones cerebrales precisas e inamovibles que terminaron construyendo el edificio seudo-científico de la *frenología*. Se llegó a concebir el cerebro como un aparato compuesto por infinitas piezas independientes, aunque articuladas. Y era posible mejorarlo como a un motor.

En la Salpêtrière me interesé por los casos sometidos a la psicocirugía, además de participar en las intensas obligaciones de la neurocirugía general. Estaba en la misma institución por la que habían pasado Charcot, Freud y Axel Munthe (de mi cabeza no se iban escenas completas de *La historia de San Michele*). Mucho antes, durante las hirvientes jornadas de la Revolución francesa de 1789, Phillipe Pinel se había hecho cargo del enorme edificio donde se amontonaban unos quince mil alienados, por considerárselos peligrosos para la sociedad "sana". Era la tenebrosa ciudad de los locos. Pinel pertenecía a la élite de los enciclopedistas y exigió que cesaran las torturas, las duchas heladas, los simulacros de horca, los latigazos y los chalecos de fuerza. Con el tiempo la Salpêtrière se convirtió en el más prestigioso centro europeo de las neurociencias.

Allí, en el bien provisto servicio de neurocirugía, pretendía aprender más (y hacer descubrimientos) sobre la cirugía psíquica. No tardé en advertir que la mejora de los pacientes operados no era tal, sino un aturdimiento seguido por la resurrección de los viejos trastornos, con el agregado de un deterioro general. Veía en los pacientes ojos embotados, lentitud para pensar, labios caídos. Se hacía evidente que la psicocirugía era un fracaso. Me produjo una desilusión dolorosa y no quise saber más de esa técnica. Hasta unos cinco años después, cuando me convocaron en Río Cuarto para atender de urgencia un caso de furor epiléptico...

En París repasé los casos en que había participado como clínico, ayudante o cirujano para encontrar el tema de nuevos *papers*. Mi afán desplegado con suerte en Buenos Aires no había decaído. Llamaron mi atención protocolos de enfermos con tumores instalados en un gran núcleo de la base del encéfalo llamado tálamo óptico, porque no eran suficientemente tenidos en cuenta por la bibliografía a mi alcance. Se los consideraba una rareza. Discutí el asunto con colegas del servicio y logré persuadirlos de utilizar ese precioso material para escribir trabajos sobre el diagnóstico, el abordaje quirúrgico y la información que se lograba obtener sobre las funciones sensitivas y motoras de dicho núcleo. Uno de esos trabajos lo escribí solo y se aceptó —gracias a un pedido de Le Beau— que lo presentase en la Asociación Francesa de Neurocirugía. ¡Me sentí disparado a las estrellas! Me acompañaron dos amables neurólogos clínicos del servicio. Cuando terminé de hablar, el presidente de la asociación realizó un breve comentario y deslizó su crítica. Me pareció que no había entendido, pedí la palabra y, con respeto y firmeza, esmerándome en la calidad de mi francés, puse las cosas en su lugar. El presidente, sin embargo, aconsejó volver a examinar ese punto. A la mañana siguiente me llamaron los dos neurólogos. ¡Para reprimirme!

—Yo tenía razón —protesté.

—Pero no debiste contradecir al presidente.

—Sólo marqué su confusión. ¿Qué tendría que haber hecho?

—Decirle "¡Gracias, señor presidente!..." ¡Eres un argentino! ¡No tienes cura!

Años después confirmé en *La tía Julia y el escribidor* de Mario Vargas Llosa que los prejuicios y hasta el odio contra los argentinos eran más antiguos y extensos de lo imaginado. También en Francia.

Con Jaime Vilató, joven neurocirujano español que pasaba una temporada en la Salpêtrière, escribí un *paper* sobre el diagnóstico ventriculográfico de los tumores talámicos, que fue publicado un año después en *Annales de Chirurgie*, una revista científica francesa muy prestigiosa en aquel tiempo. Me había encaminado decididamente hacia una prolija indagación sobre el poco estudiado gran núcleo de la base del encéfalo, que daría lugar a un trabajo que al año siguiente publicaría en Austria y sería citado con frecuencia por otros autores en alemán, francés e inglés. Todos esos estudios conformarían la materia de mi tesis doctoral, que apadrinaría el profesor Rolf Hassler de Friburgo, Alemania.

Más de un año después Vilató se ocupó de hacerme invitar por la Sociedad Neuroquirúrgica de Barcelona al término de mi estadía en Europa para dar una conferencia sobre las novedades de la cirugía estereotáxica en los movimientos anormales. La íntegra conferencia fue publicada por los *Anales de Medicina* de España en 1963. Al término de mi disertación, el célebre profesor Tolosa me llevó a cenar angulas con buen vino en un restaurante de la Rambla y contó recuerdos del Congreso de Neurocirugía en Buenos Aires que había organizado el elegante y engominado doctor Raúl Matera en 1951, a quien Perón llamaba "neuroperonista". Pese a que Tolosa vivía bajo la dictadura de Franco, fue sorprendido por la intensidad de la propaganda que se hacía en la Argentina de Perón, Evita y el gobernador de la provincia de Buenos Aires, Domingo Mercante. Le llenaron el cuarto del hotel con libros, folletos, discursos y fotografías que no supo cómo hacer desaparecer, porque ni loco iba a cargarlos en su maleta.

No imaginaba, frente al sabroso plato de angulas en aquel restaurante de la Rambla, que tan sólo siete años más adelante volvería a esa ciudad como ganador del Premio Planeta, máximo galardón literario que por entonces se otorgaba en España. En esta última oportunidad volví a encontrarme con Vilató y Tolosa, que se acercaron a felicitarme durante la recepción efectuada en el hotel Ritz donde, aparte de escritores y periodistas, se reunieron muchos médicos, incluso el doctor Antonio Puigvert, urólogo personal de Perón.

Tras la finalización de mi estadía en Francia venía el Congreso Mundial de Neurología en Roma, que no me iba a perder. Ya tenía en el bolsillo la beca Alexander von Humboldt para seguir mi perfeccionamiento en Alemania. Era una beca muy generosa: me cubriría un año entero en ese país, me ofrecía un curso intensivo previo de idioma alemán durante dos meses en las coloridas montañas de Baviera y auspiciaba mi ingreso en la Nervenklinik de Friburgo, pintoresca ciudad al pie de la Selva Negra donde enseñaron Alberto Magno, Edmund Husserl y el controvertido Martin Heidegger. Viajaría en mi diminuto Volkswagen desde París hacia el sur, hacia el congreso de Roma, y luego treparía hacia los Alpes, rumbo a Baviera. Visitaría ciudades grandes y pequeñas, gozaría de paisajes leídos o mirados en cuadros, me conectaría con una historia que frecuenté con pasión, recorrería museos, castillos, conventos, cafés, callejuelas y palacios cuyos detalles me habían anticipado maravillosas páginas de la literatura. Y tendría en Italia un encuentro inesperado, que me marcaría como la yerra en el cuero de los animales.

Mi largo salto de Francia a Alemania con un breve interregno en Italia generaba sentimientos contradictorios. No sólo me causaba inquietud introducirme donde apenas tres lustros antes había reinado el nazismo. Debía cortar con Alejandra.

La despedida fue cruel, porque repetía sensaciones análogas con el fin de otros romances (Betty, Dina, Sonia). Amenazaba un nuevo duelo. Elegí un fin de semana para viajar juntos a la playa de Ostende. Sentados sobre la arena, frente al nervioso oleaje del mar, ella me contempló con ojos desesperados y enganchó en un brete: "Si me lo pides, me quedo", dijo. En otras palabras, no regresaría a Chile, se fijaría a mi lado y me acompañaría por el resto de la vida. En lo inmediato me acompañaría a Roma, luego a Alemania y después adonde se me ocurriese. No hacían falta más rodeos. Afirmaba que era mía, completamente mía. Contraje los párpados, la mente y el corazón. No me parecía una buena idea. Quería a Alejandra, pero no era la mujer para siempre. Retozamos y me enriqueció. Pero ese vínculo debía cerrarse, complicaría el futuro de ambos. Pese a la fuerza que hago ahora, no logro reconstruir qué pasó en los días siguientes. Reprimí por completo los escenarios de la despedida. Muchos años más adelante, visitando Santiago de Chile para la Feria del Libro, recibí una llamada telefónica en mi hotel. Era Alejandra, era su misma voz, su mismo acento, su misma alegría. Supo por los diarios de mi llegada y, en base a la orientación que obtuvo de mi editorial, pudo dar conmigo. Pero ninguno de los dos insinuó volver a encontrarnos. La demolición corrosiva de los años resultaba insoportable y era mejor que continuase la juvenil belleza de los tiempos idos. Nos contamos historias sin coherencia, como si improvisáramos un momento musical. Lo compartido en París y las aventuras desmigajadas en sus calles, más los incontables paisajes del norte y el sur, el este y el oeste de Francia que recorrimos, formaban capas con dulce de leche entre las láminas de una torta Rogel.

En los catálogos del Congreso Mundial de Roma yo figuraba como delegado de Francia, no de Argentina. Les pareció más importante marcar el sitio donde hice las investigaciones que mi nacionalidad verdadera. Se concentraron miles de profesionales llegados de todas partes. Los argentinos eran numerosos y me produjo mucha alegría encontrar profesores y colegas que tan sólo un año antes yo había mirado de lejos (y de abajo) con admiración. Ahora se acercaban a mi joven figura y preguntaban sobre mi experiencia en Europa. Asombraba y estremecía sentirlos tan amistosos. Asistí a muchas sesiones, presenté mis trabajos en francés y escuché con embeleso a los míticos próceres de la neurología y la neurocirugía cuyos nombres me resultaban familiares por haberlos frecuentado en la bibliografía. Recorrí la ciudad de Roma en estado de gracia y gocé de sus rincones densos de historia. La había visitado un par de años antes, pero volvía a despertarme la emoción de una primera vez.

Nunca intuí la sorpresa que venía. Era una sorpresa tan cataclísmica que los creyentes no dudarían en calificarla de milagrosa. Se había constituido una delegación de cincuenta congresales para visitar al papa Juan XXIII en su residencia veraniega de Castelgandolfo y me habían incorporado a ella sin siquiera haber sido consultado. Nunca supe cómo se seleccionó ese medio centenar de especialistas. La noticia me produjo vértigo. Ese pontífice marcaba un cambio en la Iglesia por su pública simpatía con los judíos, que contrastaba con la fría actitud de Pío XII. Había trascendido su amistad con el historiador y teólogo Jules Isaac, cuyos libros *Jesús e Israel, Génesis del antisemitismo* y sobre todo *La enseñanza del desprecio*, tenían una gravitación central en los nuevos tiempos de la teología católica.

En un par de ómnibus zigzagueamos hacia las soleadas colinas de la residencia. Acercarse a un papa en aquel tiempo era excepcional, máxime si se trataba de un agnóstico. Llegamos a la explanada de adoquines y fuimos guiados hacia un austero salón en cuyo frente estaba colgado un tapiz rojo con imágenes sagradas. Sobre una tarima también roja lucía un alto sillón con aspecto de trono. A los lados, junto a puertas con tenues dorados barrocos, permanecían de pie, apoyados en sus alabardas, miembros de la guardia suiza. Tras una espera cargada de electricidad se abrió la puerta de un costado e ingresó el Papa con su bondadoso abdomen adelante, rumbo al trono. Me sentí flotar y quería acercarme más, absorberlo, tocarlo. Luego de los discursos ceremoniosos del presidente del congreso y del pontífice, sucedió lo inesperado: Juan XXIII bajó de su alta silla y empezó a dar la mano a cada uno de los asistentes. Algunos se inclinaban para besar su anillo, otros sólo sonreían al sentirse apretados por su diestra. Se detenía durante algunos minutos con quienes le decían no ser católicos.

Yo empecé a tomar fotos como un poseso, la mayoría borrosas por el temblor de mi mano. Recordaba que algo semejante había sucedido poco antes con una delegación judía, porque el Papa descendió de la tarima, abrió los brazos y pronunció la bíblica frase "¡Yo soy José, vuestro hermano!".

Con temeridad, ese hombre había enfrentado en Estambul a Ribbentrop, el ministro nazi de Relaciones Exteriores. También desde Estambul fletó barcos para salvar clandestinamente a judíos búlgaros, llevándolos a la Tierra Santa controlada por Inglaterra. Todo esto antes de convocar Concilio Ecuménico Vaticano II que corregiría aspectos negativos de la Iglesia, como su fobia a otras religiones y el desprecio a los judíos, llamados "pérfidos".

En Friburgo viviría otras memorables experiencias al dialogar en la Albertus Burse con jóvenes teólogos que redactaban documentos revolucionarios (Joseph Ratzinger entre ellos) para ese trascendental concilio que resultaría inspirador para mis primeras novelas: *Refugiados: crónica de un palestino* y *La cruz invertida*.

Manejé desde Roma hacia el norte de Italia, atravesé la paradisíaca región de Bolzano y penetré en Austria por el paso de Brennero. Recorrí la ciudad de Innsbruck, rodeada por un grandioso collar de montañas y frené en el límite con la República Federal de Alemania. La presencia de los amables policías en el cruce no impidió que me sobreviniera una intensa taquicardia. Iba a ingresar en el país que había cometido el Holocausto y los demás horrores de la Segunda Guerra Mundial. Pero no tuve inconveniente alguno y llegué a la aldea de Murnau am Staffelsee antes de que anocheciera. En esa localidad solía pasar temporadas de inspiración Vasily Kandinsky.

Busqué una hostería en la rudimentaria calle principal y acomodé mis bártulos. En el pequeño comedor se servía la cena. Probé una sopa con *kneidl*, que evocaba el plato judío de Pésaj. Pero en lugar de varias pequeñas pelotas había una sola, de tamaño futbolístico. La encontré sabrosa. Por la mañana me dirigí al Instituto Goethe local, donde ya me esperaban. Allí recomendaron la casa de una anciana señorita que alquilaba habitaciones para estudiantes. Eso de "señorita" (Fraulein) era distintivo en aquel tiempo. Con mi escaso alemán —más ídish que alemán en ese momento— le conté que era médico y de inmediato ella me colgó el título de "Herr Doktor", ofreció el mejor de sus cuatro dormitorios y elevó a rango de huésped preferido. Los otros eran becarios de Yugoslavia, Estados Unidos e Italia.

Estudié alemán con agrado, era un idioma provisto de la lógica que heredó del latín. Sólo tenía dificultades con las declinaciones, al principio. Pero cada vez entendía mejor, porque se pronuncia tal como se escribe. Algunas recomendaciones de los profesores resultaron útiles incluso para mi castellano, como por ejemplo sustituir los verbos "ser" y "hacer" por otros y, de esa forma, enriquecer el lenguaje. Al final de algunas tardes recorría los alrededores que se coloreaban con el oro y la púrpura del otoño. El lago (*see*) Staffel se extendía espejado, azul, y reflejaba las montañas. Aún lo recuerdo vívidamente.

También quise visitar la cercana y espantosa Dachau. Allí había funcionado uno de los mayores campos de concentración y exterminio. De Munich lo separaban dieciocho kilómetros. La maternal Fraulein de cabello gris, rostro tierno e impecable vestimenta bávara rogó que no fuese. Lo rogaba como católica fervorosa. Sobre la mesita de su living exhibía en portarretratos las fotografías de cinco curas que allí habían sido asesinados. Con lágrimas que resbalaban por sus mejillas contó que su hermana vivió en Munich durante la guerra. Cuando iba a visitarla y recorrían los alrededores, advertía a lo lejos la siniestra muralla. ¿Qué es eso?, solía preguntarle. Entonces su hermana la miraba fijo y reprendía: *Frage du nicht!* (¡no preguntes!).

No la obedecí, desde luego, y realicé el peregrinaje. Con los pies acalambrados por la consternación marché dentro y fuera de los pabellones, contemplé los grises espacios de calcificada tristeza y me introduje en las cámaras de gas con paredes azulejadas. Llegué a los hornos crematorios y me puse a contemplarlos con angustia, igual que a las chimeneas por donde salían hacia el cielo las víctimas convertidas en cintas de humo. Apenas lograba contener el vómito y frenar el galope de mi pecho. Cuanto había leído hasta ese momento no sólo era verdad: era peor. Regresé descompuesto y esa noche lloré junto a la católica Fraulein que nada pudo hacer para salvarme de esa experiencia.

Al cabo de dos meses intensos, con sustantivos, verbos, adjetivos y declinaciones que me daban solvencia en alemán, emprendí viaje hacia el oeste, a la Nervenklinik de Friburgo am Breisgau, que queda a unos sesenta kilómetros al norte de Basilea, muy cercana al río Rhin, donde comenzaría otra etapa de inesperadas aventuras profesionales y extraprofesionales.

En Friburgo conseguí habitación en el piso alto de una casa perteneciente a una anciana viuda. A poco de llegar nevó con fuerza. Para combatir el frío debía encender una pequeña estufa a leña. Pero la señora, que pronunciaba un alemán contaminado por el dialecto local, se negaba a gastar en exceso. En consecuencia, pronto me resfrié. Ella aconsejó que durmiese con la ventana abierta, así el aire puro y helado de la noche mataría todos los microbios. Le notifiqué que ese aire no mataría a los microbios, sino a mí, y le pregunté de qué modo bajaría mi cadáver hasta la planta baja. No le gustó mi argumento e insistió en que su medicina era la mejor de Alemania. Entró en razones cuando le ofrecí pagar la leña extra.

Tenía una cama angosta, un escritorio y una radio. La clínica quedaba cerca y me gustaba caminar hasta ella, pero en los días feroces del invierno iba con mi Volkswagen.

Durante las mañanas participaba en las reuniones generales del servicio. Concurrían todos los médicos, se discutían los casos difíciles y se exponían los estudios complementarios. Luego se efectuaban las intervenciones quirúrgicas, en especial las de estereotaxia, que habían dado notoriedad al establecimiento. La inteligencia central de este método no era el Herr Professor Doktor Riechter, jefe del servicio, sino el anatomista y neurólogo Rolf Hassler, con quien simpaticé enseguida. Era quien efectuaba los cálculos minuciosos para dirigir la aguja que penetraba en el cerebro hacia el profundo punto donde se efectuaría la coagulación eléctrica que pondría fin a la rigidez, el temblor u otros movimientos anormales del paciente. Las operaciones se hacían con anestesia local, pero el enfermo —sedado— no sufría dolor. Era importante que estuviese despierto para verificar enseguida si su trastorno se borraba.

Hassler contó que le gustaba el piano y que en esos días repasaba todas las sonatas de Schubert, injustamente poco valoradas. Más adelante confesó que había participado en la Segunda Guerra como soldado de retaguardia en las interminables batallas de Stalingrado, de donde regresó maltrecho. Despreciaba el nazismo y apoyaba a los socialistas. Durante años había trabajado con el físico y neurólogo Oskar Vogt, cuyo nombre me resultaba familiar porque lo encontré muchas veces en las compulsas bibliográficas. Relató que Vogt había estudiado el cerebro de Lenin luego de su embalsamamiento, porque lo había asistido clínicamente en Moscú durante sus últimos años de vida. El asombro me hizo saltar de la butaca. Hassler prometió que al día siguiente aumentaría mi asombro. En efecto, trajo unas plaquetas que instaló en el microscopio y me invitó a mirar.

—¿Qué ves?

—Unas neuronas.

—Son de Lenin.

Eran los preparados de Vogt, y se los había obsequiado a Hassler antes de morir, apenas dos años atrás. Los rusos le habían exigido a Vogt, después de permitirle extraer el cerebro, que explicase la sabiduría excepcional de Lenin: su examen del precioso órgano tenía que haberle revelado algo importante. Eran ingenuamente "materialistas". Entonces Vogt, tras pensar cómo enfrentar la arrogancia de los ignorantes, consiguió sortear el escollo mostrándoles en esos mismos preparados que las neuronas estaban más distantes entre sí, unas de otras, de lo común. ¿Qué significaba? Significaba que había entre ellas una abundancia de axones y dendritas que aumentaban la conexión de los cuerpos celulares y, de ese modo, incrementaban el rendimiento intelectual.

—¿Es cierto? —pregunté.

Encogió los hombros.

Una noche me invitó a cenar en su casa, acompañado por su esposa y bellísima hija. Hablaron sobre Perón y el peronismo, al que Hassler consideraba una desgracia para la Argentina por inspirarse en la ideología fascista, demagógica, autoritaria y discriminatoria de Hitler y Mussolini. ¿Nada más?, sonreí. Tocó una sonata de Schubert y yo modifiqué el clima refinado y melancólico del vienés por los veinticinco minutos de la *Rhapsody in Blue* de George Gershwin.

Como ya adelanté, la estadía en Friburgo me brindó los materiales de mi novela *Refugiados: crónica de un palestino*. Los encubrí al darle un giro de ciento ochenta grados en el primer renglón y convertirme en su protagonista: un musulmán nacido en Ramlé, que estudió medicina en Beirut y luego en Friburgo. Pero que, sobre todo, odia a los israelíes. Como la redacté en primera persona, conseguí evitar ponerle nombre y, de ese modo, el joven innominado podía representar a todos los árabes de Palestina que, luego de intensas experiencias, aceptan los numerosos gestos de buena voluntad israelíes al reconocerse los derechos de las dos partes. Tenía la ingenua ilusión de impulsar la paz.

En esa novela volqué varias profesiones: literatura, medicina, teología, historia y política. Pergeñé la narración en torno a un romance difícil, cuyo suspenso crece por la interferencia fanática de colegas egipcios y una estocada sorpresiva del resentimiento nazi. Incorporé la atmósfera de la ciudad y de la clínica, mi cuarto frío, la concurrida Albertus Burse, el carnaval decamerónico, las boscosas laderas de la Selva Negra y los comentarios de médicos y filósofos con los que alterné en aquellos meses.

Había conocido al lingüista Paul Kautenburger, con quien pude mantener largas conversaciones en francés, porque aún se acalambraba mi alemán. Se interesó en mi persona por causas que me dejarían boquiabierto. Teníamos la misma edad, su pelo era castaño, desordenado, y los ojos húmedos emitían un azul oscuro. Había nacido en la provincia del Sarre. Me informó sobre la interesante historia de su región, pequeña y querida. En la antigüedad había sido conquistada por Julio César durante su campaña de las Galias. En la Edad Media —tanto durante la dinastía merovingia como la de Carlomagno— perteneció a Francia. Luego quedó integrada al Sacro Imperio Romano Germánico. En la Guerra de los Treinta Años fue arrancada por el Cardenal Richelieu para obsequiarla a Luis XIII. Pero después volvió a ser territorio germánico. Y luego francés. Y otra vez alemán. Inevitable consecuencia de existir en medio de una tensa frontera. En 1954 se estipuló el añorado final del régimen de ocupación aliada sobre Alemania Occidental y se definió el Sarre con una insólita fórmula: "territorio europeo", definición que anunciaba las nacientes instituciones de la Unión Europea.

—¿Te das cuenta? Pero mis necios compatriotas del Sarre se negaron a esa condición y perdieron la oportunidad de convertirse en la capital de una Europa unida. Más adelante ese privilegio fue ganado por Bruselas.

Paul cerró su clase de política e historia diciéndome:

—En 1957, tras doce años de administración francesa, el Sarre volvió a Alemania. Es decir, desde hace un cortísimo lustro, querido Marcos, soy definitivamente alemán. Pero sigo hablando también francés y estoy eximido de servir en las fuerzas armadas.

Me invitó a comer en la Albertus Burse.

—Está lleno de curas y monjas —rió—. Las monjas cocinan muy bien y son afectuosas. Lástima que casi siempre te aburren con papas. Papas al mediodía y papas a la noche, servidas de todas las formas imaginables. Los curas son jóvenes y te gustarán.

Una década después, cuando conversé con el premio Nobel de Literatura Heinrich Böll en su casa de Colonia, confirmó que, a lo largo del Rhin, ¡hasta las papas son católicas!

El nombre Albertus se refería al filósofo medieval Alberto Magno, uno de los primeros en instalarse y trabajar en Friburgo, dando origen a su extendida fama como ciudad de pensadores.

El austero salón de la Burse estaba repleto de comensales. Mi amigo saludaba a cada paso y en ese primer día encontró dos sillas libres en una mesa llena de curas. Sin hacer preguntas, porque el menú era único, las monjas vestidas de gris me sirvieron el plato de sopa con una rebanada de pan. Luego llegó el abundante puré de papas con cebollas fritas. El postre consistía en un pedazo de queso. Debía olvidar las tradiciones argentinas y francesas.

Conocí en ese lugar a un filósofo paraguayo y otro español; ambos vestían con arcaica elegancia; la tela de su ropa era oscura y brillaba por el desgaste. Me contaron sus tareas en nuestro añorado castellano. El paraguayo era hijo de un político en desgracia, exiliado en Buenos Aires debido a la interminable dictadura de Alfredo Stroessner (que había acogido a Perón cuando huyó de Buenos Aires); se dedicaba a Hegel. A lo largo de muchas charlas y compartir juntos un viaje a Viena, me brindó claves de ese filósofo que muchos citan y pocos entienden. El español, en cambio, navegaba por las aristotélicas páginas de Tomás de Aquino y se negaba a verter referencias sobre su país bajo el régimen de Franco.

Los momentos más sabrosos se produjeron cuando me introduje en charlas con sacerdotes embutidos en sotanas negras, como aún se usaba. Mientras engullíamos papas al horno o fritas o rellenas o combinadas con otras verduras, conté que había estado con Juan XXIII en Castelgandolfo. Se les incendiaron las mejillas. Además, pronto supieron que era judío y ese dato —que yo intuía peligroso— aumentó su exaltación. Semejante entusiasmo me dejó perplejo. Hasta entonces había tenido escasos vínculos con los curas; seguía imborrable mi profesor de religión en Cruz del Eje. Había incorporado una imagen lejana e intimidante de estos sacerdotes. Pero quienes tenía al lado y en frente eran distintos. Se revelaban cordiales, cercanos, divertidos, abiertos. Me empezaron a explicar el inminente Concilio Ecuménico II.

—¿Qué Concilio?

Tuvieron la paciencia de extenderse en detalles, como si se esclarecieran a sí mismos. Protagonizaban la víspera de grandes cambios. Juan XXIII —aseguraron— inauguraba un *aggiornamento* trascendente. Varios de ellos trabajaban en los documentos que serían discutidos en Roma. Uno tenía que haber sido Ratzinger, que se convertiría en el papa Benedicto XVI. Había cometido el gravísimo pecado de integrar las Juventudes Hitlerianas, pero decidió corregirse mediante el estudio intenso y un apoyo decidido al *aggiornamento*. Ya se habían puesto en práctica reuniones interconfesionales: católicos con protestantes, católicos con ortodoxos griegos y católicos con judíos.

—¿Con judíos?

Sí, con judíos. Era un tema central, impulsado por Juan XXIII en persona.

—Este viernes, para celebrar el Shabat (el cura dijo *Shabat*, no sábado), tendremos el encuentro con un rabino. ¿Te unes a la partida?

Fui con Paul, no me iba a perder semejante espectáculo. Tras casi dos milenios de odio y discriminación, de calumnias y matanzas, volvían a reunirse los discípulos de Jesús con el pueblo de Jesús. En la sobria ceremonia se encendieron velas, pronunciaron bendiciones, se brindó con vino y hablaron el rabino y un cura. Alemania era la tierra más indicada para convertirse en una vanguardia del nuevo tiempo, no sólo por su pasado atroz, sino por reunir grandes faros de la teología.

Esas novedades afectaron mi corazón. Ahora no es fácil imaginar cuánto entusiasmo generaba esa época de alumbramiento. No me daba cuenta, desde luego, que en mis entrañas había comenzado a gestarse la novela que me daría una precoz popularidad: *La cruz invertida*.

Le sugerí a Paul que suspendiéramos el francés y hablásemos sólo en alemán. Entonces me trajo de regalo un libro con páginas escogidas de Sigmund Freud. Sabía poco de Freud y el objetivo de su lectura no era instruirme en psicoanálisis: Paul eligió ese volumen por la espléndida prosa del autor.

—Muchos judíos, y Freud en especial, fueron y son maestros de la lengua que pretendió ignorarlos.

Me conmovió ese pensamiento. Paul consideró que el vínculo entre nosotros había madurado lo suficiente para confesarme un peligroso secreto. Sabía de mi sionismo, mis conocimientos religiosos e históricos y mi espíritu progresista. Aseguró que, por haber nacido en el Sarre, una región propicia para la ambigüedad nacional, amaba a Francia, a Alemania y el resto del mundo, así como yo amaba la Argentina, Latinoamérica, Israel y el resto del mundo. Era ferviente católico. Hizo una pausa para tomar aliento y corrigió la frase: ¡muy católico! Ese catolicismo que tantas veces traicionó el mensaje central del Evangelio, lo llevó a vincularse con los pocos funcionarios israelíes que ya trabajaban en el país, si bien aún no se habían establecido relaciones diplomáticas oficiales. El final de su historia narraba que, tras laberínticos rodeos, terminó contratado por el Mossad.

Lo miré desorbitado.

¡No podía ser cierto! Pero era cierto. Debía informar sobre probables líneas terroristas que se roturaban en la universidad. Su asidua concurrencia a la iglesia y religiosidad sincera le permitían introducirse en campos minados. Para disfrutar del nuevo lazo que surgía entre nosotros, propuso no permitir que se debilite mi francés y escuchemos juntos *Kol Israel* (Voz de Israel) en ese idioma, dos veces por semana. La audición, desde Jerusalén, había lanzado un concurso de preguntas sobre temas bíblicos. Nos inscribimos y fuimos enviando las respuestas. Terminó en dos meses. A los dos meses y medio Paul recibió la noticia de que habíamos ganado el primer premio y nos llegaría un regalo. En efecto, aterrizaron dos antologías bellamente impresas de los modernos poetas hebreos traducidos al francés, que conservé con cariño hasta que el caos de una mudanza los evaporó.

La neurocirugía estereotáxica exigía estudiar con lupa la clínica y, sobre todo, la anatomía del encéfalo. Comenzaron a resultarme familiares los territorios profundos, con núcleos basales cuya disfunción generaba grandes cambios. Hassler era un guía incomparable. Discutía con él los éxitos y los fracasos de las intervenciones. Hasta que vislumbré un estrecho caminito original. Cálculos minuciosos ya permitían saber que una fracción de milímetro en la zona ventral externa del tálamo tenía más efecto en la curación del temblor que en la de la rigidez parkinsoniana. Pero, además, me había dado cuenta de que si la electrocoagulación se hacía en la estrecha zona reticulada que envuelve esa parte lateral de tálamo, los resultados eran aún mejores. El inconveniente residía en originar una indeseable parálisis por lesión de las vecinas fibras piramidales. Se trataba de un borde riesgoso, porque de un lado estaba la curación y, junto a ese mismo borde, se abría el abismo de la invalidez. Revisé a fondo el tema y decidí escribir un artículo en alemán, que presentaría a Hassler.

Para corregir el texto y darles precisión a mis ideas, recurrí a Lotte (Charlotte), bonita auxiliar en la sección de radiografías. Había empezado a cortejarla con la excusa de practicar el idioma. Ella se reía de mi exagerado afán perfeccionista, aseguraba que mi pronunciación era buena y sólo fallaba en las declinaciones. La invité un par de veces a tomar café con *Kuchen* en una pintoresca hostería de la Selva Negra. En el camino de retorno, cuando se espesaba la noche, apreté su mano enguantada. Antes de dejarla en la puerta de su vivienda le apliqué un piquito seguido de un abrazo. Repetía la técnica usada con Betty en un barrio periférico de Córdoba, luego con Dina en el teatro, más tarde con Sonia en las nocturnas calles de Dakar y por último con Alejandra en el Barrio Latino de París. En el cuarto paseo la besé con pasión. Ella tardaba en responder pero, al final, riendo, abrió sus labios y me hizo degustar su sensualidad. Al cabo de un mes fuimos de excursión a Suiza. Me sorprendió que accediera, porque una vez estuve solo con ella en su departamento y fue imposible consumar el coito. Practicaba la resistencia de moda, necesaria para dejar en claro la noble castidad de una mujer. Me había pasado en Córdoba con otras relaciones fugaces. También en París, con Alejandra, al principio. El sexo, en aquella época, equivalía a una erótica lidia en que la mujer debía resistir las embestidas del varón. Sin resistencia, el vínculo perdía atractivo, y sin embestidas, aunque ciegas, el varón perdía la guerra.

Llegamos a Interlaken y elegí un hermoso hotel. Cenamos fondue, embriagados por la luz de las velas y el aroma del sándalo. Antes de sumergirnos en las almidonadas sábanas abundaron los besos y los masajes, tanto de pie como sentados en el borde de la cama. Ella no terminaba de desvestirse ni permitía que yo lo hiciera. Propuso dormitar un rato antes de proseguir. Esa noche volví al ataque. Sus muslos parecían soldados y no había forma de abrirles una ranura. Me sentía más que frustrado: idiota. Pero no me dejé avasallar por el enojo. Al tercer día, ya de regreso en Friburgo, como si operase el último tramo de un rito, en su dormitorio hicimos el amor con ráfagas de huracán.

Le mostré mis borradores y enseguida comenzó a mejorar el estilo de mi *paper* tras preguntar con paciencia qué pretendía decir, exactamente, en ese intríngulis de datos anátomo-fisiológicos. Cuando el artículo quedó acabado, lo entregué con trémula expectativa a Rolf Hassler. Sonrió y mi inquietud se transformó en júbilo al notar su reacción. Le parecía excelente y dijo que era bueno para él que hubiera sido escrito por otro autor, porque llevaba publicados varios artículos cercanos al tema. En otras palabras, mi contribución consolidaba sus tesis. Prometió enviarlo a una destacada revista científica. Un año después apareció en *Acta Neurochirugica* de Viena. Aclaraba que provenía de la Neurochirugischen Universitätsklinik (Prof. Dr. T. Riechert) y la Neuroanatomische Abteilung des Max Planck Institut für Hirnforschung (Prof. Dr. R. Hassler) de Freiburg/ Breisgau. Se cerraba con traducciones del largo resumen en inglés, francés, italiano y español. Era el trabajo científico más importante que había escrito hasta ese momento.

Lotte propuso que viajásemos a la casa de sus padres en el próximo fin de semana. Acepté enseguida, porque tenía curiosidad por la región del Rheinland-Pfalz (Palatinado) donde ellos vivían. Era un estado federado de Alemania bañado por los ríos Rhin y Mosela, abundante en bosques, donde retoza la vid y se producen famosos vinos. Quedaba a unas cuatro horas al norte de Friburgo. Me recibieron con afecto, felices quizás —pensé con equivocada soberbia— porque su hija parecía haber enganchado a un cirujano argentino. Pero se les nubló la vista cuando descubrieron que yo era judío. Además, les pedí recuerdos de la guerra. No contaron mucho, por supuesto, sino que habían sufrido privaciones y la muerte de numerosos familiares. Sospeché que el padre era un nazi arrepentido (o no).

Con Lotte paseamos por los bosques y nos tendimos en la hierba para contemplar el alto ramaje de los árboles en contacto con las nubes y con retazos de cielo celeste. El aire estaba impregnado de aromas.

Al regresar el domingo a Friburgo en mi Volkswagen se nos hizo muy tarde y propuse dormir en la legendaria Baden-Baden, sobre las estribaciones norteñas de la Selva Negra. El emperador Caracalla solía frecuentar ese sitio para mejorar su salud con las aguas termales que brotan de las rocas. Un siglo atrás se habían construido grandes hoteles, teatros, establecimientos termales, un hipódromo y el casino más suntuoso del mundo que dio origen a novelas y películas. Allí residieron por largas temporadas Fiodor Dostoievski y Johannes Brahms. Inhalar la idéntica atmósfera que aspiraron sus narices me provocaba un bienestar supremo. No fue extraño que las fuerzas de ocupación francesas hubieran establecido en Baden-Baden su comando central. En materia de buen gusto resultaban infalibles.

En la aristocrática cama nos mandamos una noche de órdago. Pero a la tarde siguiente, ya de regreso en Friburgo, ella comentó que sus padres habían llamado por teléfono para enterarse de su buen retorno y no la habían encontrado. Tuvo que inventar un problema del auto y la necesidad de parar en el camino. Sus padres sospechaban que habíamos dormido juntos y no se lo perdonarían. Me atacó la culpa, implacable perseguidora, e intenté componer otra marcha fúnebre, como me había sucedido con Betty. Pero algo había madurado y ya lograba dejar de prestar tanta atención a semejante pacatería. Horas después le dije que sus padres podían quedarse tranquilos, porque se acercaba mi partida de Friburgo: iría a la ciudad de Colonia, donde ya había sido aceptado para una residencia. Ella no lagrimeó ni me hizo escenas. Ambos sabíamos que más nos ligaba el sexo que el amor.

Al despedirme de profesores y colegas de la Nervenklinik obtuve fotos dedicadas de los jefes. Además, un precioso informe sobre la *neue Musik* (nueva música) que se ejecutaba todos los sábados y a cuyos conciertos no acudí una sola vez por el resentimiento equivocado que me producía el abandono de la "verdadera" música. También fui invitado a cenar por el cirujano Mundinger (que pronto viajaría con su bella esposa a dar conferencias en la Argentina gracias a mis gestiones en la Universidad de Córdoba), así como otras vivencias que pintaría con acuarelas fuertes en mi primera novela. Con Paul Kautenburger quedé en mantener una frecuente correspondencia y prometí visitarlo en su casa de Saarbrücken, capital del Sarre y frustrado centro de Europa.

En Colonia fui a trabajar con el célebre neurocirujano Tönnis, que había permanecido en Alemania durante la guerra, pero no era acusado de haber apoyado al nazismo. De hombros corpulentos y rostro amable, se paseaba con gorro y camisolín estéril por los tres quirófanos de su prestigioso servicio mientras los ayudantes hacían las craneotomías o aperturas del canal raquídeo. Al quedar expuesta la parte esencial, lista para entregarse a la etapa más difícil, Tönnis calzaba los guantes de goma esterilizados, una instrumentadora le prendía la linterna que se había colocado sobre la frente y procedía a buscar con espátulas, algodones planos, pinzas delicadas y finas tijeras el tallo del aneurisma que había sangrado en la porción basal del cerebro y lo cerraba con un clip, o disecaba con movimientos de virtuoso el tumor cerebral de superficie o de profundidad o, inclinado sobre el raquis, extraía el disco intervertebral eventrado, o instalaba la válvula que corregiría la hidrocefalia de un niño, o sacaba con destreza el quiste que obstruía la circulación interventricular del líquido cefalorraquídeo. Concluida esa decisiva etapa, todos los cierres quedaban a cargo de los ayudantes —yo entre ellos— mientras él, sentado sobre un taburete, dictaba el protocolo quirúrgico con su voz de color de nuez.

Mi estadía en Colonia significó un repaso general de toda la neurocirugía.

Durante ese año, la pródiga Fundación Alexander von Humboldt me pagó un viaje de veinte días por los más significativos lugares de Alemania en un ómnibus especialmente fletado para veinte becarios de diversos países, con la guía de un experto en arte e historia. Engullí el más variado banquete de mi vida. Recorrí ciudades, aldeas, museos y sitios históricos que jamás se borrarían de mi mente. Hice varios amigos, entre ellos el belga Schotte, de Gantes, cuyo padre dedicaba el último piso de su castillejo a una fabulosa colección de obras de arte que venía acumulando desde hacía décadas y a quien visité antes de dejar Europa.

Crucé el entonces reciente (y siniestro) Muro de Berlín, que había sido levantado el año anterior para terminar con las fugas de quienes no soportaban el régimen comunista y establecer un país-cárcel, al que numerosos intelectuales progresistas de Occidente no condenaron. Yo tampoco. En mi cabeza aún seguía vigente el entusiasmo por la traicionera "izquierda". Sartre había asegurado que no existían campos de detención en la URSS. Y la defenestración de Stalin en 1956 no significó el colapso de la dictadura que había logrado cimentar. Aún se confiaba en el buen futuro del comunismo soviético. Ingresé curioso y feliz en el lado oriental. Ingenuo aún, nublado por la ideología marxista, ni siquiera me pareció macabra la vigilancia y rigidez de los agentes. Me llevaron al fascistoide monumento a los soldados soviéticos, compuesto por cubos gigantescos que simbolizaban el sepulcro de esos bravos, y que culminaba en el fondo con un monumento colosal de Stalin, alto como un obelisco y robusto como un toro de lidia. También concurrí en Berlín Oriental a una función en el Teatro Bertolt Brecht.

Durante ese viaje por toda Alemania sufrí un sacudón vinculado con la Argentina.

El noticioso informaba que el presidente Arturo Frondizi había sido destituido por un golpe de Estado. Yo lo había apoyado con fervor desde el principio, cuando se erigía como la principal voz opositora durante el agónico peronismo y cuando apostó a fórmulas que dejasen atrás los resentimientos. Durante su gobierno impulsó la industrialización con inédita energía, liberó la enseñanza e instaló el país en la agenda mundial. Lo acusaban de inclinarse demasiado hacia la izquierda (con una política privatizadora) y se temía que firmase una alianza con la Cuba de Castro, lo cual era mentira, pero una mentira que trastornaba a las fuerzas armadas de entonces. La negra tradición de los golpes de Estado volvía a instalarse. Y tendría ocasión de reeditar su daño muchas veces más.

Antes de volver recibí otra beca, esta vez de la ciudad de Ulster, en Holanda. La había solicitado cuando pensaba que aún no estaba listo para lanzarme de lleno al ejercicio profesional. Con el acelerado engrosamiento de mi curriculum era fácil conseguir más becas. Incluso fantaseé con una larga estadía en Zurich, cuyo servicio era ejemplar. También Jacques Le Beau me ofreció volver a la Salpêtrière, con un cargo fijo.

Compré cinco novelas de Agatha Christie en alemán, editadas en rústica, fáciles de llevar, y que leía en cualquier minuto libre con un diccionario cerca. Quería solidificar el dominio de ese idioma. Pero no tuve que usar el diccionario, casi, porque sabía más de lo que demandaba mi exigencia. Aún conservo esas novelas como recuerdo de aquella movida etapa.

El cierre de mi permanencia en Europa se produjo con una gira de dos meses, guiando a mis padres y tía Berta. Quería expresarles mi gratitud por la ayuda que me brindaron todo el tiempo y el esfuerzo que hicieron para aguantar mi larga ausencia, en la que ni siquiera pudimos hablar una sola vez por teléfono porque entonces esos lujos no estaban al alcance de cualquiera. Los esperé en la playa de Cannes, recorrimos en auto la Costa Azul e Italia occidental, hasta Nápoles, donde embarcamos hacia Israel. Luego regresamos a Nápoles y ascendimos hacia Italia del norte por la costa adriática, exploramos buena parte de Suiza, les mostré Friburgo y en Colonia me ayudaron a comprar el instrumental neuroquirúrgico que usaría en la Argentina.

Mientras recorríamos Bélgica camino a Francia, nos sorprendió la cantidad de tanques americanos que rodaban hacia Berlín. ¡Había estallado la crisis de los misiles descubiertos en Cuba!

Kennedy y Jruschev no encontraban una solución al conflicto. Fidel Castro, feroz como perro asesino, insistía en que se lanzara una lluvia mortal de bombas contra el "imperio" para conseguir su ansiada derrota. La radio de nuestro auto estaba prendida continuamente. Parecía inminente el fin del mundo. Pero a la mañana siguiente se supo que el jefe soviético había asistido a una función del Bolshoi y daba a entender que el conflicto estaba solucionado. Era verdad. Se llegó a un arreglo por el cual la URSS retiraba los misiles atómicos de Cuba y Estados Unidos se comprometía a no invadir jamás la isla. Se salvó la humanidad y se salvaron los Estados Unidos. Pero no se salvó Cuba, que siguió agobiada por una tiranía unipersonal y retardataria, ni se salvó América latina y varios países del África debido a la expansión de una guerrilla absurda, motorizada por la dictadura de Castro, que produjo una decadencia política y económica difícil de remontar.

TERCERA PARTE

Floración dolorosa

En mi adolescencia deglutí muchas novelas de Emilio Salgari y Julio Verne. También me había sacudido *Príncipe y mendigo* de Mark Twain, a la que siguió *Las aventuras de Tom Sawyer.* Me identifiqué con Tom al extremo de hurgar en los matorrales de los alrededores de Cruz del Eje cuando acompañaba en sulky a mi padre para entregar muebles, con el fin de encontrar un buen escondite que sirviera de guarida. Incluso averiguaba si existía un disimulado ingreso a una gruta donde podría disfrutar escenas de atracción amorosa. Pasaba mucho tiempo leyendo, pero no alcanzaba. En mi pecho se agigantaba un anhelo parecido a un globo que se infla. Debía redactar una novela, se me ocurrió. Trabajar en ella dos o tres horas diarias. Utilizar la técnica evidente de otros para describir lugares, construir diálogos y generar suspenso.

A los doce años compré un cuaderno de cien hojas y puse manos a la obra. Me tenía embelesado el clima exótico de *El árabe,* que en esa misma época inspiró mi ballet. No dudé en titular a mi novela *El oriental,* con obvias reminiscencias de Edith Hull. Se desarrollaba en el borde de un gran desierto arenoso con carpas y palmeras cargadas de dátiles junto a un pozo de agua. El aire era seco y ardiente, como el de mi pueblo, pero sin río ni árboles. A medida que llenaba las páginas aumentaba mi inspiración, con escenas y conflictos que iban más allá de las ideas pergeñadas al comienzo. No había trazado un plan minucioso, ni siquiera un esquema. Fugué hacia la aventura de la improvisación, como un irresponsable que monta un camello robado y vuela a descubrir el misterio que encierra un viejo castillo convertido en una prisión que iba a violar. Terminaba capítulos y les ponía nombre. Cuando llené el primer cuaderno compré otro.

Me instalaba en la fresca tienda, que era el cuarto al final de la mueblería, donde mis padres vendían telas para ropa, tapizados, cortinas y otros usos. La mesa del centro, cubierta con un hule florido, servía de escritorio. Escribía con pluma y tinta azul, porque aún no se había difundido la lapicera fuente. Pero cuando llené doscientas páginas no fui a comprar más cuadernos. Lo escrito alcanzaba para un libro, calculé. Sin embargo, no era un buen libro; tenía conciencia de las debilidades que afectaban al argumento y que la mayor parte de las descripciones estaban inspiradas en otros autores. Aplacado mi impulso inicial, reconocí que aún no estaba listo para la novela. Debía entrenarme con los cuentos.

Escribí uno, dos, tres, cinco cuentos. Al primero lo intitulé "Libertad", lo cual daría tema a varias sesiones de psicoanálisis durante mi formación en esa especialidad.

Al ingresar al colegio secundario me hice amigo de un compañero de apellido Venecia. En aquel tiempo —aún me asombra— nos llamábamos por el apellido, tal como hacían los docentes. Le gustaba leer y comentamos nuestros respectivos gustos. Le confesé que había escrito varios cuentos. Pidió que se los prestara. Como no tenía copia, le imploré con las manos en oración que no los fuese a perder. Le gustó mucho "Libertad" y contó que su hermano se había entrenado en dactilografía. Si aceptaba, lo haría pasar a máquina con algunas copias que se lograban con el llamado papel carbónico. ¿Que si aceptaba? ¡Brinqué de alegría! A la semana siguiente trajo en una carpeta mi primer texto "impreso" de la vida. Eran hojas mecanografiadas prolijamente. Parecían las páginas de un libro. Me sentía un autor, un autor de verdad. Contemplé la carpeta abierta por mi amigo sin atreverme a tocar el papel, como si fuese sagrado.

Después nos mudamos a Córdoba y nunca más supe de Venecia. Hasta que pasaron varias décadas. El encuentro fue espantoso. Y ocurrió en Buenos Aires.

Un domingo paseaba con mis hijos y Marita por la plaza del Congreso. Los chicos corrían tras las palomas arrojándoles granos de arroz y maíz. Se me acercó el placero, vestido con un delantal gris oscuro. Era calvo, demacrado y de inestable andar. Supuse que venía a indicarme alguna infracción. Curiosamente, me nombró por el apellido. No lo conocía, entrecerré los párpados para verlo mejor y casi le preguntaba de dónde sabía quién era.

—¿No te acordás de mí? —dijo con perturbadora familiaridad.

—N...o.

—¡Soy Venecia!

Me rodearon los chicos, interesados por una conversación con quien parecía ser el comandante de la plaza. Yo permanecía anonadado. Tardé un tiempo incalculable en repetir, con voz afónica, su apellido.

—¿Venecia?

Conversamos, aunque sus palabras no me llegaban al cerebro. Es probable que le haya sintetizado en pocas frases los hitos cardinales de mis andanzas, dónde y cuándo me recibí de médico, mi paso por Francia, Alemania y Río Cuarto, por ejemplo. Pero no me quedó nada. Nada. Tampoco lo que él contó. Fue tan intenso el shock que resultaba imposible despegar mis sentidos de su aspecto envejecido y derrotado. Me limitaba a tocarlo con los ojos, perplejo, como si estuviese frente a un terrible cuadro de Goya. Un cuadro que emitía ruidos incomprensibles y a los que devolvía frases mecánicas, sin conciencia. Al cabo de unos minutos, que quizás fueron muchos más, porque mis hijos ya querían partir, le di la mano sin percibir su piel. Fue tan alienante la consternación que me puse a respirar hondo y armar una explicación para Marita y los chicos, que ardían de curiosidad. Hasta hoy mis hijos mayores se acuerdan de ese episodio.

En tercer año del colegio secundario leí *El mundo de ayer* de Stefan Zweig y se me ocurrió escribir una autobiografía. ¡Una autobiografía a los quince años! Consideraba, en mis románticas ensoñaciones, que había vivido mucho y que, si me iba al más allá por alguna acción heroica, correspondía dejar fijadas mis experiencias. Esta vez tracé un plan. En las primeras páginas describiría el paisaje de Cruz del Eje, su fauna, flora y las pocas leyendas que circulaban sobre su historia. Luego narraría la epopeya de mis padres y abuelos. No dejaría de referirme a la escuela primaria y la biblioteca pública. Contaría mi paso por el Conservatorio Wagner. Hablaría sobre mis maestras y maestros con el esquemático perfil que tienen los personajes de las historietas.

De mis maestras, dos me habían embelesado hondamente; una a los nueve y otra a los diez años. Luisa era casada y rubia; en segundo grado me eligió para recitar un largo poema en la fiesta de fin de año. Lo pude memorizar y fui un par de veces a su casa para perfeccionar en privado la entonación y los ademanes. Me embriagaba su perfume y seguí al pie de la letra sus indicaciones, porque lo recité frente a la multitud de padres y estudiantes con gran soltura, provocando carcajadas y aplausos.

Al año siguiente tuve a la señorita Lidia, morocha y de bellísimo cuerpo. Pero sobre ella no iba a escribir en mi autobiografía por vergüenza. La señorita Lidia me introdujo en la esbeltez de las piernas femeninas. Por entonces la falda de moda cubría hasta unos centímetros por debajo de las rodillas. Es decir, las rodillas integraban parte del cuerpo secreto y enloquecedor. Durante un recreo, mientras caminaba por el patio, la descubrí sentada al escritorio corrigiendo papeles. Estaba de perfil, con las piernas cruzadas. Pero la falda se había plegado por encima de sus rodillas e incluso dejaba ver el comienzo de los muslos. Me convertí en súbita estatua, los ojos fuera de las órbitas y los labios entreabiertos. No sólo contemplaba temeroso, sino que un par de amigos que compartieron por un rato el demoníacamente erótico panorama me agarraron de los brazos para sacarme del pozo donde estaba sumergido.

También en tercer año del secundario inauguré el hábito de escribir en una hoja de papel las nuevas palabras que descubría en los libros. No tenían más orden que el de su hallazgo. Doblaba la hoja (con el tiempo llegaron a ser varias) y la llevaba siempre en el bolsillo. Cada vez que sobrevenían minutos libres, mientras viajaba en ómnibus o estaba sentado en el retrete, las releía.

Había comenzado mi fuerte profesión de escritor, sin que tuviera nítida conciencia de ello.

Calzado en botas de siete leguas, mucho después emprendí la aventura de escribir una novela en serio, lejos de los dos cuadernos de mi pubertad, con cien hojas cada uno. Tenía treinta y dos años, estaba radicado en Río Cuarto con la hermosa, vital y luminosa Marita (Ana María) y había nacido mi primer hijo, Herman. Me acosaba el deseo de hacer una contribución a la paz. Había traído de Europa un obeso paquete de materiales en alemán sobre los millones de refugiados que produjo la Segunda Guerra Mundial y los padecimientos que debieron absorber multitud de escombros humanos en los años posteriores. Eran la crónica de una tragedia masiva y repugnante. El fenómeno de los refugiados en varias partes del mundo alcanzó niveles sin precedentes. Todos los casos fueron llegando a una solución, aunque dejaban tras de sí las horrendas huellas del infortunio. El único caso que no se resolvía era el de los árabes de Palestina, pese a los cuantiosos fondos mal controlados de muchos orígenes (tal vez por esto en primer lugar). Una curiosa alianza entre los países árabes y los organismos internacionales decidió mantenerlos segregados, sufrientes y resentidos en miserables campos, como si fuesen rehenes (y son rehenes en su mayoría, hasta ahora, asunto sobre el que la opinión pública mundial prefiere cerrar los ojos).

Los árabes de Palestina no son queridos por sus hermanos de los demás países árabes. Es escandalosamente evidente: no los dejan integrarse, ni viajar de un país a otro, ni comprar propiedades, ni adoptar una nueva ciudadanía. Forman quistes eternos que se usan como propaganda, que viven de la caridad internacional y se reproducen sin futuro. De este absurdo deberían hacerse responsables casi todos los países del planeta, la prensa internacional y los organismos que dicen defender los derechos humanos. Esa masa de infelices fue convertida en un arma poderosa para que Israel sea deslegitimizado y desaparezca, sin interesar cuántas generaciones deberán insumirse en esta nueva agresión contra el pueblo judío.

Mi novela era pretenciosa. E ingenua. Quería poner en foco la hipocresía y el horror. Suponía que con un libro podía lograr cambios importantes.

Los israelíes y los árabes de cualquier país no tenían, hasta la Guerra de los Seis Días —que aún no se había producido—, ningún contacto directo. Por consiguiente, resolví que ese contacto ocurriera en un espacio neutro, como podía ser la ciudad de Friburgo, que yo conocía bien. La narración en primera persona estaría a cargo de alguien que se nutriera de mi propia experiencia: un joven neurocirujano becado en la Nervenklinik. Pero debía diferenciarse de mi persona: no sería argentino ni judío, por supuesto, sino árabe y musulmán, nacido en la Palestina anterior a la independencia de Israel. Tenía que manejarme con habilidad y efectuar una correcta pintura de sus convicciones religiosas y orgullo étnico. Cultivaría amistades árabes en Friburgo, además de alemanas o de otros orígenes. Debía frecuentar sitios que facilitaran las verosímiles peripecias que yo mismo disfruté. Pero sucedería en la novela un hecho inesperado que estalla en el primer capítulo y genera suspenso: un accidentado en la ruta al que debía operar de urgencia mi protagonista era un diplomático israelí. Tenía que salvarle la vida a un enemigo, efectuarle curaciones posoperatorias y conversar amablemente con él.

Este hombre tiene una hija. La historia de la muchacha, a su vez, contiene pólvora. Ambos jóvenes, de modo sutil, emblematizan la tragedia de sus respectivos pueblos. El argumento que pergeñé permitía abrir, como flores de un aroma extraño, hechos que se tergiversan u olvidan. Los jóvenes se atraían, aunque no se animaban al acercamiento franco. Hasta empezaron a comprenderse. Ocurren entonces sucesos que quiebran lo esperado. Y el protagonista decide contar lo sucedido, poniendo delante de sus ojos, como frases inspiradoras, un hádice del Profeta: "Di la verdad aunque sea amarga; di la verdad aun contra ti mismo".

A poco de terminada la obra, y antes de gestionar su publicación, se produjo un incremento acelerado de la estrangulación de Israel por parte de Egipto, Siria y Jordania, acompañado de amenazas explícitas sobre un exterminio en masa. Seguí los acontecimientos con angustia. Los organismos internacionales, en vez de desalentar a los agresores, facilitaron su avance al retirar las tropas estacionadas en el Sinaí. La inminente destrucción del Estado de Israel suscitaba lamentos y excusas de impotencia, pero ninguna acción decisiva. El presidente Nasser bloqueó el golfo de Aqaba y desplazó masivas columnas de tropas y tanques al Sinaí, decidido a iniciar la destrucción de "la entidad sionista". Siria, desde las alturas del Golán, lanzaba proyectiles contra los pescadores del lago Tiberíades y sus poblaciones circundantes.

De súbito, el inesperado y espectacular triunfo israelí contra esos tres Estados árabes enmudeció al mundo. Parecía que el largo conflicto llegaba a su fin. Esa victoria garantizaba la estabilidad del Estado judío y pronto vendrían negociaciones de paz que fijarían acuerdos justos. Pero no fue así. En la conferencia de Jartum la Liga Árabe decidió jurar *Tres No*: no al reconocimiento de Israel, no a la paz con Israel, no a negociaciones con Israel. Ningún organismo internacional, ni ningún país del mundo, tuvo la sabiduría de condenar esa actitud intransigente. Como consecuencia de aquel clima cobarde y discriminatorio, siguió la confrontación.

De un modo inconsciente o no, para el antisemitismo universal resultaba difícil perdonarle a Israel que hubiese logrado sobrevivir. Predominó entonces, y en lo sucesivo, la tendencia a exigir de Israel —y sólo de Israel— que hiciera concesiones. Indirectamente, que pidiera perdón o que pagara compensaciones por seguir existiendo.

Por desgracia, mi novela mantenía vigencia.

Llegaba entonces la ardua etapa de conseguir una editorial. Los recuerdos del peregrinaje que hizo *Maimónides* me desalentaban. Isidoro sugirió que se la mostrase a Bernardo Ezequiel Koremblit, quien fogoneaba una intensa actividad cultural en la Sociedad Hebraica Argentina y estaba relacionado con los más destacados intelectuales de entonces. Le solicité una entrevista por teléfono y me invitó a su casa, en la avenida Corrientes. Llegué con el pesado manuscrito bajo el brazo y un presentimiento de derrota. Pero apenas me abrió la puerta percibí cordialidad. Dijo que había leído —¡y subrayado!— mi biografía sobre Maimónides. Eso sí que no me lo esperaba. Recibió mi obra y prometió escribirme a Río Cuarto apenas la terminase de leer.

Pero transcurrieron semanas, un mes, dos meses, tres meses, y no llegaban noticias. Entonces telefoneé y su esposa comentó que Bernardo Ezequiel sufría una afección pulmonar y le indicaron marcharse a las sierras de Córdoba para su restablecimiento. Doble mala suerte: para Koremblit y para mi libro. No quedaba otro recurso que seguir esperando.

Por fin conseguí la decisión favorable de Editorial Losada. La había fundado Gonzalo Losada, un español que inmigró a la Argentina durante la guerra civil y convirtió su empresa en una de las más cotizadas de América latina. Antes de firmar contrato me llamó a un aparte su administrador. Sabía que yo era un autor bisoño y disparó sin rodeos que, para estimular las ventas de la novela, convenía que mis derechos bajasen del diez al cinco por ciento. Acepté enseguida; lo único que me importaba era que la obra se difundiese.

Koremblit ofreció organizar su presentación, ritual que yo desconocía. No había asistido a presentaciones literarias en ninguna parte. Mi ignorancia sobre el cotilleo que danza con histeria en el universo de las letras era absoluta. Contrató una galería de arte e invitó a otros tres autores muy conocidos. El conjunto formaba un cuarteto deslumbrante para alguien que recién pisaba esa alfombra: el dramaturgo Alberto Rodríguez Muñoz, la novelista Marta Lynch, el poeta Juan José Ceselli y el ensayista Bernardo Ezequiel Koremblit (representaban cuatro géneros literarios). Se llenó la sala, me parecía que hablaban de otro y no supe cómo agradecer debidamente. Luego descubrí ejemplares en las vidrieras de las librerías. Pero mi libro no registró grandes ventas y ni siquiera el sacrificio del cinco por ciento tuvo recompensa. El objetivo mayor, pueril y utópico, estaba lejos de satisfacerse: *Refugiados* no sacudió la política, no fue leída por los diplomáticos, no llegó a los organismos internacionales ni a las conferencias que negocian la paz. Las críticas literarias que se granjeó fueron pocas y breves, bastante anodinas. Había parido una novela sin trascendencia. Se confirmaba la debilidad del arte. O la debilidad de "mi" arte.

Un año antes, mientras esperaba que *Refugiados* consiguiese un editor, había empezado otra obra. Mi profesión de neurocirujano se había vuelto intensa, porque a menudo me reclamaban los pequeños sanatorios de casi todo el sur de la provincia de Córdoba. Viajaba sólo cuando se trataba de consultas clínicas o, cuando iba a realizar una operación, me hacía acompañar por un anestesista de confianza y mi instrumentadora. Cargaba el baúl del pequeño auto con cajas esterilizadas y herméticamente cerradas, provistas de las piezas que iba a necesitar. En los largos viajes prefería conversar poco y elaborar otro capítulo del nuevo libro. Al regresar me aplicaba a redactarlo. Eran breves y se referían a diversos aspectos teológicos, sociales y políticos de una trama que giraba vertiginosa.

Cuando conseguía una pausa de consultorio y quirófano, escapaba a la ciudad de Córdoba para entrevistar a sacerdotes que habían abandonado los hábitos. Marita cubría mi ausencia en el hogar con su amor, pericia y alegre carácter. Varios de esos curas me suministraron las señas de compañeros que aún seguían oficiando. Reuní materiales de unas veinte personas. La mayoría era gente culta, abierta y accedía a confesar sus conflictos corporativos y personales. Me asombraba el contraste entre la Iglesia que amanecía en Europa por el *aggiornamento* de Juan XXIII y las resistencias calcificadas, reaccionarias, de la jerarquía argentina, contra las cuales despotricaban estos sacerdotes o ex sacerdotes.

Recién al término de la novela se me ocurrió su título: *La cruz invertida*. Mientras, me había asociado a la sucursal riocuartense de la Sociedad Argentina de Escritores y gestioné que invitasen a dar conferencias a los generosos autores que habían presentado *Refugiados* en Buenos Aires. No sospechaba las consecuencias de esta iniciativa.

Le confesé al poeta Juan José Ceselli mi locura de escribir otro libro con fuerte contenido político y temía que la editorial Losada no lo aceptara por el relativo fracaso del anterior. Sugirió que la presentase al Premio Planeta de España. ¿El Premio Planeta? Era un intento absurdo, jamás lo había ganado un extranjero. Con probar —dijo Ceselli—, nada pierdes. Debía enviar el manuscrito por correo en dos copias. Me pareció una iniciativa ridícula, pero no dejaría de recurrir a ella. Imprimí la obra con el ya fenecido método del esténcil (estarcido). No tenía una esperanza razonable, ni un poquito, por lo cual también mandé la obra a Losada. Pero Losada ni contestó.

Unos meses después me visitó un amigo en el consultorio para informarme que había escuchado en una radio de Chile que el Premio Planeta contaba con veinte finalistas, de los cuales dos eran argentinos. La radio mencionó los nombres y él saltó de su silla —dijo, reproduciendo el movimiento— al escuchar el mío. ¡No puede ser!, tosí. ¡Escuché tu nombre, no se trata de un invento! ¿Qué hago? Telefoneá a la editorial en Buenos Aires. Así lo hice, con las demoras en uso. No me atendió la directora, sino un ayudante. Tardó unos minutos para consultar y, con un rulo burlón, dijo que aún no les había llegado la nómina de los finalistas. Después me enteré de que se divirtieron un largo rato a costa del delirante cordobés, que hablaba con una tonada excesivamente pronunciada y pretendía haber ingresado en la recta final de ese inalcanzable premio.

Solía regresar a casa para el almuerzo. Si no había urgencias, me regalaba una siesta de media hora que despeja más que el amanecer. La telefonía era estatal e ineficiente. Ni siquiera concedía una línea a un neurocirujano que era llamado con frecuencia. Por lo general yo usaba el teléfono de la clínica, donde trabajaban dos operadoras frente a un gran tablero que establecían las comunicaciones con multitud de enchufes. Para llamar a larga distancia resultaba más conveniente apersonarse en ENTel, frente a la plaza central, donde concedían turno para una o dos horas más tarde. Si se necesitaba convocarme por una urgencia, desde el sanatorio me mandaban uno de los taxis estacionados junto a la entrada.

El 15 de octubre de 1970, en plena siesta, un taxista gritó desde la puerta de casa que debía ir urgente a la clínica porque me estaban llamando desde Barcelona. ¿Barcelona? ¡¡Ganaste el premio!!, gritó Marita, que estaba leyendo en el living. Me levanté escéptico, no podía ser verdad. En la clínica confirmaron que volverían a llamar desde España. La perspectiva de un hecho semejante agitó a médicos y enfermeras. Algunos contaban que hasta los pacientes olvidaban sus síntomas para prenderse a la increíble noticia. No se recordaba un telefonazo semejante. Tras una hora de angustia volvieron a llamar. Estaba en el comedor de los médicos, donde se servían café, bocaditos y bebidas. Alcé el auricular y en torno mío se produjo un nervioso silencio.

Llamaba un periodista del diario *La Vanguardia*. Dijo que yo figuraba entre los cuatro finalistas que quedaban y les hacía un reportaje a cada uno para que el ganador pudiese aparecer en la inminente edición matutina. Se estaba celebrando la fiesta del Premio Planeta en el hotel Ritz, ante una considerable cantidad de invitados. Había gran expectativa, como siempre. Pero antes de continuar quiso asegurarse de que yo era médico porque, tras un difícil rastreo por toda la Argentina sólo había conseguido este número. Dijo no entender cómo un médico no tenía teléfono en su casa. El reportaje fue ágil y pude responder sin hesitaciones, aunque aún no estaba acostumbrado a los disparos de un periodista agudo. Hacia el final preguntó si viajaría a España para recoger el premio. Antes debo ganarlo, contesté. ¡Pues le aconsejo que vaya comprándose el billete!, fue su respuesta. Y se acabó el diálogo.

Los hechos sonaban como una fantasía ajena a mi persona. Pero en el entorno aumentaba el frenesí. La noticia corría por los pasillos, las grandes salas, los consultorios, las habitaciones pequeñas, la cocina, los depósitos, la cochera. Antes de que saliera del comedor volvió a sonar el teléfono. Esta vez llamaban desde La Carlota, una población ubicada a cien kilómetros, para que yo fuese de inmediato porque había ingresado al sanatorio local un grave traumatismo de cráneo por accidente de ruta. Suspiré molesto, ¡qué inoportuno! Pero no había forma de esquivar esa exigencia.

Subí a mi autito con el anestesista, la instrumentadora y varias cajas llenas de instrumental esterilizado. Era la primera vez que me disgustaba viajar. Apenas llegué me condujeron hasta la camilla de un paciente en coma. Efectué los exámenes clínicos y complementarios de rutina mientras la instrumentadora ordenaba la mesa de operaciones. El enfermo fue preparado con rapidez e investí de ayudante al médico local. En pocos minutos llegué al cerebro, evacué los hematomas y aseguré una buena hemostasia. Mientras permanecía concentrado en mi tarea, en la habitación contigua sonó el teléfono con insistencia. Una enfermera atendió y se asomó con timidez para informar que llamaban desde la clínica de Río Cuarto, porque había ganado un premio y necesitaban hacerme una entrevista desde Barcelona. Mi ayudante miró desorbitado. El anestesista exclamó ¡Felicitaciones! Y la enfermera esperaba una respuesta. Contesté con forzada serenidad —como si lo hubiera ensayado— que me resultaba imposible hablar en ese momento y sugería que mi esposa lo hiciera por mí.

Inicié el regreso después de medianoche. La radio del auto repicaba con el Premio Planeta e informaba que así lo estaban haciendo otras emisoras provinciales y nacionales. Los comentarios segregaban desconcierto y júbilo. Predominaba el exitismo nacionalista argentino: si un argentino lo había ganado, debía merecerlo. A esa avanzada hora ya se me había evaporado la fatiga. Mis acompañantes conversaban, pero mis ojos alternaban el pavimento iluminado por los faros con la luna suspendida en el cielo. Mi mente rodaba sobre un prado lleno de fantasías. Cuando me aproximé a casa advertí que estaba provocativamente iluminada. Me recibió una exultante Marita, con besos, abrazos y caricias, mientras los amigos multiplicados como los panes y peces del milagro hacían cola para repetir palabras que deseaban ser originales. Hubo brindis y risas hasta la madrugada.

Al día siguiente los diarios del país daban cuenta de la novedad. Me avisaron que venían periodistas de varios medios a entrevistarme. La Clínica Regional del Sud se trasformó en La Meca de fotógrafos y reporteros. Allí los recibía en mi consultorio o en la biblioteca. Pronto llovieron invitaciones para encuentros en Buenos Aires. Un telegrama del presidente de la editorial Planeta, desde Barcelona, certificaba que había ganado el premio. También recibí otro de mi amigo Jaime Vilató, perplejo por el éxito con una obra ajena a la neurocirugía. Un tercer telegrama solicitaba que fuese a España recién a comienzos de diciembre, porque la impresión de miles de copias llevaba mucho tiempo en esa época. Mientras, empezaron a sucederse homenajes en varias ciudades.

El de Río Cuarto tuvo lugar en un gran salón del Centro Comercial e Industrial, que se llenó por completo, con gente en los pasillos, balcones y escaleras. Hicieron uso de la palabra varias personalidades. La más importante fue Juan Filloy, por quien profesaba una admiración enorme. Era el primer escritor de quilates con quien pude intimar, me brindó enseñanzas y consejos que aumentaron decididamente mi fervor por las letras. Dijo en esa oportunidad que "esta vez el premio está blindado por la honestidad que impone la enorme caja del océano". Nadie conocía mi nombre en

España y resultaba impensable ejercer influencia sobre el jurado, añadió.

Cuando viajé a España acompañado por Marita, hubo una escala en Madrid, donde aguardaba un panal de fotógrafos y periodistas con ejemplares del libro recién salido del horno que, depositado en mis manos, olía a pan caliente. Uno de los reporteros descerrajó una pregunta que me erizó los pelos e hizo sonreír: ¿Cuándo abandonó la sotana, padre? Era evidente que la lectura del libro, especialmente en la España de ese tiempo, podía suscitar semejante sospecha.

Durante las semanas de mi periplo, con recepciones, reportajes, viajes, presentaciones y debates, tuve el honor de que se apersonase en mi hotel Gabriel García Márquez, con quien no sólo conversé con inmediata simpatía, sino que quedamos en efectuar otra reunión en su casa apenas regresara de la gira que había organizado mi editorial y Mario Vargas Llosa lo hiciera de una excursión por el sur de Francia.

Mi novela se había convertido en un fulminante best seller. En Cádiz, cinco curas envueltos en sus esféricas sotanas entraron a la librería donde firmaba ejemplares. Cada uno portaba un libro bajo el brazo y, con pisadas solemnes, parecían desarrollar un número de ballet. Dándose el turno parsimoniosamente, con calma y respeto, fueron desgranando las impresiones que les había causado su lectura. Me asombraron sus reflexiones, más aggiornadas que en la mayoría de la sociedad, aún sometida al franquismo. Uno de ellos refirió que un sacerdote de Granada tuvo la audacia de comentar mi novela en un sermón y fue multado. Los feligreses, al enterarse del castigo, efectuaron una rápida colecta. Cuando le entregaron el dinero, el cura se escandalizó: ¡Es mucho más de lo que marca la multa! ¡Pues pa' que siga hablando!, dijeron.

En un gran salón de Madrid, adonde concurrió la esposa de José Manuel Lara Hernández, presidente de la editorial, el público me sometió a un agresivo interrogatorio. Por fortuna, el aprendizaje en el Centro Herzl me había conferido entrenamiento para la polémica. No sólo contestaba, sino que ponía en aprietos a quienes deseaban hundirme. La mujer de Lara le susurró con entusiasmo a Marita: Ya podemos dejarlo defenderse solo.

Pero no todas fueron satisfacciones. Me informaron que los encargados de la censura oficial consideraban peligrosa *La cruz invertida*: cuestionaba a la Iglesia tradicional y apoyaba las ideas subversivas de los rojos (como se seguía llamando a la gente de izquierda). La plana mayor de la editorial, muy angustiada, se entrevistó directamente con el Caudillo en su residencia del Pardo. Con hábil diplomacia le recordó que la obra había obtenido el Premio Planeta por decisión de un jurado imparcial, que era la primera vez que lo ganaba un extranjero, que ese extranjero era latinoamericano y España pretendía ganar la simpatía del continente, que desde mediados de octubre corría la noticia sobre la identidad argentina del ganador, que la obra no transcurría en España sino en un país indeterminado de América latina. Nada podía molestar a la política interior de España y mucho sería el beneficio que podría obtenerse en el exterior. El encuentro terminó bien.

Mi novela siguió vendiéndose con frenesí. Pero cuando regresé a la Argentina, la dictadura que regía en ese momento tampoco gustó de la obra y también decidió prohibir su circulación. Con apuro, los directivos de la editorial fueron a la Casa Rosada para entrevistar al general Roberto Levingston, que era el presidente de turno, y le explicaron que causaría una impresión muy negativa censurar un libro que en España gozaba de éxito y entusiasmo. La prohibición fue levantada. De esta forma —expliqué después—, se dio el extraño fenómeno de dos tiranías que se ponen de acuerdo para garantizar la libertad de expresión.

La cruz invertida se convirtió en un icono. Pero tuve la sabiduría de no enorgullecerme demasiado entonces ni después. El hecho de que su autor portara un nombre desconocido facilitaba la multiplicación de antojadizas versiones y leyendas. Mis méritos no eran extraordinarios, no revelaban a un campeón de la literatura. Ahora algunos afirman que en *La cruz invertida* anuncié al papa Francisco. Lo cierto es que ya en esa época se la llegó a calificar de libro profético, no sólo por desentrañar claves del futuro, sino por su lenguaje contestatario. El cura Carlos Mugica lo tenía sobre su mesita de luz. Se destacaba por ser un sacerdote de familia rica, pero que se había instalado en la parroquia de una villa miseria, donde terminó asesinado. En esos tiempos crecía la Teología de la Liberación, aunque yo me había cuidado de no mencionarla en párrafo alguno. Los protagonistas ensotanados de mi novela no la querían ni estimulaban; por el contrario, descalificaban la violencia. La violencia ya seducía a la juventud y a los intelectuales. América latina rodaba hacia una presunta "liberación" mediante la lucha armada que proponía la sovietizada dictadura castrista. Mi libro fue motivo de debates en los que no tuve participación ni llegaron a mi conocimiento. Muchas críticas dejaron de examinarlo como un objeto literario, para acuchillarlo con odio o exaltarlo con fanatismo político.

Mucho después, cuando ya me había mudado a Buenos Aires, ejercía el psicoanálisis, trabajaba en política, se restableció la democracia y me designaron subsecretario de Cultura de la Nación, el director de cine Mario David, de origen libanés y simpatizante del peronismo de izquierda, propuso filmarla. Años antes había latido esa posibilidad con un director español radicado en Dinamarca. Esa iniciativa me sirvió para justificar en 1973 un salto a Copenhague mientras disfrutaba una segunda pasantía en Alemania gracias a la Fundación Alexander von Humboldt. Allí conocí a Ingmar Bergman, que dirigía una obra de teatro, y tuve una curiosa experiencia con un grupo de jóvenes daneses. Para comunicarme con ellos hablaba en alemán, pero me contestaban en inglés. Todavía estaban abiertas las heridas de la guerra y tenían más resentimiento que yo. Aún faltaba bastante tiempo para la conformación de la Unión Europea.

Mario David escribió el guión de la película y convocó a los mejores actores argentinos de ese momento. La buena disposición que encontró en el mundo de espectáculo contrastaba con la reticencia de los empresarios para meterse en la producción. Así como el libro había sido un best seller amado por cientos de miles, así de grande era el miedo que aún generaba. Durante los últimos años de la dictadura había sido prohibida la exhibición de mi novela en los escaparates de las librerías y muchas personas la consideraban material subversivo. Los actores aceptaron trabajar gratis, como una contribución a la democracia recién nacida. Se trataba de figuras celebradas como Oscar Martínez (en el rol del padre Carlos Samuel Torres), Ana María Picchio (Magdalena), Arturo Maly (el Coronel), Alicia Zanca (Olga Bello), Jorge Marrale (Néstor), Héctor Bidonde (Arturo Bello) y José María Gutiérrez (monseñor Tardini). Los recursos de la producción eran exiguos y muchas escenas carecieron de grandiosidad o elocuencia. A último momento se cortaron porciones que podrían irritar a un público desacostumbrado a ver la realidad. La calificaron "sólo apta para mayores de 18 años (con reservas)". Los cines se negaron a exhibirla, con excepción de una pequeña sala en la calle Corrientes. Sólo duró una semana en cartelera, porque en la vereda se efectuó una "misa negra" con profusión de cruces y velones para exorcizar al Maligno que allí se había aposentado.

No dejaba de ser curioso que Raúl Alfonsín ya llevara cinco meses en el poder y que yo fuera parte de su gestión. Pero desde el gobierno se evitó ejercer presión alguna, para no mancillar la incipiente democracia. Eso sí: quedaba al desnudo la intensa represión mental que entre los argentinos había impuesto la dictadura.

Ahora me ocuparé rápidamente de tres emprendimientos oportunos y riesgosos, que anunciaban (o preparaban) iniciativas mayores.

Primero me referiré al que se inició mientras regía la última dictadura y nadie podía intuir su disolución. El abogado Ernesto Poblet, un experto en energía que había trabajado para el gobierno desarrollista de Arturo Frondizi, me propuso en 1981 fundar una revista política. Aún no se había producido la guerra de Malvinas. Poblet sería el editor y yo el director. Me pareció inquietante semejante aventura, porque no tenía experiencia de periodista. Insistió mucho; el país necesitaba una voz fresca y puso a mi disposición su estudio jurídico. Habría que manejarse con cautela, desde luego. Una primera medida fue constituir un consejo asesor integrado por profesionales cuyos nombres sirvieran de escudo: historiadores, epistemólogos, educadores, cientistas sociales, que aceptaron encantados. Se resolvió llamarla *Búsqueda de un país moderno*. Se evitaría la crítica directa a los militares, pero se incluirían reportajes a políticos guardados en el placard, como el aún poco conocido Raúl Alfonsín, y se desplegaría a lo largo de varios números la historia de los partidos políticos. Era una forma indirecta de despertar conciencias y volver a jerarquizar el debate.

El primer número tuvo buena acogida. En el segundo se resolvió doblar la apuesta y en la tapa se exhibió la parte superior de un bello maniquí femenino con un discreto escote. Conviene insistir, para que no haya confusión, que era la foto de un maniquí y el escote era discreto, tan discreto que ni se marcaba el comienzo de la división de los senos. En la redacción se sorprendieron cuando corrió la noticia de que los kioscos se negaban a exponerla, por miedo a un cierre. Guardaban los números bajo el mostrador y sólo procedían a entregarlo cuando el cliente depositaba su dinero. La censura no era cuento y no se limitaba sólo a la política.

En materia de revistas, sin embargo, ya tenía experiencias importantes. Paso entonces al segundo emprendimiento, que sucedió años antes.

Estábamos bajo otro dictador y se me había ocurrido fundar una publicación médica para satisfacer mi doble estatus de neurocirujano e incipiente literato. Había pocas revistas científicas en el interior del país. Las necesitábamos. Negocié apoyos y lancé los llamados *Anales de Clínica Regional del Sud* que era, además, el nombre de mi sanatorio. Se efectuó un ágape muy concurrido, al que invité a los médicos de toda la mitad meridional de la provincia, no sólo para que la leyeran, sino para que enviasen artículos, experiencias y comentarios que se publicarían en ella. Les ofrecía un canal de comunicación profesional gratis. La respuesta fue positiva y pude llenar cada número con buen material. Era también la forma de desarrollar una red fraterna entre profesionales aislados. La revista tenía un formato suntuoso, con lomo cuadrado, tapas de cartulina, buen papel, ilustraciones, actualizaciones bibliográficas y breves noticias. Salía de una imprenta ubicada en el mismo Río Cuarto, adonde concurría para controlar de cerca su cuidadosa fabricación. Gozaba de los olores de la tinta, el sonido regular de las impresoras, la solvencia de los trabajadores y la inminencia de cada número por nacer. Su existencia se prolongó hasta poco antes de mi partida a Buenos Aires, tras poner cerrojo a mi profesión de neurocirujano.

Va, por último, el tercer emprendimiento. Mi afán por estimular las relaciones humanas me inspiró esa iniciativa, pero de carácter social. Había sido designado director de la Biblioteca Pública Mariano Moreno que, además de ofrecer libros y periódicos, funcionaba como una cotizada sala de conferencias. Allí hablé sobre la tragedia de los refugiados mientras escribía mi primera novela y también sobre las íntimas relaciones entre la medicina y el arte. Organicé provocativos encuentros en su sede y me propuse dotarlos de originalidad. Se reacomodaron los muebles para conseguir más espacio, que llené con mesitas iluminadas a vela y sillas angostas en torno.

Era una suerte de café concert, necesario para quebrar la modorra. Los asistentes se apretujaban, sorprendidos y felices. Alguien pronunciaba una breve disertación y luego se evaluaban sus palabras en el círculo pequeño de cada mesa, que designaba un vocero para trasmitir al conjunto las conclusiones del grupo. Se debía estimular el debate. Ya me interesaba la participación activa de la gente, que alcanzaría su punto culminante unos años después, como secretario de Cultura. Es un fogoso tema que dejo para más adelante. Sólo quise señalar dónde había comenzado.

Ahora me referiré a quien me introdujo con fuerza y perspicacia en el género del cuento. Se trata de Carlos Mastrángelo, un viajante de editoriales. Me visitaba en el consultorio y actualizaba con sus novedades. Logró que le comprase la Enciclopedia Colliers completa en inglés, más una colección de cien novelas clásicas bien encuadernadas. Era mi primer interlocutor eminentemente crítico sobre el arte de narrar, con quien disfruté horas de aprendizaje y una amplia revisión de conceptos. De cabeza redonda y discreto bigote negro, me invitó a formar parte del club de cuentistas que acababa de fundar. Funcionaba en la biblioteca Moreno, con todos los escritores o aspirantes a escritores que pululaban en el exiguo Río Cuarto. Fue el primer taller literario de mi vida. Mastrángelo propuso textos breves que cada uno debía analizar en su casa y luego debatir en las reuniones. Yo estaba encantado, porque absorbía virtudes y defectos de la escritura como nunca antes. También escribí un cuento para ser debatido, luego el segundo, el tercero y pronto mi inspiración impulsó a fijar en el papel variedad de ideas, experiencias y sensaciones.

En el arte del cuento —enseñaba Mastrángelo—, importa ir preparando su final desde la primera línea. Una gran dificultad reside en que la terminación no debe ser presentida por el lector, y tampoco ser ilógica. "El orgasmo en el amor de ciertos pequeños animales coincide con la muerte de uno de los componentes. Del mismo modo, el momento culminante de un cuento coincide con su propia muerte, es decir, su final."

Jorge Luis Borges, el más grande cuentista de su tiempo, visitó Río Cuarto mientras estaba casado con Elsa Astete, una ex novia que reencontró en su edad madura y a la que suponía bellísima como antes. Pero de ella tuvo que huir como un asaltante nocturno gracias a las temerarias maniobras de su traductor Norman Thomas di Giovanni (quien luego mal tradujo mi *Gesta del marrano*). Almorzamos Borges, Filloy, Mastrángelo, yo y otros pocos comensales en un reservado del Grand Hotel. Se produjo un copioso rodar de comentarios que me desesperaba por grabar en mi mente. Era la primera vez que me encontraba con ese genio, lo veía de cerca y lo escuchaba sin la distorsión de los micrófonos. Durante un par de horas le sacamos jugo al arte del cuento.

Después de su conferencia, la mujer dijo con vulgaridad: "Llevo a Georgie a Estocolmo para que le entreguen el premio Nobel". Borges se sonrojó como un niño y seguramente añadió ese episodio a la lista de motivos que le indujeron a tomar su drástica resolución.

Juan Filloy merece un buen párrafo. Me llevaba medio siglo de edad, pero su vigor no era menor al mío. De cabeza redonda y calva, gruesos anteojos y labios expresivos, se erguía recto como una lanza y era elegante como un granadero. Durante los once años que viví en Río Cuarto tuve el privilegio de ser testigo con frecuencia de su enorme erudición.

Cruzaba los ochenta años cuando redactó *La potra*, una novela cuya protagonista es una mujer de ardiente codicia sexual. Muchos escritores de enjundia que ya conocían su anterior producción, quedaron impactados. El poeta, dramaturgo y periodista César Tiempo, antes de trepar al escenario donde compartiría conmigo una conferencia en Buenos Aires, me aferró el brazo y preguntó con sus ojos saltones: "Marcos, ¿qué pasa con Filloy? ¿Se ha convertido en un fauno?" "¡Filloy es un fauno y mucho más!", contesté. Lo sabía César Tiempo y cualquier hombre de letras medianamente informado. Filloy era oceánico. Y su sangre, lava de volcán.

Escribió alrededor de cincuenta libros. Su caligrafía, prolija como la de un amanuense, no perdió firmeza ni siquiera al cumplir los ciento cinco años de edad. En esa oportunidad dijo "Tengo una salud de fierro y piernas de algodón". También era de "fierro" su mente. A pesar de la conciencia sobre el valor de su trabajo, mantuvo un voluntario y hasta irritante aislamiento. Sus textos efectúan un corte transversal de estilos, clases sociales y recursos. Sus personajes tienen una shakesperiana variedad: eruditos, vagos, obsesivos, crápulas, aristócratas, crotos, atorrantes, meretrices, playboys, ninfetas, borrachos, abogados viles, empresarios ladrones, militares, compadritos, cocottes, filósofos de pacotilla, caciques, capitanejos prerrepublicanos, políticos corruptos y políticos ingenuos, cultivadores y traicioneros de la amistad.

Julio Cortázar le rindió homenaje al incorporarlo en su *Rayuela*. Muchos de los que gozaron de las páginas de esa novela se habrán preguntado qué significaba la extemporánea referencia, porque entonces sólo un reducido núcleo conocía a ese autor cordobés. Vale la pena citar el párrafo: "Puede ser —dijo Olivera—. Pero no tienen ningún Juan Filloy que les escriba *Caterva*. ¿Qué será de Filloy, che? Naturalmente, la Maga no podía saberlo, empezando porque ignoraba su existencia. Hubo que explicarle por qué Filloy, por qué *Caterva*".

Se trató, por cierto, de un autor único.

Lo escuchaba con religioso respeto; me parecía que ese hombre había leído todos los libros y recorrido todos los laberintos de la condición humana, como Borges atribuía a Cansinos Assens.

Fue el mayor campeón de toda la historia humana en la confección de los palíndromos o frases capicúa, juego cultivado por Dante y Shakespeare. Según el mismo Filloy, el único que podía competir con él era un emperador de Constantinopla, cuya marca llegó a varios cientos. Pero Filloy confeccionó ¡seis mil!, y algunos de hasta cinco renglones. Ejemplos al canto: "No di mi decoro, cedí mi don", "Ateo por Arabia iba raro poeta". Las palabras y las frases que responden a la extravagancia de decir lo mismo cualquiera sea la dirección en que se las lee no sólo se llaman palíndromos, sino karcinogramas, versos sotádicos, frases hysteroproteron, frases retrofinidem, frases *si bis in idem*, frases anaclíticas, frases bifrontes, frases de ida y vuelta, frases de vaivén, frases jánicas, frases reversibles, frases retroversales y —en homenaje al gran campeón universal de todos los tiempos— frases filloyianas.

Su lema era *nulla die sine linea*. Recordé esa frase durante una gratísima tarde en Hamburgo, en la casa del escritor alemán Siegfried Lenz, porque dijo algo semejante: "Cada día escribo una página". ¿Con sólo una página diaria se termina un libro? Sí, con una página alcanza, repitió mientras alzaba otra *Kuchen* de la bandeja que su esposa nos había provisto. Esos consejos resultaron útiles para disminuir mi ansiedad por la falta de tiempo. Pero no les hice caso, porque a veces llenaba diez páginas y otros días no dibujaba una letra.

Había empezado a redactar *Cantata de los diablos*. El nombre fue inspirado por un poema sinfónico de Dimitri Shostakovich, *Cantata de los bosques,* que acababa de estrenarse. Desde que publiqué *Refugiados*, y con el cimbronazo de *La cruz invertida*, sentía la imperiosa necesidad de responder diariamente a la pasión que llevaba en mis vísceras desde la niñez. Era *Cantata de los diablos* la primera novela en que dejaba de navegar por territorios lejanos y me zambullía de cabeza en la Argentina. Por un lado resucitaba las leyendas del sureño y mítico imperio ranquel y por el otro convertía en símbolos a los cactos gigantescos del norte. La historia se desarrolla en tres planos. Eran tiempos en que prevalecía la experimentación literaria, había resucitado James Joyce, se descubría a Borges y Cortázar agotaba una edición tras otra. *La cruz invertida* se había beneficiado de ese clima novedoso, en el cual los lectores disfrutaban haciendo esfuerzos para acompañar las travesuras del autor. Y a *Cantata* la proveí de originalidad formal, pero enredé mucho la fluidez del relato. En ediciones posteriores efectué mejoras.

Aún estaba en Río Cuarto y la neurocirugía echaba humo. Atendía el consultorio, hacía personalmente los estudios complementarios, operaba, seguía la evolución de los pacientes, comía apurado. Entre los paradojales éxitos de esa profesión, no olvido la mentira que me permitió salvar a una criatura de ocho años. Podría haberme servido de cuento.

La niña había descendido del ómnibus con su abuela y ambas fueron atropelladas por un auto que les produjo fracturas de cráneo y heridas abiertas, con profusa hemorragia. Cuando pudieron recogerlas, el pavimento ya estaba encharcado. En ambas se había producido una caída importante de la presión arterial y ordené una inmediata transfusión de sangre para las dos, pero antes de que las efectuasen me detuvo el vocero de su numerosa familia. Aclaró que eran Testigos de Jehová y no aceptaban las transfusiones, porque nadie debe "beber la sangre de su hermano", como ordena la Biblia. Furioso, grité que esa era una mala interpretación y que tanto la abuela como su nieta morirían. Respondieron que Dios iba a decidir la vida o la muerte. Para asegurarse de que no habría transfusiones, exigieron permanecer junto al lecho de las mujeres heridas y se aferraron al respaldar metálico de las camillas. Entendí que no los podría sacar ni con una grúa.

Efectué la toilette de las heridas y se me ocurrió mostrarles el profundo corte que se había producido en la frente de la niña, con barro bajo la piel. Existía el peligro de una severa infección —expliqué— y debía inyectarle un antibiótico, la Rifocina, que se administraba diluido en frascos de suero fisiológico. En la mesa rodante de curaciones estaban los frascos de suero y el de la sangre, que no se habían usado. Mostré el antibiótico de intenso color rojo y lo introduje en el suero fisiológico, que adquirió el mismo color de la sangre. Como si fuese el mago de un circo, moví con rapidez las cajas de instrumentos, las agujas, los tubos, los cables, las gasas y el desinfectante hasta que, desafiando el atento control de los parientes, con una serenidad que hasta ahora me asombra, instalé el frasco de sangre en lugar del suero fisiológico cargado con Rifocina y entregué a la enfermera este último mintiendo: "¡Lleve esta sangre de vuelta al laboratorio, para que no se eche a perder!". El goteo de la transfusión se mantuvo hasta consumir todo el frasco, ante el burlado control de los parientes. Apenas recuperada su tensión arterial hice trasladar la chica al quirófano. Mientras, fallecía su abuela. Días después pude dar de alta a la muchacha. Uno de los familiares balbuceó que se había cumplido la voluntad del Altísimo. Rechiné los dientes y le tendí la mano, como despedida. Había cometido el pecado de retacear la verdad, pero salvé una vida.

Agrego otra anécdota. Seguro que te vas a divertir. Durante la siesta llegó un taxi a casa por otra urgencia —aún no había conseguido teléfono—. Volé al sanatorio y me encontré con una niña de diez años en coma, vestida con un ensuciado delantal escolar. Había sido alcanzada por la bala perdida de un cazador mientras cruzaba un descampado. Tenía un orificio de entrada en el hueso frontal derecho, pero no aparecía el de salida. Los estudios complementarios revelaron que el proyectil había atravesado de forma oblicua la cabeza y quedó alojada en el lóbulo occipital del hemisferio opuesto. Era necesario evacuar el hematoma que se formó en la parte anterior y se expandía. Los padres acongojados, mudos, escuchaban mi diagnóstico y aceptaban que procediera como mejor entendía. Dije que me concentraría en evacuar el hematoma y lograr una buena hemostasia, pero no extraería la bala de inmediato, porque la niña no estaba en condiciones de soportar una intervención de tanta magnitud en ese momento. A la mañana siguiente ya se habían regularizado las constantes vegetativas. Tras unos días de suspenso empezó a salir del coma. Los padres estaban ansiosos para que extrajera la bala. Les expliqué que ese paso no urgía, porque el proyectil no generaba edema ni perturbaba las funciones de la vecindad.

Mientras, la habitación de la paciente se había llenado con estampas, fotos, dibujos y velas prendidas a Ceferino Namuncurá, de quien esa familia se proclamaba devota. El cuarto evocaba una capilla. Desde luego que esa profusión de imágenes no molestaba a nadie y sólo generaba corrillos entre las enfermeras y mucamas. Programé la nueva operación, que fue rápida y tranquila. Extraje la bala y la entregué a sus padres. La jovencita se recuperó por completo. ¡Sin secuelas! Sin ninguna secuela. Ninguna. Ni en el terreno motor o sensitivo o sensorial o cognitivo. Era asombroso.

Un mes más tarde regresaron para que la controlase y confesaron con llamativa emoción que eran devotos de Ceferino Namuncurá. Sí, lo sé, sonreí, porque era más obvio que la bala extraída de su cabeza. Nuestro cura párroco opina que se salvó por milagro. Sí, coincidí, fue casi como por milagro. No, replicó el padre, no casi como, sino que ¡fue un milagro! Bueno, si así lo quieren llamar, no me opongo. El milagro lo hizo Ceferino Namuncurá. Me sorprendió, pero sellé los labios, no tenía sentido quitarles esa convicción. La gran sorpresa se produjo unos meses después, cuando me escribieron desde el Vaticano para certificar ese milagro de Ceferino.

Para quienes no lo saben, me place contar que Ceferino Namuncurá nació en 1886 y murió a los 19 años. Era hijo de una cautiva huinca chilena y el cacique Manuel Namuncurá, líder mapuche, a su vez nieto del bravo cacique Calfucurá. Luchó contra el ejército comandado por Julio Argentino Roca, quien luego le confirió el grado de coronel e invitó a Buenos Aires, donde fue recibido por el general Luis María Campos. Este dato grita que no hubo una intención genocida en la campaña del desierto, como se esfuerzan en sostener los campeones del revisionismo histórico. Cuando Ceferino tenía un año de edad casi murió en las aguas del río Negro mientras jugaba en el borde. Fue bautizado por un misionero salesiano y luego llevado a estudiar. Aprendió el castellano y el catecismo, pero contrajo tuberculosis mientras era aspirante a salesiano. A los 17 años lo trasladaron a Turín, con la esperanza de que allí recuperaría su salud, podría continuar sus estudios de sacerdote y convertirse en el cristianizador de la Patagonia. En 1904 Ceferino visitó al papa Pío X. Quienes lo acompañaban le aconsejaron pronunciar un discurso, que fue muy emotivo. Como broche, le regaló al pontífice un quillango mapuche. Para sorpresa de toda la audiencia, el Papa le obsequió una medalla destinada a los príncipes, porque Ceferino era un príncipe de los pueblos originarios de América.

Empeoró su enfermedad y fue atendido por el doctor Lapponi, que fue médico de León XIII y Pío X. Pero falleció pronto, en Roma, y fue enterrado bajo una modesta cruz de madera. Veinte años más tarde sus restos fueron repatriados por orden el presidente Marcelo T. de Alvear. En 1930 el sacerdote Luis Pedemonte empezó a comentar las virtudes y la devoción del "indiecito santo", recogió testimonios de quienes lo habían conocido y le rezaban. También se publicaron sus cartas henchidas de espiritualidad. Años más tarde se inició la causa de su beatificación, aprobada por Pío XII. En junio de 1972 el papa Paulo VI lo declaró venerable. Era el primer argentino en alcanzar semejante altura. Con tanta rapidez, además.

El médico que vino en busca de mi testimonio llegó desde Roma. Vestía con elegancia, era apenas obeso, de unos cincuenta años y se expresaba con fuerte acento napolitano. Repitió su presentación, para que asumiera su alta investidura vaticana. Pedí que trajeran a mi consultorio una bandeja con café y sabrosas medialunas calientes. Luego de agradecer mi hospitalidad, sin rodeos ingresó en el caso de la niña. Dijo que sus padres habían suministrado un amplio informe, porque eran devotos de Ceferino y estaban seguros de que su hija se salvó *ad integrum* gracias a un milagro. Concretamente, solicitaba mi opinión científica, es decir, cómo evaluaba un caso semejante, con una bala que atravesó el cerebro de un extremo a otro, en forma oblicua, y que no dejó secuela alguna. Encogí los hombros y dije que la ciencia aún no lo sabe todo, que probablemente la bala no hirió en su recorrido ninguna porción significativa de la masa cerebral, que el hematoma no alcanzó a generar mayor daño, que la extracción del proyectil no presentó dificultades, que la juventud de la paciente podía haber colaborado en su recuperación y que, quizás, sí, había algún daño mínimo que no tenía expresión clínica.

Me contempló insatisfecho. Insistió que se trataba de algo excepcional. Como médico, él podía entender que le hubiera salvado la vida y quedado sin un daño importante, pero no que estuviese limpia por completo de secuelas. Volví a insistir que el tema de las secuelas era discutible. Entonces contó que avanzaba el proceso beatificador de Ceferino Namuncurá y necesitaba llevar a Roma todos los estudios que se habían efectuado a mi paciente. Acepté entregarle copias, por supuesto, pero bajo la autorización de sus padres. Así se hizo.

Mientras, el "indiecito santo" aumentaba su popularidad. Aparecía en las papeletas de propaganda de los plomeros, albañiles, pintores y otros trabajadores que se desplazaban del campo a la ciudad. En las barriadas humildes era un rostro familiar, con los rasgos de los cabecitas negras o los mestizos, alguien merecedor de confianza.

En 2007 el papa Benedicto XVI lo declaró beato. Poco después el enviado papal Tarciso Bertone lo proclamó públicamente ante más de cien mil personas en Chimpay, Río Negro, su ciudad natal. Recientemente una junta médica del Vaticano consideró que la curación de Valeria Herrera, joven madre de Córdoba afectada por un cáncer de útero, fue salvada por el milagro de Ceferino, ya que hasta logró concebir después. Al año siguiente, en una localidad de la provincia de Santa Fe, aseguraron haber visto su imagen en un alto fresno y, por iniciativa municipal, se cercó el sitio y erigió un improvisado altar en homenaje al beato. Daba para uno o varios cuentos, pensé.

Mi caso fue tratado en la Santa Sede, pero no se difundió esa noticia para evitar que mi obstinada negativa a certificar un milagro arruinase el dictamen. De todas formas, me quedaba la satisfacción de haberme metido en la hermética canonización de los santos, un mérito nada despreciable para un agnóstico. O un teólogo frustrado. El hecho se conoció entre mis colegas y algunos se mofaron diciendo: "¡Cómo no te va a ir bien con los pacientes, Marcos, después de haber conseguido semejante socio! ¡Con un socio así todo resulta más fácil!".

La Argentina, tras diecisiete años de discriminaciones contra el peronismo, no consiguió liberarse de la fascinación que generaba. Ello se debía, como dijo el mismo Perón, a la ineptitud de sus enemigos. El viejo y astuto líder jugaba con todos los cabos sueltos, desde la izquierda hasta la derecha, poniendo el acento donde mejor conviniese, y manteniendo su mando único, tal como cuadraba a un populista raigal. Es claro que reveló buenas intenciones junto a su hambre de poder y logró sacar de las tinieblas a sectores postergados, al extremo de crear en muchos la sensación de que había logrado instalar el paraíso.

En un principio la izquierda había sido cerradamente antiperonista, pero con el tiempo giró hacia el llamado "entrismo". En otras palabras, debía infiltrar el movimiento político mayoritario y pluriclasista que había fundado Perón, para tomar el poder. El revisionismo histórico, que al principio tuvo una orientación fascista, incorporó a gente de izquierda y extrema izquierda. Determinaron que nada debía objetarse en Perón, porque empujaba hacia una etapa superadora, empujaba hacia el socialismo nacional.

Ese líder resucitó una palabreja que, por su esotérico e indefinible significado, generaba perplejidad: *sinarquía.*

¡Ahí está un libro!, pensé.

Echarle la culpa de todos los males a un poder invisible resultaba perfecto para desviar la atención y esquivar responsabilidades. Era un viejo truco usado reiteradamente y que llevó a un punto de ebullición la policía secreta del zar al escribir (o plagiar) *Los protocolos de los sabios de Sión,* que después fueron actualizados por Adolf Hitler en *Mein Kampf* (*Mi lucha*). Nadie podía explicar qué o quiénes eran en definitiva los secretos miembros de la sinarquía. Para los esbirros del zar y para Hitler eran los judíos, pero en el cofre cabían también los empresarios, los especuladores, los imperios centenarios o nuevos, los comunistas, los anticomunistas, la masonería, los gitanos, los extraterrestres. Con esta mágica palabreja era posible desempolvar antiguos prejuicios y hacerlos valer. Me parecía un recurso tan grosero que al principio intenté escribir un ensayo que abarcase la historia de ese vocablo, de la antigüedad a los tiempos modernos, nutriéndolo con la variedad de interpretaciones, desvaríos, inflamaciones y consecuencias que fueron dejando huellas desprovistas de lógica.

Pero una mañana desperté con una idea mejor: escribir una novela. ¡Claro que sí! Una novela, no un ensayo. En ella el protagonista descubre la sinarquía y su gran misterio, al reconocer que sus integrantes son individuos parecidos entre sí, cualesquiera sean el tiempo y el espacio, se caracterizan por ciertas dificultades en el habla o efectúan movimientos extraños que conforman un lenguaje secreto, actuaron en las cortes como bufones y, por lo tanto, tenían acceso a las intimidades palaciegas, ahora consiguen mucho dinero de instituciones benéficas para financiar su dominio del mundo. Se trata de gente aparentemente desvalida y pura, que no puede generar sospechas de su perversidad. Este descubrimiento lo hace el enfervorizado protagonista de mi novela en el primer capítulo y se lanza a una carrera infernal para conseguir su total confirmación. ¿Quiénes son esas criaturas súper inteligentes, dominadoras, disimuladas y malignas?

¡Los oligofrénicos!

Era una paradoja horrible. Un oxímoron demoníaco. Abría un canal trágico y absurdo. Y lo tenía que animar con la dinamita del humor blanco, rosa y negro. Mi proyecto era temerario.

Muy temerario. Usurpaba el lugar de un nazi. Discriminaba de modo directo y agresivo a los oligofrénicos. Espantoso, de veras, aunque se tratase de una ficción. Pero lo mismo había hecho Ernesto Sabato con los ciegos en *Sobre héroes y tumbas*. Luego me contó nuestro amigo común, monseñor Laguna, que Sabato saltó indignado al empezar a leer mi nuevo libro. ¡Es un plagio!, gritó. Hasta que se vio mencionado en mi novela y advirtió que la trama, el estilo y la intención seguían un curso diferente. Después Sabato me hizo llegar sus felicitaciones.

Pisaba un terreno que podría enlodar la ética. No siempre se comprenden las ironías, las indirectas, las metáforas. Escribí espoleado por el clima de furor, incertidumbre y locura que incendiaba por entonces el país, con la esperanza de que mi burla se convirtiese en un diluvio que apagara el fuego. Elegí como título *La conspiración de los idiotas*. Y surgió otro problema meses después, porque en Estados Unidos tenía éxito una obra póstuma llamada *La conjura de los necios*, del malogrado John Kennedy Toole que, por suerte, no se parecía a la mía en nada, excepto el título.

Esa novela me demandó muchos años de trabajo. Llevé el manuscrito a la editorial Planeta, donde acababan de publicar mi primer libro de cuentos. Tras su lectura el director confesó que era muy buena, pero no se atrevía a lanzarla. Entonces la entregué a la editorial Emecé, donde también se asustaron. Su director sugirió que añadiese unas líneas para aclarar el carácter ficcional de la historia y que —muy importante— consideraba dignas del mayor respeto a las personas afectadas por un atraso mental. Me parece estúpido —dije—, se trata de una novela, es obvio que relata una ficción, que describe, arma y desarma absurdos. ¡Sin ese post scriptum no lo podemos publicar!, fue la respuesta. Así que el libro apareció con la tautológica aclaración. Curiosamente, la prensa le brindó buena crítica, en especial un largo artículo de Silvina Bullrich, quien era una escritora exitosa, respetada y estaba a punto de lanzar ella también una obra cuestionable. Pronto salió una segunda y una tercera edición. Entonces me dijeron que se podía eliminar el post scriptum, pero yo me negué: que siga ahí, como testimonio de los tiempos repugnantes en que *La conspiración de los idiotas* vio la luz.

Casi lograba que la conociesen de inmediato en Alemania. Como ya dije, me recibió en su casa de Hamburgo el célebre novelista Siegfried Lenz, con quien pasé toda una tarde. Su *Lección de alemán* era un permanente best seller. Se interesó por *La conspiración de los idiotas*, cuyo argumento le resumí con entusiasmo, y lo consideró un buen golpe contra los nazis que aún sobrevivían. Me recomendó a su editor, quien aceptó hacerla leer por alguien de su confianza que sabía castellano. Al poco tiempo recibí la respuesta, pero negativa. Consideró que mi capítulo "El magnético prefijo 'sin'" generaba confusión. Entendí que hasta la gente lúcida no logra penetrar en el bosque de la paranoia. Ese capítulo ironiza sobre una de sus construcciones. "Sin" es el comienzo de la palabra *sinarquía*. Y también el comienzo de otros vocablos como *sínodo* (concilio de obispos), *sinagoga* (templo judío), *sinaxis* (asamblea de cristianos primitivos), *sinandria* (unión de estambres), *sincarpo* (frutos soldados entre sí), *sincretismo* (conciliación de doctrinas diferentes). La abundante lista que derramé en ese capítulo continúa con referencias tiradas de los pelos —típicas de un paranoico—, tales como *sinartrosis, sinaláctico, sinelfa, sinalgia*. Para mi protagonista nada es casual, porque predominan en su obnubilada mente la aproximación y la conjunción, que culminan en la asociación de todos los oligofrénicos para el dominio del mundo, que era el nudo de su patología. Tuvo que pasar más tiempo hasta que esa novela consiguió abrirse un buen espacio.

A mediados de los 70 mi pasión neuroquirúrgica había empezado a colmarse. Me martillaba la idea de un segundo renunciamiento. Ya comenté que la palabra "renunciamiento" se había puesto de moda cuando Evita fue forzada a declinar la vicepresidencia de la Nación y hubo que presentar su derrota como un acto voluntario y épico. Mi primer renunciamiento sucedió con la música, el segundo iba a ser la neurocirugía. Tantos años de estudio, práctica, ambiciones, títulos, publicaciones, doctorado, gratificaciones y sufrimientos llegaban a un fin. Me fastidiaba permanecer horas en el quirófano, porque me parecía que esa operación la podía realizar otro, pero no los libros que yo quería escribir. La pasión literaria presionaba como nunca antes y exigía más dedicación que los intersticios entre la atención clínica, los estudios complementarios, el seguimiento de los pacientes y las intervenciones quirúrgicas. El modelo de los médicos escritores que usaba como excusa ya no me estimulaba. La lista que había compuesto y desgranaba una y otra vez en los reportajes que insistían sobre la compatibilidad de la literatura y la medicina —François Rabelais,

Friedrich Schiller, Alfred Doeblin, Gregorio Marañón, Somerset Maugham, Anton Chéjov, André Breton, A. J. Cronin, Arthur Conan Doyle, Axel Munthe, Max Nordau, Arthur Schnitzler, José Ingenieros, Florencio Escardó, João Guimarães Rosa, Moacyr Scliar, Santiago Ramón y Cajal— no me conformaba. La mayoría dejó la medicina en favor de la literatura.

Había escrito un folleto titulado *La cuestión judía vista desde el Tercer Mundo,* que publicó una pequeña editorial riocuartense. Metí el aguijón en asuntos que eran muy sensibles y controversiales con un inesperado instrumento: defender al acosado Estado de Israel desde la izquierda. La DAIA, representación política de la comunidad judía en el país, me propuso reeditar el folleto. La iniciativa provino del escritor Bernardo Verbitsky, que había sido comunista y luego de su esclarecedor viaje a la URSS giró hacia el socialismo democrático y el sionismo progresista. Ese folleto se convirtió pronto en el núcleo de agitados debates en una Argentina que volvía al predominio peronista. Me invitaron entonces a un congreso en Buenos Aires, donde participarían muchas instituciones latinoamericanas. Allí tuve la ocasión de explicitar mis ideas ante un auditorio variopinto. El resultado fue una propuesta de mudarme a Buenos Aires y trabajar en el Congreso Judío Latinoamericano. ¡Me ofrecían el esperado trampolín! Volví al hotel y conversé largo por teléfono (ya teníamos teléfono en casa) con Marita, para evaluar la explosiva novedad. Estaba tan excitado que ahora no recuerdo bien la reacción de ella, seguramente llena interrogantes.

La negociación fue rápida: quería dejar la neurocirugía, mudarme a Buenos Aires y seguir la profesión literaria. Me ofrecieron un sueldo fijo y modesto, pero que permitiría vivir con cierta holgura. Ya tenía tres hijos —Herman, Gerardo e Ileana— y Marita estaba embarazada de la cuarta, Luciana. Además, Marita —abogada y licenciada en Ciencias Económicas— había ganado un cargo de profesora titular en la flamante Universidad de Río Cuarto. También ella debía efectuar un renunciamiento.

Comenzaría mi nueva etapa el primero de marzo de 1976. Gobernaba la inexperta Isabel Perón en medio del caos político. Nuestra casa en Río Cuarto, la primera de la que fuimos propietarios, debía ser ofrecida en alquiler. No era una casa cualquiera: la diseñó el inspirado arquitecto Adrián Tonelli sobre un terreno baldío y quedaba a la vuelta de la clínica. Era cómoda, con un amplio living comedor, del que se elevaba una escalera de madera con un descanso en forma de balcón que conducía a un segundo piso destinado a mi sala de trabajo, con anaqueles llenos de libros. La vivienda era rectangular, con un ancho pasillo lateral alegrado por canteros de flores. En el llamado comedor diario mis hijos jugaban y en una mesa redonda tenían lugar las comidas. Junto a esa mesa redonda intenté utilizar el método del dictado para componer mis libros. Venía a casa una dactilógrafa, a quien me esforzaba por trasmitir frases pulidas. El experimento apenas duró un par de meses, porque el resultado fue lamentable. Nunca más volví a esa técnica.

En medio del drástico cambio que iba a torcer mi vida e involucraría tormentosamente a mi esposa e hijos, surgió un costo adicional: empecé a notar extrasístoles en el pulso. No le di importancia y ni siquiera lo comenté. Pero controlaba el ritmo de mis latidos con más frecuencia. Aunque había cambiado de domicilio varias veces, en esta ocasión flotaba una mezcla de dolor, exceso de expectativas y miedo al fracaso como nunca antes. Echaba llave a la neurocirugía tras quince años de ejercicio intenso, y no se trataba de un asunto menor. Me alejaba de amigos y un lugar donde había amasado toneladas de experiencias, en su mayoría buenas. Semejante cimbronazo era suficiente para explicar la puesta en marcha de una arritmia auricular que resistiría todas las curas y ahora exige una permanente hipocoagulación.

Pisaba el umbral de un capítulo diferente, pero aún inestable.

Cuando cancelé la neurocirugía no había pensado en el psicoanálisis, sino en la literatura y, lateralmente, en la política. Por eso, cuando después de un año finalizó en Buenos Aires mi breve etapa en el Congreso Judío Latinoamericano —del cual me despidieron sin anestesia por ser demasiado rebelde—, tenía la angustia apretándome las amígdalas. No sabía qué camino elegir, porque la literatura no me daba de comer y la política acababa de zurrarme. Una alternativa era retomar la neurocirugía luego de mi penoso —y en apariencia definitivo— renunciamiento a ella, pero no podía regresar a Río Cuarto porque desde allí mis amigos informaban que en el nefasto clima dictatorial que se había instalado tras el golpe de Estado del 24 de marzo se murmuraba en mi contra. Secuestraban a quienes parecían mancillados por ideas subversivas; y yo era el autor de libros cuestionables. En Buenos Aires tampoco sería fácilmente incorporado a un servicio hospitalario por las mismas razones.

Me consultaron sobre los síntomas de un lejano familiar y, tras un breve examen clínico, diagnostiqué un tumor de cerebro parieto-occipital. Recurrieron a Juan Carlos Christensen, quien confirmó la patología, su ubicación y urgencia. Fue elegido para la intervención quirúrgica y me pidieron que asistiese. El ingreso en la sala de operaciones tras calzarme pijama, delantal, botas, gorro y bozal asépticos me inundó de nostalgia. Permanecí de pie tras el hombro del cirujano y observé cada detalle, como lo había hecho años atrás, cuando empecé con Alfredo Givré. La máquina del tiempo me mareaba con imágenes sucesivas de París, Friburgo, Colonia, Río Cuarto y sus salas de operaciones llenas de olores antisépticos. Para colmo, hacía poco me habían visitado dos colegas de la Clínica Regional del Sud con el propósito de gestionar mi regreso. Me sorprendieron, porque calificaron las amenazas contra mi vida como un chismorreo vulgar. Me necesitaban, me extrañaban. Conversamos largo rato mientras diluviaba, un detalle externo del que me acuerdo bien. Mi mente prefería concentrarse más en el repicar de las gotas que en las dulces palabras de esos colegas. ¿No los quería escuchar? ¿Captaba algo falso en los elogios? Pedí tiempo. Volver de inmediato me sonaba a derrota.

Apareció entonces el portón del psicoanálisis. Si había dejado la neurocirugía para encogerme en la ratonera de una burocracia política como el Congreso Judío Latinoamericano, ¿por qué no explorar ese territorio diferente?

Lo tomé como una aventura intelectual. Esta especialidad —lo supe en Buenos Aires— giraba como un zepelín sobre las cumbres del conocimiento y la moda. De ella poco se enteró el interior del país. Aún conservaba el librito en alemán con páginas escogidas de Freud y recomendado hacía años por mi amigo Kautenburger. Aunque regía una dictadura militar que podría serle adversa, o quizá por eso mismo, el psicoanálisis lucía como una profesión vigorosa y admirada. Era cierto que algunos especialistas debieron fugarse al exterior y otros habían desaparecido, pero la Asociación Psicoanalítica Argentina (APA) continuaba sus tareas con normalidad.

Buenos Aires se había convertido, tras la Segunda Guerra Mundial, en un centro importante del psicoanálisis, mientras el estalinismo y el nazismo le habían bloqueado su desarrollo en gran parte de Europa. La iconoclasia de los textos freudianos asustó a esas estructuras dictatoriales y los psicoanalistas de la primera y segunda generación tuvieron que emigrar. En la Argentina alcanzó un rápido prestigio y muchas interpretaciones políticas, sociales y hasta económicas empezaron a ser flechadas por sus seductoras teorías.

Ángel Garma, un joven español que ya era miembro de la Asociación Psicoanalítica Internacional y había sido analizado en Alemania por Theodor Reik, se unió a Celes Cárcamo, que había estudiado en Francia y era miembro de la Sociedad Psicoanalítica de París. Ambos fundaron la APA. También había llegado Marie

Langer, formada en el Instituto de Viena. El 15 de diciembre de 1942, durante el fragor de la guerra, se firmó el acta inaugural y nació formalmente la APA. Fue reconocida provisoriamente como Grupo Psicoanalítico por Ernest Jones (biógrafo canónico de Sigmund Freud), en espera de la ratificación que se le otorgaría en el primer Congreso Internacional, proyectado para cuando terminase la guerra. Los inquietos profesionales no tuvieron paciencia y en julio de 1943 lanzaron la *Revista de Psicoanálisis*, primera publicación de este tipo en castellano.

El psicoanálisis se expandió rápido hasta la dictadura de Onganía y su "Noche de los Bastones Largos", que produjo el desmantelamiento de la Universidad y la prohibición de pensamientos renovadores. En consecuencia, los psicoanalistas, como la mayor parte de los intelectuales independientes, debieron recluirse en las catacumbas. Pero esa especialidad no murió, como si los inconvenientes generasen más entusiasmo.

Se multiplicaron las publicaciones de libros, folletos, revistas y surgían divulgadores indirectos en los mejores medios de prensa. Además de Freud y sus discípulos cercanos, adquirió popularidad Melanie Klein y sus aportes sobre la infancia. El crecimiento de la izquierda generó elaboraciones que aproximaban figuras que antes parecían muy distantes como Marx y Freud. Después fue incorporado Lacan y los filósofos afines, en especial franceses.

Fui a la sede de la APA en la calle Rodríguez Peña. Estaba decidido a ser infiel de nuevo (o parcialmente) a mi carga de experiencias pasadas y lanzarme con los pies descalzos a una aventura inédita. Me explicaron que la formación profesional era larga y costosa. Debía comenzar con mi propio análisis didáctico. Pero antes tenía que aprobar entrevistas con tres destacados profesionales. Ese ingreso pintaba más difícil que en una secta de magos. ¿O ya temía la contaminación de una secta? Concurrí a los consultorios de Mauricio Abadi, Madeleine Baranger y Néstor Goldstein. Abadi dijo, luego de escuchar y dialogar conmigo una hora, que sólo encontraba un inconveniente para mi formación como psicoanalista: la edad, tenía 42 años, era demasiado "mayor". Le comenté que también fui "mayor" cuando me inicié en el piano, a los diez años de edad, la misma que tenía George Gershwin al enfrentarse por primera vez con un teclado; Abadi encogió los hombros. Madeleine Baranger, en cambio, no se refirió a mi edad, pero se asombró al escucharme confesar que pretendía seguir escribiendo: ¡Eso es imposible!, exclamó disgustada. Goldstein no formuló objeciones. A la semana siguiente me comunicaron que había aprobado la primera etapa. Ahora correspondía elegir mi analista didáctico y anotarme enseguida en varios seminarios que se dictaban en la misma APA.

Subrayé diez nombres de una larga lista. Me puse a discar el teléfono y solicitar turno a un psicoanalista tras otro para el obligado análisis didáctico, pero varios respondieron que debía esperar turno durante unos años. ¡¿Años?! Sí, sus horas estaban ocupadas. No se trataba de esperar un turno para el día siguiente o la semana siguiente o el mes siguiente, como ocurre en la práctica médica común, sino años, años, que ni siquiera eran los próximos. Aumentó mi sorpresa. Era una profesión que llenaba los consultorios. Hubiera querido ser ya un psicoanalista con las décadas de práctica que desaproveché operando "mate y bombilla", como se decía vulgarmente, durante quince años. Ansiaba tener lleno mi inexistente consultorio en Buenos Aires con pacientes neuróticos, vivir en un blando confort y participar de los seminarios, debates, simposios y congresos donde se agitaba la joyería de una especialidad que cubría casi todo el conocimiento humano.

Me recomendaron como alternativa transitoria la Escuela de Psicología Social de Enrique Pichon-Rivière, donde empecé cursos de psicoterapia y me sumergí en la lectura de obras alejadas de los aburridos textos de psicología que me habían hecho bostezar en el colegio secundario. Asistí a clases sobre encuadres, patologías y tratamientos individuales o compartidos y, además, por primera vez, ingresé en un grupo terapéutico. Como médico había efectuado tratamientos mentales, claro, porque había estudiado psiquiatría y estaba familiarizado con la psicofarmacología en uso. En ese momento, por el contrario, tanteaba un mundo diferente. Estimulado por la novedad, atendía los matices de la voz y las confesiones del silencio, observaba con minucia el detalle postural u oral, el significado escondido de una palabra cortajeada y los impactos de interpretaciones que parecían sacadas de una galera. Registraba las expresiones insólitas o repetidas de un lenguaje novedoso, porque el grupo estaba formado por psicólogos que dominaban la jerga freudiana y, mediante floripondios retóricos, se vanagloriaban de su inteligencia u ocultaban conflictos. Me sentía un inmigrante sin idioma, ni ropa, ni oficio. Me costaba hablar, no sabía si ser franco o simular franqueza, aún no me animaba a exprimir ante extraños las intimidades antiguas y menos las recientes.

El jefe del grupo, enterado de mi apremio económico, sugirió que alquilase un pequeño consultorio. ¿Quién vendría a verme? Yo te derivaré los pacientes que no tengo tiempo de atender o que sólo están en condiciones de abonar un honorario muy bajo. Contesté que no temía enfrentar pacientes y ofrecer consejos, incluso memorizaba el nombre de casi todos los psicofármacos, pero no estaba entrenado para sesiones de cincuenta minutos y conducir un tratamiento psicológico profundo. Sonrió ante mis escrúpulos, pidió que tratase de no medicar y que me esforzara en escuchar con paciencia.

Aún recuerdo mis primeros pacientes psicoanalíticos, a los que cobraba un honorario exiguo. Esos ingresos apenas alcanzaban para el alquiler. Respiraba un clima extraño, estudiaba en las horas libres y concurría a la escuela. Mi estrecho consultorio quedaba en la calle Anchorena, en un tercer piso. No me sentía cómodo y un día se cayó mi llave en el foso del ascensor. Junto con el portero tuvimos que trabajar duro para recuperarla. Mi jefe lo interpretó como un acto inconsciente de resistencia. Resistencia y furia, agregué.

Iba y regresaba en ómnibus a cualquier hora, porque la mayoría de mis pacientes eran empleados sujetos a horarios diversos. Marita se ocupaba con su mejor humor de los cuatro hijos y sus exigencias. Además, aprovechaba cada momento libre para abrirse paso en las Facultades de Derecho y Ciencias Económicas, donde finalmente consiguió que sus méritos se reconocieran; era asombroso cómo pudo ganarse la simpatía de numerosos colegas en base a sus conocimientos y desenvoltura.

Pero yo seguía dudando de mi reciente elección, me aplastaba la culpa por haber elegido un rumbo equivocado y la vasta suma de mis esfuerzos anteriores parecía un catálogo reclamado por los tachos de basura. No vislumbraba cómo ni cuándo escamparía ese cielo de basalto. Hasta se me cruzó la loca idea de trabajar como enfermero, porque su sueldo superaba lo que juntaba en mi asfixiante consultorio. Además, hubiera sido una aventura interesante, muy idiota, pero casi de novela, ya que estaba deseando tener aventuras. Mientras contemplaba las estrellas en la parada del bus y me tomaba el pulso para constatar la perseverancia de las extrasístoles, preguntaba una y otra vez qué diablos hacía ahí, como un imbécil perdido en la tierra de nadie. Me preguntaba por qué había abandonado la música, la neurocirugía y, tal vez, hasta la dignidad.

Volví a llamar a Goldstein quien, curiosamente, había simpatizado conmigo o le había quedado libre
una hora por la deserción de un paciente. Dijo que podía
convertirse de inmediato en mi analista didáctico. Entonces, ¡por fin empezaría con él la anhelada, extensa,
dura y cara formación! ¡Aleluya!

Era un hombre alto, semicalvo, de voz templada y
lenta, vivía en una hermosa casa de Barrio Parque a la
que tenía en permanente refacción de escaleras, jardín,
cortinados y corredores. Los pacientes ingresaban por
el garaje —no por la puerta de recepción—, tal como lo
hacían los proveedores, el personal de servicio y otras visitas de bajo rango social. Me resultó desagradable, pero
lo comprendí después, porque tenía derecho a separar
su vida privada de la profesión, problema que derivaba
de tener el consultorio en la misma vivienda. Su esposa
también era una prestigiosa psicoanalista con otro consultorio en el mismo piso.

En la sesión inaugural detalló el contrato que ambos nos comprometíamos a respetar: pago por mes
adelantado de cuatro sesiones semanales de cincuenta

minutos cada una, sin reintegro por los días en que yo faltase, aunque fuera por enfermedad, ya que las patologías empezarían a ser consideradas parte del análisis. Debía hablar tendido en el diván mediante la asociación libre y expresar todo lo que asomara en mi cabeza. Sólo podía tomar vacaciones en el mes de febrero, porque eran las de él y de casi todos los psicoanalistas (que seguían el ejemplo impuesto por Ángel Garma, fundador de la APA) y, en caso de hacerlo en otra época, debía pagar las sesiones faltadas. Goldstein, en calidad de analista didáctico, me orientaría en la selva de los libros de estudio y los seminarios que convenía seguir. También debía comenzar a abonar las cuotas de la misma APA, porque ya integraba la institución como "candidato". La salida de semejante chorro de dinero me asustó y me siguió asustando, hasta que Mauricio Abadi, haciendo gala de su humor, dijo que el psicoanálisis es un gran tubo: por un lado el dinero entra y por el otro sale.

En apenas dos años la nueva profesión me empezó a rendir, tenía muchas horas tomadas, seguía con esmero la técnica de los maestros para que funcionase la transferencia, la contratransferencia, fuesen claras las excusas de la resistencia, operasen con oportunidad y acierto las interpretaciones y hubiera una clara evolución del tratamiento. Cobraba honorarios altos y mi nombre, por suerte, empezó a difundirse con buena melodía por los circuitos de la especialidad.

Yo mismo estaba sorprendido. Quizás algunos pacientes venían por haber leído mis novelas. O quedar satisfechos con mis frecuentes conferencias sobre arte, literatura, religión, historia o la situación política internacional, todo eso enlazado con referencias psicoanalíticas. Me había convertido en un popular y muy reclamado *lecturer*.

Por supuesto que había comprado las obras completas de Sigmund Freud y su biografía en tres volúmenes de Ernest Jones. Esa biografía me atrapó como una novela. También releí la que le había escrito en vida Stefan Zweig quien, exiliado en Londres, fue encargado de pronunciar la oración fúnebre durante el sepelio de Freud en 1939. Durante los cursos llamados seminarios (¿evocación de la escolástica conventual?), penetraba en los recovecos de esa disciplina multicolor con la sed de un beduino. Me encantaban las intensas relaciones que brotaban aquí y allí con las bellas artes, la historia, los mitos, la literatura, las leyendas, la filosofía, el derecho, la medicina, el sexo, la antropología, la política, la epistemología. El psicoanálisis abría corredores de un palacio lleno de tesoros.

Para ser buen psicoanalista había que estar familiarizado con las miles de páginas escritas por Freud y conocer también los giros, contradicciones, debates y enfrentamientos con discípulos fieles y discípulos rebeldes. Mi depresión de poco tiempo atrás mutó en placer, porque me había cautivado una nueva pasión con los sarpullidos de otra adolescencia. Nunca cerraba mi jornada sin repasar algo de la literatura psicoanalítica en mi consultorio o en la cama. Era otra Biblia que debía leer sin cesar, porque contenía muchos autores, enfoques, momentos y estilos, bajo la inspiración de alguien cercano a los dioses.

En una de las sesiones que se realizaban en el salón Butacas para toda la población de psicoanalistas reencontré después de muchos años a un colega de Córdoba, Ricardo Moscone, que había trabajado con mi amigo Emilio Kuschnir en una clínica de La Calera, cercana a la capital. Lo había conocido a mi regreso de Europa y le había contado en aquel momento que me iba a instalar como neurocirujano en Río Cuarto, de donde él provenía. Le pareció un disparate, porque mis credenciales eran demasiado altas para un lugar tan chico, opinó. No le hice caso y disfruté once intensos y productivos años en esa ciudad, que fueron decisivos e inolvidables, que permanecen adheridos a mi corazón, al de Marita y al de mis hijos. Sólo la ficción podría lucubrar cómo habrían sido mi vida y mis diferentes profesiones de no haber existido el hervor de esos años. Al final, empero, terminé en la ciudad grande, Buenos Aires, y empecé a tener reuniones frecuentes con Ricardo quien, gracias a su fina percepción, fue corriendo los velos de las intrigas que mancillaban la APA. Se convirtió en uno de mis mejores amigos y me acompañó en los atroces días que sucedieron al fallecimiento de Marita.

Hace poco, al derrumbarme una encefalitis viral con un coma de dos semanas que empujó mi cuerpo abatido hasta las aduanas de la muerte, fue quien más batalló para que no aflojase la lucha.

Tomé muy en serio la formación psicoanalítica y fui selectivo con los seminarios. Me gustaban las clases del epistemólogo Gregorio Klimovsky que, sin ser psicoanalista, poseía una cultura que daba vértigo y se expresaba con extraordinaria claridad. Mauricio Abadi ni siquiera daba tiempo para la intervención de su audiencia, porque gozaba hablando y hablando; sus clases eran ricas, con un amplio conocimiento de la mitología griega; además, tenía el encanto de pronunciar un español gorgogeante debido a su erre francesa. Alcancé a disfrutar los seminarios de Ángel Garma, quien se entusiasmó con mi novela *La conspiración de los idiotas*, desmitificadora de la sinarquía, a la que dedicó un inolvidable seminario.

Me sometí, desde luego, a las llamadas supervisiones. Es el método de control o evaluación de un tratamiento mediante la consulta a otro profesional. La distancia de esta nueva escucha facilita corregir errores, descubrir aspectos pasados por alto y abrir nuevos cauces. Llevaba a esas sesiones los apuntes que tomaba mientras escuchaba al paciente. Al supervisor le formulaba las preguntas que no se solían hacer durante mi análisis personal, porque en el análisis no era de esperar una clara respuesta, sino el golpe de una interpretación. En esa época dorada regía una firme obediencia a la técnica de Freud.

Una buena paciente (buena porque asociaba de maravillas y yo lograba disolver muchos de sus conflictos) pidió bajar el número de sesiones a tres por semana, en lugar de cuatro. Argumenté que no le convenía. Ella no aflojó su demanda y consulté con Madeleine Baranger, quien en ese momento era mi supervisora. Se opuso de forma rotunda: dijo que era una manifestación de la resistencia: debían ser cuatro por semana, ni una menos, como estipuló Freud. Ahora me burlo de semejante reduccionismo. O fanatismo sectario. Lo cierto es que no me sentía bastante sólido para rebelarme y le dije a mi paciente que debía seguir con las cuatro sesiones. Entonces ocurrió lo previsible: ella me tendió la mano y dijo adiós.

En lo sucesivo, de acuerdo a los rasgos específicos de cada uno, fui modificando la técnica. Freud había sido un genio, pero no Dios. Las cuatro a cinco sesiones semanales que él recomendaba se convirtieron en una exageración para los nuevos tiempos. El mismo Freud tuvo rasgos fóbicos que, por ejemplo, lo indujeron a evitar el tratamiento frente a frente; quizás por eso optó por sentarse tras la cabecera del diván. A mí no me molestaba que la larga sesión se desarrollase mirándonos recíprocamente a los ojos. Tampoco seguí exigiendo las cuatro sesiones semanales. En algunos casos acepté hablar con los demás integrantes del conflicto, sean cónyuges, padres, hijos, hermanos, socios, cuando mi paciente lo solicitaba o el curso del tratamiento así lo aconsejaba. Estos cambios, que en aquel momento se consideraban heréticos, después adquirieron una credencial de legitimidad.

En simultáneo con el psicoanálisis crecieron varias escuelas de psicología. Pero en su mayoría estaban impregnadas de psicoanálisis y no atendían los progresos de las escuelas anglo-americanas. El psicoanálisis tampoco desarrolló investigaciones más rigurosas ni nuevos métodos confiables de control, por lo cual se anudaba principalmente a la lingüística y la filosofía. Lamentablemente, se fue distanciando de las corrientes que ganaban la vanguardia científica en la mayor parte del mundo desarrollado.

Trabajaba desde la mañana temprano hasta el atardecer. Había alcanzado el sueño de no tener horas libres. Ni siquiera me concedía una larga pausa al mediodía, porque iba a comer pizza en el tradicional comedero que estaba a la vuelta de mi consultorio y se llamaba, tangueramente, "El cuartito". No me cansaba de saborear una porción de fugazzeta y otra de espinaca con queso. Ambas derramaban su sabroso contenido hasta los bordes del plato. Después me recostaba por quince minutos para gozar de una breve siesta, me lavaba la cara y recibía sonriente al primer paciente de la tarde.

Goldstein me invitó a ser su colaborador en una serie de cursos. Fue muy gratificante. Hace poco me detuvo un colega en la calle para recordarme que había asistido a uno de esos seminarios y que yo le dejé magníficas enseñanzas. Lo miré perplejo, no me consideraba merecedor de tanto elogio; mis enseñanzas no habían sido extraordinarias ni originales. Pero él insistió. Y luego aparecieron otros ex alumnos que afirmaron lo mismo. Opté por no discutirles y sonreír.

Había ingresado en la docencia psicoanalítica, no sólo en el estudio y la práctica. Docencia en serio, dado que tuve como alumnos a colegas de buen nivel. A esto se añadió otra sorpresa: Néstor Goldstein, en calidad de presidente de la APA, propuso que lo sucediera en el cargo. Se me cayó la mandíbula. ¡No podía ser cierto! A mi entender, no estaba en condiciones de asumir la presidencia de tan prestigiosa entidad y ni siquiera acepté que diese a conocer semejante iniciativa. Insistió, pero no modifiqué mi rechazo.

Comencé a dictar cursos nocturnos en diversas instituciones no psicoanalíticas sobre temas vinculados al psicoanálisis. Era la época en que estaba enamorado de esa disciplina y disfrutaba la exhibición de sus diademas. Mechaba mis disertaciones con citas, anécdotas, chistes e interpretaciones. Atraía un público numeroso, casi de quinientas personas por clase.

Más adelante, cuando terminé mis absorbentes funciones como secretario de Estado en el gobierno de Alfonsín, me encontré por primera vez en muchos años con cantidad de horas libres. No se llenaba rápido mi consultorio con nuevos pacientes y reflexioné sobre varios temas psicoanalíticos para artículos que discutiría con mis colegas y luego publicaría en la revista de la APA. Los pensé del derecho y el revés, hice investigaciones y me animé a redactarlos, aunque aún dudaba sobre mi perfecto dominio de la jerga freudiana. Algunos de esos trabajos pueden servir para recordar la inspiración que entonces me afiebraba, con el deseo de aplicar los instrumentos psicoanalíticos en temas literarios, sociales e históricos. De ello son muestras *De la intuición a la palabra escrita, El judío y lo siniestro (Unheimlich), Muerte e inmortalidad en un cuento de Borges, Caín o el revés de un héroe.*

CUARTA PARTE

Hacia la plenitud

R egreso a la política.
Mientras me agasajaban en España con motivo del Premio Planeta tuve la ocasión de visitar a Juan Perón. Su protagonismo, pese o gracias al exilio, había aumentado en 1970, aun cuando mucho se sabía o decía en su contra. Además de los adherentes tradicionales, se le habían incorporado sectores que se consideraban emblemáticos de la izquierda y que antes lo habían combatido con ferocidad. Eran producto del "entrismo" que, como señalé, aspiraba a conquistar su vasto movimiento y transformarlo en un instrumento de Marx, Stalin, Trotsky, Mao o Fidel Castro, en cualquier orden. Libros, revistas y periódicos se ilusionaban con la certeza de que el "Viejo" exiliado en Madrid encabezaría un tiempo nuevo, inspirado en estos líderes. Un delirio, por cierto. Los conocidos defectos —represión, nepotismo, corrupción, autoritarismo, violaciones institucionales, mala gestión económica, decadencia educativa y cultural, persecución, mordazas a la prensa y otros males— se consideraron minúsculos o se justificaban con racionalizaciones. Autores como Jorge Abelardo Ramos, Raúl

Scalabrini Ortiz, Juan José Hernández Arregui, Arturo Jauretche y muchas otras figuras que impulsaban un caprichoso revisionismo histórico, enamoraban a la juventud. Afirmaban que aquella gestión había sido paradisíaca, caracterizada por el orgullo nacional, el aumento de la clase media, el despegue de la pequeña industria y una gran inclusión social. Confieso que no fui inmune a esos autores. Pero me negué a entrevistarme con Perón en España, porque en mi cabeza prevalecían sus abusos. Luego admiré a Tomás Eloy Martínez que sí lo entrevistó repetidas veces, le exprimió confesiones y obtuvo de ellas un fértil material para sus libros.

Ya dije que la política había entrado en mi corazón precozmente. *Refugiados: crónica de un palestino* y *La cruz invertida* fueron novelas políticas. En un encuentro multipartidario que se celebró en Colonia Caroya a fines del año 1970, luego de haber ganado el Premio Planeta, me convertí en uno de los oradores más celebrados y se adoptaron muchas de mis propuestas. En esa población se cultivaba la uva chinche, que produce un vino embriagador. Era el sitio más indicado para tener nublado el cerebro.

Con motivo de mi cumpleaños, Marita me regaló en 1972 los tres tomos de *El Capital*, que hasta entonces sólo había leído de modo fragmentario. La alienación había llegado al extremo de que para ser un intelectual aggiornado había que conocer a Marx y sus discípulos. Con Marita conversábamos mucho sobre política y economía, dadas sus profesiones de abogada y economista.

Además, era una lectora que solía asombrarme con descubrimientos en materia de estilos.

Hasta en la sala de médicos de la Clínica Regional del Sud se encendieron los debates que ya quemaban el país. Cada vez se hacía más evidente la pulseada entre Perón y no-Perón. Las llamadas "formaciones especiales" de "la juventud maravillosa" perpetraban secuestros y asesinatos en nombre de una revolución imprecisa. En esas organizaciones había ex tacuaras (nazis), católicos nacionalistas, marxistas, estalinistas, trotskistas, maoístas, castristas y muchos jóvenes ignorantes e ingenuos, exaltados con facilidad por un clima que combinaba estudiantina y heroísmo. Los jefes montoneros tenían orígenes, ideologías e intereses diversos, además de una ética frágil. Habían establecido vínculos con organizaciones terroristas de otras geografías, en especial las palestinas que, gracias a sus asesinatos, cobraron notoriedad y otorgaron a su vaga causa un prestigio épico. Los montoneros viajaban a Cuba, Libia, China, Egipto, la URSS. Y también negociaban con el almirante Emilio Massera, máximo represor de la dictadura argentina, que soñaba con llegar a la presidencia de la Nación.

A medida que avanzaba la década de los setenta, estos factores se agravaron. Para poner paños fríos a la creciente tormenta, el gobierno militar le devolvió a Perón, en Madrid, el cadáver embalsamado de Evita y le permitió un fugaz regreso en noviembre de 1972. Perón comprobó que la resistencia del gobierno militar contra su persona se había debilitado. El caos nacional incrementaba la sensación de que sólo un dirigente de su estatura podría restablecer la paz. Se autotituló "león herbívoro" para calmar a quienes lo seguían recordando como un tirano. El gobierno convocó a elecciones generales y Perón dibujó la fórmula Cámpora-Solano Lima, porque su nombre aún estaba proscripto.

Cámpora era un histórico rastrero de Perón, y Solano Lima un dirigente crepuscular de la socialdemocracia. Tras su asunción el 25 de mayo de 1973, Cámpora firmó un decreto para abrir las cárceles y liberar a los presos políticos. Simultáneamente, quedó en libertad una multitud de malhechores comunes. Fue su única obra magna. Estalló una fiesta cargada de ilusiones y de polvorines. Ahora correspondía traer de España, definitivamente, al mismo Perón, tarea que realizó el flamante presidente Cámpora con una comitiva adiposa. En Madrid despidió al viejo líder el generalísimo Franco en persona, con quien no había tenido una sola entrevista en sus años de exilio pese a la enorme ayuda económica que le había suministrado en la década de los cincuenta. ¡Curiosidades del devenir histórico!

Su regreso fue sangriento. En los esmeraldinos campos que rodean el aeropuerto de Ezeiza lo esperaba una alfombra de seguidores que pronto compitieron por ganar los puntos más visibles. Importaba hacerle saber al líder con cuál de las diversas tendencias de su movimiento debía aliarse. En vez de repetir la cacareada y uniforme lealtad a Perón, la fórmula se había invertido: Perón tenía que ofrecerse prisionero de los que más habían hecho por su retorno. Los sectores de izquierda y los de derecha se odiaban entre sí. Y comenzó la impiadosa balacera. La campiña se tiñó de rojo. Osvaldo Soriano compuso una novela que narra los asesinatos recíprocos al común grito de ¡viva Perón!

Poco antes, el Congreso, en sesión secreta —¿por qué secreta?—, "devolvió" los bienes a Juan Perón. El pueblo no debía saber, parece, a cuánto ascendían y de dónde provenían esos bienes. Infortunadamente, resucitaban los ingredientes inmorales del ADN peronista. El Jefe despreciaba a Héctor Cámpora por su excesiva genuflexión. No le dejó disfrutar de la presidencia ni siquiera dos meses y, sin anestesia, le ordenó renunciar. Su sitio fue ocupado por Raúl Lastiri, un gelatinoso yerno del "brujo" (y policía) José López Rega, el secretario privado de Perón. Lastiri alardeaba de tener una colección de trescientas corbatas como signo de originalidad o, quizás, de freudiana ilusión fálica. La misión de Lastiri consistía en mantener cierto equilibrio y convocar a nuevas elecciones, en las que se presentaría el propio Perón.

Llegamos al año 1973. Hacía tiempo que la Fundación Alexander von Humboldt me invitaba para una nueva estadía en Alemania. Aún practicaba la neurocirugía. Mi partida, en septiembre, coincidió con el golpe de Estado en Chile, que produjo la muerte del presidente Salvador Allende. Durante mi permanencia en Europa encontré varios exiliados chilenos. Allí, fuera de las actividades científicas, debí contestar preguntas sobre la afiebrada realidad argentina y latinoamericana.

En Colonia me recibió Heinrich Böll, que acababa de ganar el premio Nobel y era el nuevo presidente del Club Mundial de Escritores. En esa oportunidad dijo que había suspendido el congreso del club por la Guerra de Iom Kipur, que amenazaba la sobrevivencia del Estado de Israel. Este novelista era abiertamente católico. Fue quien me había asegurado con una carcajada que en los territorios del Rhin hasta las papas son católicas. Recuerdo que hicimos un prolijo examen sobre la evolución de las letras alemanas y los cambios que se fueron produciendo desde Thomas Mann en adelante. Fue una ducha de oro.

Tampoco iba a dejar de mantener una larga conversación con Günter Grass, cuyo *Tambor de hojalata* había disfrutado años antes. Se interesó por el inexplicable fenómeno peronista, al que no lograba desprender del fascismo, pese a su nuevo ropaje marxo-progresista. También Grass era un ser complicado, tal como se puso en evidencia años después, cuando reveló su juvenil pertenencia a las Juventudes Hitlerianas.

Mi maestro en neurología y padrino de tesis, Rolf Hassler, que había sufrido el nazismo y la guerra, no le encontraba méritos a Perón. No le alcanzaba que hubiera sido "votado por el pueblo". El pueblo es más emotivo que racional y es fácil de manipular —dijo—; el pueblo suele equivocarse. Así pasó con Hitler y seguirá pasando con otros seductores de las masas.

La ridícula fórmula que se lanzó durante el interregno de Lastiri —Juan Perón-Isabel Perón— ganó por goleada. Pero el líder no se alzó contra la oposición democrática (había sorprendido su abrazo con Ricardo Balbín, tradicional rival político), sino contra su propia "juventud maravillosa". La razón era simple: le pedían una revolución comunista o castrista o maoísta que jamás tuvo interés en implementar. Entonces las "formaciones especiales" comenzaron su rebelión contra el Jefe al que habían idealizado y ahora repudiaban. Durante una masiva concentración en Plaza de Mayo, que pretendía evocar las antiguas muestras de sometimiento, lo criticaron. Entonces Perón, fuera de sí, los expulsó calificándolos de "estúpidos e imberbes". Ahí se terminó la calma. El eslogan que un año antes se había vitoreado decía: "¡Qué lindo vas a ver, qué lindo vas a ver, el Tío en el gobierno y Perón en el poder!" El Tío era Cámpora, ya exiliado en México, y Perón, desde el poder, no reinstalaba el paraíso.

Nuevos atentados, cada vez más frecuentes, emponzoñaron por completo la atmósfera. En una conferencia de prensa Perón fue sacado de su equilibrio cuando una periodista le hizo una pregunta incómoda y, como respuesta, ordenó que le tomasen sus datos, lo cual era una implícita amenaza a la libertad de expresión. En la intimidad de su gobierno organizó las Tres A (Alianza Anticomunista Argentina) para eliminar, de a uno, a los jefes revolucionarios. La idea, la implementación y el seguimiento se atribuyeron al ministro-comisario López Rega, pero detrás estaba el Líder en persona. Pronto comenzaron a ulular amenazas que generaron la huida de mucha gente. Aparecían cadáveres en las calles y en los caminos. Decenas y decenas de cadáveres. Sin una declaración de guerra, había estallado la guerra. Una despiadada guerra.

Antes de cumplir un año en la presidencia falleció Juan Perón. Se le rindieron los máximos honores como jefe de Estado. Su mediocre esposa se hizo cargo del país y empeoró la situación política, económica y social. Crecieron los rumores sobre su inminente renuncia. El dirigente opositor Ricardo Balbín propuso continuar, "aunque sea con muletas", y cumplir los plazos constitucionales. Ítalo Luder, presidente del Senado y que parecía el dirigente justicialista más prestigioso, firmó un decreto para "el exterminio de la subversión". Esto debe ser recordado, porque dicho exterminio no empezó con la dictadura militar, como pretenden los ex guerrilleros y sus cómplices, sino con el máximo referente del movimiento justicialista.

Yo recibí amenazas de la AAA (que después me inspiraron un cuento) y dos grupos de extrema izquierda apuraban mi apoyo explícito, dada la simpatía que entonces expresaba por el marxismo. Rompí los papeles con las amenazas y fui dilatando mi respuesta a los seguidores del ERP y los Montoneros. Pero, por las dudas, resolví aprender defensa personal y contraté un instructor. Llevé a una de las clases a mis dos hijos varones, para que se divirtieran. Pero el menor, Gerardo, que sólo tenía cuatro años, se puso a llorar creyendo que me iban a matar. Herman, dos años más grande, no lograba tranquilizarlo. Costó hacerlo entrar en razones. Tomé clara conciencia de que la visión de muchas cosas cambia con el curso de los años y me abstuve de llevarlos otra vez.

El 24 de marzo de 1976 (24 días después de haberme instalado en Buenos Aires para trabajar en el Congreso Judío Latinoamericano), vi tanques y camiones militares que bloqueaban las calles y avenidas. Se había producido el golpe de Estado que se presentía inminente y destituyó a la impotente Isabel Perón. Empezaba uno de los períodos dictatoriales más nefastos de la historia nacional. No era idéntico a los que derrocaron al presidente Fondizi y al presidente Illia. Hasta hombres democráticos como Borges y Sabato creyeron que el gobierno de Isabel no daba para más y un caos imparable haría trizas el país.

Días después viajé en ómnibus a Río Cuarto para traer mi familia a Buenos Aires, donde ya había alquilado un pequeño departamento e inscripto a mis hijos en la escuela. En medio de la noche una patrulla detuvo el vehículo. Subieron varios soldados y se encendieron las luces interiores. Exigieron documentos que chequeaban en sus listas de subversivos. Pasé esa riesgosa prueba y llegué a casa sin inconvenientes. De inmediato comenzamos a empacar. Teníamos la nerviosa tarea de guardar libros, archivos, cuadros, fotos, ropa, cortinas, utensilios y demás bienes que se acumularon durante once años. Una parte sería despachada por encomienda y otra debía ingresar en las valijas para su uso inmediato.

Fueron jornadas agridulces, en las que ni sospechaba que un año después ingresaría en psicoanálisis. Por un lado estimulaba vivir un tiempo en Buenos Aires (aún me costaba reconocer que nos marchábamos para siempre). Por el otro, dejaba un lugar donde nos habíamos arraigado, forjamos amistades, nacieron tres de mis cuatro hijos (Herman, Gerardo e Ileana) y gozamos momentos de gran felicidad. Marita lloraba en secreto; evitaba que las lágrimas asomasen a sus hermosos y pícaros ojos verdes. Por eso me conmovía más. Pero ella había decidido acompañarme en mi discutible decisión. Decíamos a los amigos que nos mudábamos sólo por un año, no definitivamente. De esa forma era más sencillo explicar lo poco explicable y también evitar que las despedidas se tornasen dramáticas.

El 14 de abril, cumpleaños de papá y de mi hijita Ileana, partimos en auto hacia el oriente, hacia el Río de la Plata, hacia "mi Buenos Aires querido" del tango y la realidad. A mitad del trayecto nos detuvimos en un bosquecillo lateral y degustamos un picnic. Ya era tarde cuando llegamos a las profusas luces de la avenida General Paz. Estaba cansado y, en lugar de enfilar hacia el centro, lo hice hacia la provincia. ¿Quería regresar? Advertido del error, giré con fastidio y llegué tardísimo al hotel donde pasaríamos la primera noche de esa nueva etapa.

El departamento que había alquilado estaba cerca del Congreso Judío Latinoamericano, donde debía trabajar. En el living-comedor minúsculo inicié las reuniones para el Primer Coloquio Latinoamericano sobre Pluralismo Cultural que había planificado a poco de ingresar en la institución. Me había pellizcado el anhelo por hacer política en serio, es decir, con repercusión social. La nueva dictadura utilizaba disfraces de cordialidad para sugerir una imagen benigna. Pero ya se olía su carácter discriminatorio, fascista y criminal. Ese coloquio era una audacia en aquel momento, pero también una muestra de lo que se necesitaba llevar adelante.

En el mismo piso vivía otra pareja joven con la que pronto entablamos amistad. Tenían dos hijas y nos ayudaron mucho en los días de la adaptación. Pero la menor de ellas tuvo una muerte súbita y la mayor falleció en el atentado a la AMIA. Horrible. Juntos habíamos ido de vacaciones a una quinta en el pueblo de Las Malvinas, a una hora de la Capital. Fue un enero muy lluvioso y hasta allí viajaron dos médicos de la Clínica Regional del Sud para pedirme que volviese a Río Cuarto. El planteo me resucitó dudas, como ya narré.

Mi relación con el CJL, pese al éxito del coloquio (o quizás debido a él), se había deteriorado con rapidez. Mark Turkow, su director, se había enfurecido al regresar de un viaje al exterior y comprobar el nivel alcanzado por mi trabajo. El historiador Boleslao Lewin solía llamarlo *Smark* Turkow (un insultante calificativo ídish), con furibundo desprecio. Lewin era un científico que iluminó la vida del tiempo colonial y fue quien me acercó a figuras relevantes de ese período, como Francisco Maldonado da Silva, al que convertí en el protagonista central de *La gesta del marrano*. Lewin tenía razón: Turkow era tan envidioso que, cuando Isaac Bashevis Singer (polaco como él) ganó en ese año el premio Nobel de Literatura, fue invitado a disertar en un acto que lo homenajeaba. Entonces Turkow, en lugar de elogiar sus méritos, se los quitaba al afirmar que el gran escritor no era Isaac sino su hermano, también novelista. La audiencia no supo si aplaudir o llorar. Tenía Turkow, eso sí, un intenso apetito sexual, que lo llevó a perseguir a la actriz Cipe Lincovsky alrededor de su escritorio, sin siquiera ocuparse de cerrar la puerta, por lo cual esa escena se pobló de testigos y dio lugar a resonantes comentarios. Para darse lustre, no perdía ocasión de esgrimir su amistad con Nahum Goldman, el presidente del Congreso Judío Mundial que negoció con Konrad Adenauer la devolución de los bienes judíos saqueados por los nazis.

En esos meses de sangrienta dictadura aumentaban los secuestros, los asesinatos y el odio que habían inaugurado los movimientos guerrilleros en la década anterior. En la DAIA presencié el amontonamiento desesperado de los familiares que habían sufrido el brutal allanamiento de sus viviendas y el arresto de sus parientes. Gritaban, reclamaban, puteaban y lloraban porque ninguna autoridad se avenía a proveerles información. Los impotentes funcionarios se empeñaban con dolor para conseguir algo. Era un espectáculo desgarrante, porque se mezclaban el reclamo y la frustración. Escuché, pregunté, consolé. Comprobé que se hacían gestiones, se redactaban hábeas corpus, sonaban teléfonos, se enviaban cartas. Inútil. Fuerzas invisibles del régimen succionaban a los jóvenes y no tan jóvenes sin dejar rastros. Cundía la certeza de que cualquier persona podría ser la siguiente víctima.

Esta situación desnudaba el peligro o inoportunidad de mi coloquio sobre pluralismo cultural, que apuntaba a rescatar los valores de la diferencia y, por lo tanto, de la tolerancia. La diferencia ya se tildaba de "subversiva" y la tolerancia, de "traición".

Para organizar este alocado coloquio invité a reuniones preparatorias en mi estrecho departamento. La mayoría me conocía por *La cruz invertida*. Los cuerpos de hombres y mujeres estaban obligados a comprimirse unos con otros en el sofá, las sillas y las banquetas, lo cual aumentaba la familiaridad y la confianza. Coincidíamos que nos agrupaba un riesgoso mandato moral.

Propuse constituir el escudo de un comité asesor que armaría la lista de los oradores. La mayoría eran argentinos, pero varios provenían o estaban radicados en países vecinos. En poco tiempo el coloquio quedó estructurado con las ponencias que escribirían filósofos, sociólogos, periodistas, historiadores, lingüistas, teólogos, antropólogos y escritores. Cada uno se comprometió a preparar una contribución que sería objeto de un debate con los presentes. Las sesiones serían grabadas y luego compiladas en un libro.

Uno de los personajes más notables fue Antonio Quarracino, obispo de Avellaneda y presidente del departamento de Ecumenismo del Consejo Episcopal Latinoamericano (CELAM). En ese tiempo, pese al Concilio Vaticano II, un contacto con dignatarios católicos no era fácil. Invitarlo a participar en un coloquio organizado por una entidad judía sonaba a misión imposible. Pero lo necesitaba, porque su sola presencia nos brindaría cierta inmunidad. El gobierno militar se manifestaba católico, mantenía buenas relaciones con el Vaticano y era apoyado por casi todos los miembros de la jerarquía eclesiástica.

Cuando solicité visitarlo en su residencia, contestó enseguida de modo positivo. ¡Vaya sorpresa! Me recibió con tanto afecto que despertó mi incertidumbre sobre su sinceridad. En su despacho, con tazas de café y una gran jarra de agua sobre el despejado escritorio, dijo que había leído *La cruz invertida* y también mi novela previa, *Refugiados*. Me consideraba un buen interlocutor en materia teológica, lo cual también sonaba exagerado. Pero aclaró que no coincidía con todos mis puntos de vista. Ese disenso fue tranquilizador. Contó que acababa de regresar muy decepcionado de un viaje a Cuba; si bien reconocía que aún perduraba la esperanza de que allí nacería un socialismo ejemplar, aquello era un error. No había tal cosa, sino una dictadura y una idealización intensamente machacada. Sintetizó la situación de la isla con una sola palabra: "sovietización". Cuba se había convertido en una reproducción del opresivo régimen estalinista. Lo escuché con interés y cierta incomodidad, porque la alienación ideológica presuntamente izquierdista que envenenó la Argentina de los años sesenta y setenta también había alterado mi propia objetividad.

Expliqué las características del coloquio. Le gustaba que se hablase de diversidad, era un buen antídoto contra las dictaduras —guiñó un ojo. En efecto, durante las sesiones no se limitó a exponer sus ideas sobre el pluralismo religioso, sino que asistió y participó en los debates de las restantes mesas. Su sotana lo hacía notable y su cordialidad infundía cariño. Pronto este obispo se ocuparía de proteger al perseguido jesuita Jorge Bergoglio, que llegaría a cardenal y finalmente a Papa.

Propuse que el coloquio tuviese lugar en un sitio visible y destacado, que llamase la atención. De lo contrario no tendría sentido. Quería meterme en la boca del lobo para limarle los colmillos. Pedí una entrevista al secretario de Cultura de la Municipalidad mediante una recomendación de Koremblit. Por suerte, era civil. Le describí una actividad de alto nivel y útil para los vientos de angustia que barrían el continente. Luego de un cálculo prolongado y varias consultas telefónicas, el funcionario aceptó concederme los salones del flamante Centro Cultural General San Martín.

Inmerso en mi trabajo, no me daba cuenta de que ya ejercía con intensidad mi profesión de político. No había seguido ningún curso regular de aprendizaje. Bueno, ningún político lo hacía entonces, por lo menos en la Argentina. Se aprende al andar. Mis palotes habían comenzado con la lectura de los diarios en las mesas a dos aguas de la biblioteca Jorge Newbery de Cruz del Eje. Después, con libros de historia y las biografías de los grandes héroes. Siguió en la caldera del Centro Teodoro Herzl, donde me enteré de exigencias, frustraciones, mezquindades, logros y negociaciones. Aprendí a callar, hablar, interferir, valorar la construcción del poder y calcular estrategias. Algo de política también ejercí en mis once años en la Clínica Regional del Sud, donde hubo luchas para ocupar cargos directivos o imponer criterios económicos y administrativos. O en mi trabajo de persuasión para publicar la revista de la clínica. O en las tareas como director de la biblioteca Mariano Moreno y la organización de los encuentros culturales. En otras palabras, mi mochila contenía nutrientes.

En octubre de 1976, apenas terminó el coloquio, nació nuestra cuarta y última hija, Luciana. Conseguimos un departamento más amplio en la calle Aráoz y nos trasladamos del barrio de Once al barrio de Villa Crespo, cerca de donde había vivido el novelista Leopoldo Marechal. El living era tan grande ahora que por fin pude instalar mi piano de cola y la mayor parte de mi biblioteca, traídos de Río Cuarto. Estaba en mejores condiciones para invitar a comer en casa a los amigos y las personalidades con las que Marita y yo nos íbamos relacionando.

Mis vínculos con Turkow se degradaron hasta la franca hostilidad. Sólo verme le causaba desazón. Yo concurría a diario para ocuparme de editar un libro sobre el coloquio, tal como se había programado. Una mañana se acercó a mi mesa y dijo sin preámbulos: ¡Váyase, no tiene nada más que hacer aquí! Lo miré fijo, sin responder. Junté los materiales y salí. Otros empleados, que fueron testigos de la escena, quedaron mudos, con el rostro enharinado por la perplejidad. Hice lo que correspondía, es decir hablar con el presidente, secretario y tesorero del CJL, que no cesaban de elogiar mi tarea. Pero evaluaron que no podían despedir a Turkow, que era el director vitalicio de la entidad por su relación con Nahum Goldman. Entonces me recomendaron con palabras dulces, pero inflexibles, que renunciara; seguirían pagando mi módico sueldo por otros tres meses.

Volvió a martillarme el regreso a la neurocirugía, como narré unas páginas atrás. Mis padres ofrecieron ayudarme. El psicoanálisis no aparecía todavía, aunque ya se había instalado a mis espaldas. Entonces sobrevinieron otros sucesos.

Muchos argentinos huían al exterior por razones políticas y uno de esos destinos era la entonces democrática Venezuela. El líder de su comunidad judía me había escuchado en varias ocasiones y propuso que viajase a Caracas para dictar conferencias bien pagas y evaluar mi radicación en ese país. La invitación sonaba tentadora. Prometía cierta aventura, y las aventuras siempre me gustaron.

En Caracas dicté una docena de conferencias sobre diversos tópicos: historia, arte, medicina y literatura. Me visitaron varios exiliados argentinos para enterarse de primera mano sobre la evolución de los acontecimientos en la patria lejana, muchos me entregaron mensajes y obsequios para sus familiares. Algunos eran psicoanalistas. Conocí las vigorosas instituciones que se habían desarrollado en ese país y su rica actividad cultural y educativa, muchas de ellas comandadas por argentinos. Me alojaba en un hotel en cuyos patios abundaban las flores y las jaulas con papagayos coloridos. Fascinaba el verano perpetuo que allí reinaba. El trato que me prodigaron estaba aureolado por una admiración superior a la que consideraba merecer. En firme, ofrecieron que me instalase allí con un jugoso salario. Las dudas mordían fuerte.

Al regresar, en Buenos Aires me hicieron otra oferta. Debido a la grave situación que sacudía al país por la cantidad de jóvenes que eran secuestrados, torturados, asesinados o desaparecidos, la impotente DAIA se desesperaba por abrir canales de negociación con los militares. Era el sector nacional que más habían descuidado. Desde su fundación en vísperas de la Segunda Guerra Mundial por el crecimiento del antisemitismo nazi-fascista, la DAIA apuntó hacia los políticos, los periodistas y los intelectuales. Pero era desconocida en el ámbito castrense. Para corregir semejante carencia publicó un hermoso cuadernillo sobre el general San Martín que se distribuyó gratuitamente en todos los lugares que propuso el Ejército. Ese gesto, aunque pueril, creó simpatía y permitió que por primera vez dirigentes judíos se sentasen a conversar con los altos mandos. Ahora necesitaban llegar a la Marina, porque se sospechaba que en la ESMA terminaba un grueso número de víctimas.

En una reunión con un oficial, la comisión directiva se enteró de que no existían en el país buenas biografías sobre Guillermo Brown, el más celebrado héroe naval. Decidieron encargarme esa tarea y publicar otro cuadernillo dedicado a Brown, precisamente. Me asombró la iniciativa. Nunca había pasado por mi cabeza un proyecto semejante. Además, mis conocimientos sobre ese héroe eran tan escasos que no alcanzaban ni para un artículo. Ofrecieron destinar un par de empleados para conseguirme la bibliografía que necesitase. Mi depresión por el fracaso en el CJL y mi resistencia a mudarme de país con cuatro hijos a cuestas me llevaron a aceptar ese desafío. Significaba zambullirme en un reino extraño. Pero a poco de navegar en las aguas de su vida, Brown creció hasta niveles que habrían entusiasmado a Emilio Salgari, Joseph Conrad o Alejandro Dumas. Su trayectoria era un combate perpetuo, y ese título le aplicaría años después. Al cabo de un intenso primer mes de trabajo avisé que no escribiría un cuadernillo, sino un libro. Contra mis temores, a los directivos de la DAIA les encantó que así fuera. Un libro causaría mejor impresión. Lo terminé en dos meses de trabajo feroz, a razón de más de doce horas diarias.

Fue mandado a imprimir de inmediato. Tuve la buena ocurrencia de reservarme los derechos, para luego poder entregarlo a una editorial comercial. La DAIA hizo llegar la obra a la Marina y esperó con angustia la respuesta. Al cabo de dos semanas fue recibido un mensaje con elogios al libro. Por suerte no advirtieron mis insistencias en el espíritu libertario de Brown, su matrimonio con una protestante y los reproches a las discriminaciones que sufrió en su vida (discriminaciones que eran moneda

346

frecuente bajo esta dictadura). De forma solapada envié mensajes que forzarían una maduración del espíritu, pensé con ingenuidad.

Me avisaron que habría un acto en el Edificio Libertad, de la Marina, para celebrar mi obra. Concurrirían las autoridades de la DAIA y altos mandos de la fuerza. Me amedrentaba la posibilidad de verme rodeado por uniformes, porque en *La cruz invertida* no los había dejado bien parados.

En el sobrio y poco concurrido salón, donde todos permanecimos de pie, se pronunciaron breves discursos en los que, sobre todo, se destacó la calidad literaria de mi trabajo. Según un presunto protocolo, yo no tenía que hablar ni agradecer, lo cual me proveyó de un maravilloso alivio. Tampoco concurrió el temido almirante Massera. La obra fue distribuida por todo el país, pero la fotografía tomada en ese acto sólo fue dada a conocer por los medios de la comunidad judía. La Marina se ocupó de evitar su difusión, porque en el fondo le molestaba un aporte tan judío.

Al poco tiempo tuve tres satisfacciones adicionales. La primera fue un informe confidencial sobre la liberación de una decena de prisioneros que la DAIA había conseguido gracias a los contactos que aceitó mi biografía. La segunda ocurrió en los estudios de Radio Municipal. Allí hablé sobre el almirante Guillermo Brown mientras esperaba turno para la siguiente entrevista el historiador Félix Luna, con quien aún no había desarrollado la amistad que después nos uniría. Tendió su mano y dijo unas palabras que se grabaron para siempre: "Lo felicito, Aguinis, ¡así se deben escribir las biografías!". Años después publicó su magistral *Soy Roca* que —confesó— había recogido el curso novelesco que prevalece en mi Brown. La tercera satisfacción se produjo años más tarde, cuando mi libro fue traducido al irlandés por Bill Tyson gracias al apoyo de la Admiral Brown Society de Dublín con el título *Admiral William Brown, liberator of the South Atlantic.*

Suele decirse que algunos males abren la puerta de una bendición. Así ocurrió con mi expulsión del CJL. De haber permanecido en él, cosa improbable por la picazón que me producía la caquistocracia allí reinante, no habría accedido a otra de mis profesiones centrales, el psicoanálisis. En efecto, mientras escribía mi libro sobre Guillermo Brown, empezó a girar en mi cabeza la perspectiva de incursionar finalmente en la psiquiatría, cosa que me resultó imposible en los comienzos de mi carrera médica, como ya conté. Debía ingresar en su versión moderna, psicoterapéutica.

No voy a repetir la historia de mi nueva formación. Sólo subrayaré que, mientras eso ocurrió a partir de los 42 años, continuaba tocando el piano para mi personal deleite, leía libros de historia y teología junto a los de psicoanálisis, me actualizaba sobre los acontecimientos mundiales, me interesaba en las nuevas corrientes literarias, escribía cuentos y algunos artículos. Hablaba sobre temas prohibidos con Santiago Kovadloff, Gregorio Weinberg, Syria Poletti, León Dujovne, César Tiempo, Marta Lynch, Bernardo Ezequiel Koremblit, Marshall

Meyer, Herman Schiller. Me detengo en Schiller, quien fundó y dirigió el temerario periódico *Nueva Presencia*, donde yo publicaba sobre los temas conflictivos del momento, tanto nacionales como internacionales. Quizás algunos militares pensaban que ese periódico tenía el apoyo del "judaísmo internacional", pero ni siquiera lo apoyaban los amedrentados judíos locales. Schiller era un sionista de izquierda, como yo mismo y la mayoría de los intelectuales judíos de entonces. En uno de mis artículos expresé la esperanza en que después de una reapertura del Congreso Nacional se le rindiera el debido homenaje.

Como ya narré, en 1981, durante plena dictadura, dirigí la revista *Búsqueda,* que a los militares y a los kiosqueros les resultó inquietante. Aún no se había producido la guerra de Malvinas y el gobierno retozaba fortaleza, pero yo me involucraba en política con inconsciente entusiasmo. Incluso enviaba a los diarios artículos que se alejaban de los temas culturales —los únicos que aceptaban publicarme de cuando en cuando—, para rascar los eczemas de la vida cotidiana.

Envalentonado, decidí ir a fondo: radiografiar los aspectos negativos de los militares que estaban destruyendo el país. Hacerles abrir los ojos. Era un ingenuo y suicida intento de conversión. Opté por el género epistolar. Se trataba de una cuchillada con forma de epístola a un general. Un ensayo extenso e incendiario para alguien con buen oído. Hice investigaciones para conocer los detalles que conforman su mundo. Y escribí *Carta esperanzada a un General*. La palabra "esperanzada" no era falsa, aunque el contenido ardía como un brasero. La entregué a mi editorial que, a los pocos días, avisó que no se atrevía a publicarla. Sugerí que consultaran con los abogados. La respuesta era previsible: quizás la editorial no sufriría condena, pero nadie podía garantizar que el autor saliera ileso.

El libro finalmente se publicó. Quizás, para darle menos relieve, en formato pequeño. No obstante, su éxito resultó fulminante. Se agotó la primera edición en menos de un mes y luego siguieron varias, con mayor tiraje. Tímidos comentarios periodísticos distinguieron algunos de sus aspectos, sin entrar en detalles que podrían enojar al gobierno. Los lectores lo devoraban, recomendaban y obsequiaban con una pasión que parecía de otro mundo. Era la bofetada más afrentosa que recibía ese régimen en toda su gestión.

El novelista brasileño Jorge Amado, que gozaba de mucha popularidad por sus coloridas obras, me propuso lanzarla en su país, que también sufría una dictadura. Al poco tiempo, tras haberse entusiasmado y contratar su traducción, la poderosa editorial a la que Jorge Amado me había propuesto decidió retractarse. Lo mismo pasó en España, donde Planeta la iba publicar enseguida, pero su director me envió un triste mensaje diciendo que, lamentablemente, daba un paso atrás porque "el horno no está para bollos": aún sufrían la convulsión del "Tejerazo".

Me dolió la frustración, claro que me dolió. Aunque algunas voces mayúsculas como la de la periodista Magdalena Ruiz Guiñazú haya señalado que fue el libro que más la había impresionado en los últimos tiempos.

M e encontré con el actor Luis Brandoni a poco de su regreso del exilio. Me abrazó entusiasmado por mi obra literaria. Contó que se estaba formando un Centro de Participación Política (CPP) para luchar por el regreso de la democracia. Por el momento no pasaban de diez miembros, pero confiaba en multiplicar ese número rápidamente. Lo dirigía el ingeniero, ex decano y hábil dirigente universitario Jorge Roulet. Brandoni tuvo razón, porque en pocos meses confluyeron brillantes personalidades de casi todo el abanico cultural. Se formaron comisiones muy dinámicas para dibujar proyectos y plataformas con vistas a las elecciones que los militares estarían obligados a conceder. En poco tiempo, las reuniones cincelaron un programa que resucitaba las energías de una democracia en serio. La mejor opción estaba encabezada por Raúl Alfonsín, con quien mantuvimos calurosos encuentros y debates.

Mi país, tras el papelón de Malvinas, avanzaba hacia comicios imparables y cada partido político tenía que definir sus candidatos. El CPP optó unánimamente por Alfonsín. Para beneficiarlo en las elecciones internas, todos nos afiliamos a la UCR, incluso yo, que no había pertenecido a ningún partido político.

El nuevo gobierno instalado el 10 de diciembre de 1983 me designó subsecretario de Cultura. De inmediato junto con el secretario, el dramaturgo Carlos Gorostiza, y los directores de las diversas áreas nos pusimos a confeccionar un plan de cultura para todo el país. Los lineamientos de dicho plan se publicaron con formato de libro y se distribuyeron generosamente. Se realizaron reuniones de trabajo con los secretarios de Cultura de todas las provincias. Corresponde destacar que, con excepción de cinco, todas las demás eran gobernadas por el peronismo. Pero el tratamiento y las ayudas fueron ecuánimes. No se produjo la menor queja en ese sentido. Hasta algunos se burlaban del espíritu "exageradamente" federalista que prevalecía en nuestro gobierno.

Los calumniadores acuñaron el calificativo de "sinagoga radical" para el gobierno de Alfonsín, porque era la primera vez que participaban tantos judíos en el poder Ejecutivo y en el Congreso. Los sindicatos, que al principio mantuvieron el astuto silencio que habían practicado durante el régimen militar, empezaron a sabotear con huelgas y paros desestabilizadores.

Las tareas en la Secretaría de Cultura sufrieron esos embates y se tornaron agotadoras. Gorostiza no las pudo soportar, se enfermó y decidió presentar su renuncia. Entonces me designaron en su lugar y pasé a revistar como secretario de Cultura de la Nación. El hombre de confianza que me asistía en los engorrosos temas administrativos, un experimentado funcionario llamado Nicolás Javaloyes, era rengo, ocurrente y peronista. Pero demostraba su honestidad cuando advertía a tiempo los errores que podían afectar la limpieza de mi gestión y, por ello, le expreso aquí mi gratitud.

D esde varios meses antes, cuando era aún subsecretario, había comenzado a elaborar un ambicioso proyecto llamado "Democratización de la cultura", basado en la enérgica participación de todos los ciudadanos, cualquiera fuese su clase social o ideología política. No habría adoctrinamiento, sino protagonismo. Decididamente opuesto a las tendencias autoritarias. Que cada persona se sintiera importante, valiosa y capaz de aportar, aunque disintiese con el resto. Quería dinamizar las fuerzas que duermen en la sociedad. Lo presenté en la XXIII Conferencia General de la Unesco celebrada en Sofía, Bulgaria. Lo mostré a Octavio Paz en una visita que realizó a Buenos Aires y me felicitó con énfasis. Logré sumar colaboradores del PNUD (Naciones Unidas) y la Unesco. Al mismo tiempo, no descuidaba las demás actividades de la secretaría, en especial las que se realizaban en el interior profundo del país. Cuando me llevaban de regreso a casa al final de la jornada, agotado, solía dormirme en el auto.

Mi desempeño llamó la atención del presidente, quien me invitó a acompañarlo en algunos de sus viajes al extranjero. De todos ellos, sólo mencionaré dos, para no abrumar: Washington y Nueva Delhi. Cuando fuimos a Washington estaba en plena crisis la situación de Nicaragua, que oscilaba entre un idealizado vuelco al castrismo cubano o la democracia liberal. Por desgracia, en el gobierno argentino prevalecía la simpatía por el "izquierdista" Daniel Ortega. Se había caído en el error de verlo como un revolucionario provisto de buenas intenciones. No lo era. Ambicionaba conseguir el poder con el apoyo de la dictadura castrista y gobernar con una corrupta élite pretoriana. En el solemne acto que se realizó en los jardines de la Casa Blanca, el presidente Ronald Reagan se refirió al peligro que significaba para la democracia un triunfo del sandinismo. Lo hizo buscando la solidaridad de un líder indiscutible de la democracia como el presidente Alfonsín. Alfonsín traía su discurso escrito, pero ante las palabras de Reagan, lo guardó en el bolsillo interior de su chaqueta. Ese gesto dejó fría a nuestra delegación. Alfonsín improvisó su respuesta defendiendo el sandinismo, aunque de forma cordial. Admiré su coraje y me llevó tiempo reconocer su error.

Por la noche hubo una recepción en la Casa Blanca. Además de los presidentes, sus esposas y otros funcionarios, apareció la actriz Gina Lollobrigida. Lucía hermosa y simpática, como si no cargase más años de los que tenía en sus películas. Me distancié de Reagan, del que había observado con minucia el cabello negro bien teñido y sus mejillas sonrosadas, para adherirme a Gina. Como era obvio, toda la delegación argentina olvidó el recato y se apretujó a su alrededor para conseguir una foto o sentir el roce de su codiciado cuerpo. Ella sonreía feliz, daba la mano, aceptaba algún beso en la mejilla y permitía que le rozáramos los turgentes pechos y redondas nalgas. Se deshizo el nudo en torno a la actriz cuando sonó la música y Reagan invitó a su esposa a bailar. Aún no se sabía que este hombre pronto iba a cambiar la historia del mundo poniendo fin a la Guerra Fría junto al ruso Mijaíl Gorbachov.

Con respecto al viaje a la India, además de las impresiones que recogí en Nueva Delhi, Vieja Delhi y Agra, podría referirme a la extensa conversación que mantuve con el premier Rajiv Ghandi, hijo de Indira y nieto de Nehru. Este joven gobernante proyectaba una imagen moderna y limpia de corrupción. Su actividad se enfocó en el desmantelamiento de los gravámenes sobre las actividades económicas, la modernización de las telecomunicaciones, el empuje a la calidad educativa, un intenso desarrollo tecnológico y, en el plano internacional, una mejora de sus relaciones con Estados Unidos, lo cual significaba un giro respecto de la tendencia que había impuesto su abuelo Nehru y mantenido su madre Indira. Por desgracia, pocos años después Rajiv fue asesinado.

Por los límites de este capítulo me limitaré a señalar que durante una cena íntima en Nueva Delhi con Alfonsín y unos pocos funcionarios, tras bromas sobre la evolución de la Argentina, el presidente apretó sus puños junto al plato y exclamó dolorido: "¡No quiero fracasar!". Estaba a mitad de su mandato y presentía que los altruistas proyectos no llegarían a un final exitoso. Ya había logrado imprimir prestigio internacional a nuestro país e inauguró una épica vinculada con el respeto a la vida, a las instituciones y a la reconciliación ciudadana. Atrajo lo mejor de nuestros hombres y mujeres. Pero debió pagar un alto precio por actitudes que algunos califican de ingenuas y otros, de coherentes con sus principios. La Argentina arrastraba (arrastra) tendencias autoritarias y perversiones populistas que pueden infectar los mejores planes. La gestión de Alfonsín fue bombardeada por factores internos y externos. De un modo parecido se había frustrado la presidencia de otros grandes mandatarios radicales, como Frondizi e Illia.

Desde antes de asumir, Raúl Alfonsín se reveló como un entusiasta de la cultura, la ciencia y la educación. No escatimó esfuerzos para que esos rubros crecieran con buena musculatura. Convocó al Segundo Congreso Nacional de Educación un siglo después del primero, con el propósito de convertir la educación en política de Estado, pero fue saboteado por las tendencias conservadoras de entonces. Hizo cuanto pudo para repatriar miles de cerebros argentinos dispersos por el mundo. Ordenó, muchas veces en forma personal, que se ejercieran las funciones públicas con mucha probidad, de la que él era el primer ejemplo. Eliminó el apelativo de "Su Excelencia" por el de "señor" o "señora". Derogó la pena de muerte. Suprimió la censura y restableció la irrestricta libertad de prensa. Anuló la atribución gubernamental usada durante el Proceso de expulsar a extranjeros por causas políticas o ideológicas. Lanzó el Programa Alimentario Nacional (PAN) para hacer frente a la desnutrición que afecta a millones de argentinos. Creó decenas de entidades participativas que abarcaban todo el arco social.

Apenas cumplió los primeros cien días de gobierno tuvo el coraje de ofrecer una honesta descripción de la grave situación que asfixiaba al país. No engañaba, no hacía demagogia. Reconocía que enfrentábamos años duros. Y señaló datos como estos: "El producto bruto per cápita es hoy menor que en 1970. La producción industrial actual es menor que la de 1971. Las economías regionales están destruidas. La evasión tributaria es enorme y muchas provincias no alcanzan a pagar el diez por ciento de los sueldos. Es decir —enfatizó—, estamos frente a una pobreza extrema. Nos desafía una empresa heroica que no puede ser llevada adelante por un solo sector, ni político, ni ideológico, ni social. ¡Tiene que ser una empresa de todos!".

Años más adelante, cuando ya era ex presidente y se precipitaba la decisión menemista de reformar la Constitución para conseguir un inmediato segundo mandato, tuvo un gesto al que luego él mismo calificó como "lo mejor y lo peor" que hizo en su vida. El Pacto de Olivos intentaba aprovechar una reforma que se iba a realizar de todos modos, para convertirla en una que no se limitase a autorizar la codiciada reelección presidencial, sino que modernizara las instituciones y reforzara los engranajes de la democracia. Nuevamente predominó su nobleza. ¿También la ingenuidad? Sí, hoy parece que también la ingenuidad.

Mi actividad política no obtuvo el reconocimiento que esperaba. La política enloda y, por lo menos, uno debe sentirse dichoso si emerge de ella limpio de manchas. Mantengo en mi memoria episodios intensos, aunque la mayoría se difuminó, como sucede con los colores en el final del otoño. A menudo me saludan personas que colaboraron conmigo o me cuestionaron, trayendo al presente obras, sucesos y anécdotas con sabor a lejanía. Durante la recuperación de la democracia vivimos una auténtica "primavera cultural". Es mucho lo que sucedió para escribirlo. En esa primavera con aromas embriagantes, matices fuertes y música politonal, también atravesé pasillos engañosos, contemplé obsecuencias indignas, maniobras perversas, goces inmerecidos, premios equivocados. Y, a la vez, descubrí habilidades de circo y méritos incuestionables. ¡Hay de todo en la viña del Señor! Pese a haber dedicado mucho esfuerzo a esa profesión llamada política, no considero haber llegado a ser un político de raza, ni siquiera un buen político; por eso nunca acepté regresar a la función pública ni convertirme en candidato. Cuando en 2003

Ricardo López Murphy se elevaba como probable vencedor de las elecciones, me propusieron acompañarlo como su vicepresidente, iniciativa que ni siquiera permití considerar.

Al finalizar mi gestión regresé al consultorio abandonado y comencé a recibir nuevos pacientes. Casi todos los funcionarios que trabajaron con Alfonsín regresaron a sus tareas: en su mayoría no se habían enriquecido mediante la corrupción, que nunca falta en los gobiernos peronistas (dato que me duele anotar, pero es objetivo). Me encontré con las horas libres que tanto me habían faltado en los años anteriores. Empecé a investigar para una serie de artículos psicoanalíticos, como ya señalé. También a pensar novelas y ensayos que pronto daría a luz y tendrían la suerte de alcanzar tiradas excepcionales (*La gesta del marrano, Elogio de la culpa, La matriz del infierno, Un país de novela, Los iluminados, Las redes del odio, Elogio del placer*). Significaba meterme hasta el caracú en la profesión cardinal de mi existencia, la literatura, que nació en mi pubertad, me acompañó todo el tiempo y confío en que se extienda hasta mi expiración.

Sobre mis novelas y ensayos me referiré más adelante. Hay mucho para decir. Sólo menciono ahora que también empecé a publicar con más regularidad artículos periodísticos sobre diversos temas en medios argentinos y extranjeros, seguí dando conferencias y cursos, mantuve mi interés por las artes, opinaba sobre temas políticos, participé en simposios y congresos nacionales e internacionales vinculados con alguna de mis otras profesiones: medicina, música, historia, religiones. Me parece que me energizaba el perpetuo intercambio dialéctico entre todas ellas.

Pero no quiero saltear lo ocurrido en la última etapa del gobierno de Alfonsín. No me resignaba a que el Programa de Democratización de la Cultura (PRONDEC), creado y puesto en marcha con tanta ilusión durante mi actividad política pública, muriera sin consecuencias. Solicité informes a mis ex ayudantes, redacté varios capítulos, ordené las colaboraciones y edité un volumen completo al que titulé *Memorias de una siembra. Utopía y práctica del PRONDEC.*

Por entonces sufría un acelerado empeoramiento de mis cataratas, en particular del ojo izquierdo. Aún no estaba afinada su cirugía y tuve que esperar. Escribía cerrando el ojo más afectado, lo cual dio motivo a burlas y protestas de Marita y mis hijos. Me acusaban de estar obsesionado por una locura. Pero no me detuve hasta haber concluido la tarea.

"Si me preguntasen cómo leer este libro —anoté en el prólogo—, desaconsejaría hacerlo de un tirón. No es una novela y no es un ensayo. Es el relato de una experiencia psicosocial. Es el testimonio polifónico de una reflexión colectiva sobre actividades provocativas que generaron entusiasmo y esperanza. La curiosidad puede empujar al lector de página en página y de capítulo en capítulo. Pero no habría que deglutir todo de golpe. El volumen contiene mucho de la filosofía que inspiraba al PRONDEC, iniciativas, acciones, propuestas, consecuencias, y numerosos debates, testimonios y protagonistas. Comprime una vasta información que por un lado deslumbra y, por otro, marea."

Después me referí a la floja memoria que caracteriza a los argentinos. "Depredamos alegremente los testimonios como si nos gustara empezar siempre de cero, como si antes —hace poco o hace mucho— no hubiesen acontecido sucesos que basamentan los actuales. Esta aparente urgencia por lo nuevo o fundacional (el cambio) en realidad encubre un miedo al cambio. Sin el registro del pasado, nada se cambia, sino la ilusión."

El presidente Menem, apenas sucedió a Raúl Alfonsín, decidió eliminar los programas participativos, democráticos y antiautoritarios que se habían puesto en marcha, y sobre los cuales yo había hecho imprimir con anterioridad un libro titulado, precisamente, *La participación*. El ADN peronista no estaba interesado en estos programas: prefería la verticalidad. Pero Menem no se atrevió a suprimir el PRONDEC, al menos al principio, porque ya había conseguido un amplio consenso. Aplicó entonces un camino tortuoso, convirtiéndolo en una suerte de comisión de fiestas. Le encargó, por ejemplo, celebrar el aniversario de la recuperación de la democracia. Pero no mucho más. En unos meses pudo arrojarle las últimas paladas de tierra.

De ese modo frustró una iniciativa que tenía diseñada una proyección muy larga. Reconozco que hubo improvisaciones a pesar de los planes y ensayos, desvíos, iniciativas truncas, tareas imposibles que terminaron bien y errores a pesar del esmero. Mucho calor, matices y variedad, como debían ser las endorfinas que pretendían sacar de la modorra a una nación.

Es curioso que después de las elecciones generales en las que ganó Carlos Menem, el PRONDEC continuara con sus actividades. Incluso muchas de ellas tuvieron lugar cerca del límite. Fue recién entonces —algo tarde— cuando políticos y funcionarios comenzaron a descubrir su fecundidad. Citaban mis artículos y alocuciones vinculados con el PRONDEC y que se refieren a los conflictos que brotan en democracia y deben sincerarse, al dolor frente a beneficios que tardan en llegar, el veneno de la queja estéril, los resultados nefastos de la venganza y la necesidad de proteger la libertad de expresión aunque muchos aún le tenían miedo.

En el capítulo que escribió Elvira Ibarguren se narran algunos pormenores sobre sus inicios. Refiere que en octubre de 1985 el entonces ministro de Educación, Carlos Alconada Aramburú, me pidió que viajase a Sofía, Bulgaria, con la delegación argentina que participaría en la XXIII Conferencia General de la Unesco. Allí presenté un proyecto de resolución basado en mi programa, que recibió un amplio apoyo y fue considerado conveniente y oportuno para todos los integrantes de ese organismo internacional. Hubo hasta comentarios periodísticos en varias lenguas. Delegaciones de otros países propusieron darle la mayor difusión posible. El senegalés Amadou-mahtar M'Bow, director general de la Unesco, me recibió en su despacho y recomendó con insistencia a todos los miembros de la entidad. Hacia el final de la conferencia, se lo reconoció como el proyecto más original del evento.

La mezquindad, la miopía o la desconfianza determinaron que la prensa argentina no lo apoyase como convenía. Pero después que el PRONDEC fuera eliminado, sus resonancias siguieron. De él se hablaba también en el exterior. Por dos años seguidos, basados en esa precisa tarea, mi nombre fue nominado por varias delegaciones para el Premio Educación para la Paz de la Unesco.

Cerraré este malabarismo de profesiones poniendo al descubierto el interior de la galera y dando vuelta los guantes. La actividad central, que tardó en imponerse sobre las otras, canibalizándolas sin escrúpulos, fue la literatura. Se nutrió de todas ellas: música, artes plásticas, teología, política, neurocirugía, historia, viajes, psicoanálisis y conferencias en los más diversos ámbitos.

Durante la última tiranía, cuidándome de un arresto, escribí *Profanación del amor*, una novela poética, conflictiva y erótica, con pinceladas de color en los paisajes, las comidas y los sentimientos. Incluso pasándome algo de la raya que exigía el despotismo reinante. Reiteraba el método que usé en mi biografía sobre Guillermo Brown, porque las críticas familiares, sociales y políticas se exponían, pero sutilmente enmascaradas.

En ese tiempo se comenzó a trabajar, desde España, en la conmemoración del V Centenario del Descubrimiento de América. Me aparecieron diversos temas para desarrollar, pero en el interregno, con los febriles avances políticos que aumentaron de forma prodigiosa luego del absurdo conflicto por Malvinas, publiqué la temeraria *Carta esperanzada a un General*, que ya comenté. Luego un volumen de cuentos cuyo título se basó en uno de ellos, *Importancia por contacto*. Enseguida un ensayo que recogía algunos artículos publicados, más otros inéditos, al que llamé *El valor de escribir*, con la intención de advertir las acepciones de la palabra "valor". La recepción positiva que obtuvieron estimuló a mi editorial para lanzar un volumen que recogiera todos mis cuentos conocidos, más algunos de reciente factura. Y se llamó tal cual: *Todos los cuentos*.

Pero en mi cabeza se había instalado la obra que algunos críticos calificaron como la más lograda de toda mi producción. No imaginaba tamaño fruto, sino que me apliqué a él con un entusiasmo tan enloquecido como en las etapas dedicadas a *Refugiados*, *La cruz invertida*, *Cantata de los diablos*, *La conspiración de los idiotas* y *Profanación del amor*.

Desde el comienzo me atrapó un título, que se instaló frente a mis ojos al despertar en una caliente mañana de enero: *La gesta del marrano*. Calzaba con la conmemoración del V Centenario, pero con el propósito de señalar un aspecto cardinal que lo había contaminado desde años antes y muchos después: las persecuciones religiosas y la crueldad del fanatismo. Me habían enamorado las investigaciones históricas que desarrolló con agudeza el polaco Boleslao Lewin sobre un médico del siglo XVII llamado Francisco Maldonado da Silva.

Con el esquema argumental en la cabeza, me puse a investigar. Profundicé en la repugnante trata de esclavos que empezaba en África y desembocaba en las nacientes poblaciones americanas, la explotación de los pueblos originarios para saquear las minas de Potosí, la sobrevivencia de ritos y tradiciones aborígenes, el fasto de las nuevas autoridades llegadas de ultramar, las intrigas palaciegas, el creciente poder de la Inquisición en franca competencia con los representantes de la Corona, la medicina de entonces, las vanidosas élites culturales y el represor poder de las armas. En medio de semejante aquelarre, pululaban judíos que habían sido expulsados sin miramientos de España y Portugal, y habían llegado para descansar de las persecuciones, pero volvieron a sufrirlas con mayor saña. Fueron obligados a ocultar su identidad, sus creencias, sus tradiciones. Y quienes eran descubiertos debían padecer diversos grados de tortura, hasta culminar muchos de ellos en la hoguera. La caza de brujas se puso de moda.

La crueldad no sólo se aplicaba a los transgresores, sino que un generalizado sentimiento de culpa estimulaba a que sacerdotes y buenos cristianos se sometiesen a impiadosas autoflagelaciones. En medio de semejante clima de horror circulaban algunos pocos individuos cuya bondad sobresalía como la cumbre de los Andes por encima del colchón de nubes oscuras y que alcanzaron la beatificación por sus acciones ejemplares. Para conocerlos mejor recorrí librerías dedicadas a temas católicos y busqué las biografías de los santos que habían animado estas tierras en los tiempos de mi protagonista. Brillaban Francisco Solano y Martín de Porres. En Lima vivía Isabel Flores de Oliva, durante los años en que mi personaje allí estudiaba medicina. Mucho tiempo después fue consagrada como Santa Rosa de Lima, la primera santa de este continente. Algunos llegaron a considerarla próxima a la herejía y —ahora confieso— proyecté orientar mi relato hacia un encuentro de ella con mi protagonista, para tomar juntos el té (es decir, una taza de chocolate, por ejemplo, como se estilaba entonces). Pero su relación, aunque fugaz, con un judío encubierto hubiera imposibilitado su beatificación. Además, esa mujer vivía tan aislada que abandoné la idea para no arruinar la verosimilitud que debe exhibir toda novela histórica.

Mi ambicioso deseo de conocer a fondo la época, los paisajes, la ropa, los medios de transporte, las comidas, las bebidas, las celebraciones, las fortalezas y debilidades de las órdenes religiosas, la magia y los ritos primitivos, los debates teológicos de entonces y la secreta rebelión de los pueblos originarios me llenó de libros, folletos y apuntes. Hasta dediqué horas a expurgar la biblioteca de la Facultad de Medicina para conocer detalles de cómo se aprendía y practicaba la clínica y la cirugía de ese tiempo y lugar. Incluso averigüé sobre los juegos de los niños y adolescentes. Todo ese cargamento iba a ser derramado en mi libro, aunque con dosis oportunas y ajustadas, como ya había aprendido en mis obras anteriores. A menudo resumía en pocos renglones el contenido de varios libros. Y a menudo completaba el relato con los impulsos de mi imaginación.

Sentí que no alcanzaba.

Entonces aproveché una invitación de psicoanalistas peruanos para viajar a Lima. Allí absorbí la atmósfera y el panorama donde siglos antes tuvieron lugar los episodios más conmovedores de la historia que estaba a punto de comenzar. No sólo me sirvió visitar el Museo de la Inquisición (que la Iglesia se negó a habilitar hasta principios del siglo XX), sino diversos santuarios y conventos, la estrecha vivienda de Santa Rosa, la imponente Plaza de Armas y sus calles adyacentes e imaginar cada detalle, tal como debía haber sido cuando Francisco Maldonado da Silva estudiaba, fue encarcelado y finalmente quemado vivo en un extraordinario Auto de Fe, el más espectacular de la historia americana.

Sólo me faltaba recorrer El Callao. Ese puerto fue citado en mi biografía de Guillermo Brown y lo imaginaba como una imponente fortaleza. ¡Menos mal que lo visité! Nada de imponencia, sino una chata población. La caminé de un extremo al otro tratando de descubrir el precario hospital donde el padre de mi protagonista fue condenado a trabajar cubierto por el infamante sambenito que delataba su condena. Hacia el sur se extendía la playa. Era amplia y tenía a su izquierda un ancho y larguísimo acantilado. Aturdido por las ideas que me surgieron en esos días, comprimido por el silencio absoluto que sólo invadía el rumor del mar, se me ocurrió que en ese sitio —precisamente en ese sitio— el devastado padre de Francisco se atrevió a confesar las torturas de las que fue víctima mientras permaneció en las cámaras del Santo Oficio.

De regreso en Buenos Aires, mi hijo Gerardo encontró tiempo para procesar los materiales y ordenar las sucesivas versiones que insumieron casi dos mil páginas. Mi amigo Marcelo Polakoff iba en busca de los datos que aún necesitaba y mi editorial, entusiasmada por el proyecto, ofreció que me asistiera en el editing Paula Pérez Alonso, provista de una filosa tijera; era la primera editora que me corregía después de aquel profesor de Córdoba que me ayudó en mi adolescencia con el trabajo sobre *La guerra gaucha*.

L a gesta del marrano vio la luz en noviembre de 1991. Vendió unos pocos ejemplares y la crisis económica que por entonces abrumaba a la Argentina la condenó a muerte. Pero hacia fines de enero dio las primeras señales de resurrección. En febrero se mostró más vital. En marzo retozaba ocupando gran parte de los exhibidores y en abril, para la Feria del Libro, se convirtió en fenómeno de ventas. Saltó al primer lugar de todas las listas de best sellers y allí se mantuvo mes tras mes, hasta sobrepasar el año. Refutaba la convicción de que cuando un libro no impacta al comienzo, termina en el sepulcro.

Pronto fue conocido en otros países de América latina. Lanzaron una edición especial en España. Fue traducido al portugués. Y comenzaron a invitarme desde México, Bogotá, Caracas, Lima, Montevideo, Santiago, Río de Janeiro, San Pablo, Barcelona, Madrid, Israel. Entre esos viajes al exterior para presentaciones y diálogos con críticos y profesores, debí recorrer casi todas las ciudades de la Argentina. Se reproducía el fanatismo que años atrás había provocado *La cruz invertida*. Me sentía incómodo cuando me reconocían en un restaurante o en la calle y me aplaudían o tendían la mano o me palmeaban la espalda. O me paraban para contar cómo los había impresionado la obra y hasta me obligaban a escuchar anécdotas, como la de un hombre que casi chocó debido a que manejaba su auto con un ejemplar abierto sobre el volante. Y la mujer que me detalló cómo, pacientemente, le leía el libro a su madre ciega. Me pidieron la autorización para traducirlo al braille. En las conferencias se formaban extenuantes colas para conseguir mi autógrafo. Las invitaciones a asociaciones profesionales médicas, jurídicas e históricas se sucedían y hasta superponían. Fui nominado al Gran Premio de Honor de la Sociedad Argentina de Escritores no sólo por *La gesta*, sino por la totalidad de mi obra.

Empezaron las traducciones a otros idiomas: búlgaro, hebreo, chino, alemán, japonés. Pero no al inglés, lengua que permite la mayor difusión. Casi la publicó Editorial Knopf, pero una crisis económica en Estados Unidos (también las tienen) impidió concretarla.

La gesta aún espera su traducción al inglés, francés e italiano. Aquí corresponde señalar y agradecer a numerosas personas que se han esforzado por conseguirlo, y no lo lograron. Como afirma el lugar común, todavía no le tocó la suerte.

Pero sería injusto quejarme. Ahora califican esa obra de long seller por la persistencia del interés que suscita, además de los numerosos estudios de calidad y larga extensión que se le han hecho en diversos ámbitos académicos y críticos de numerosos países, también de Estados Unidos, Francia e Italia. Corresponde señalar los intentos por llevarla al cine. El más notable se lo debo a Claudia Gvirtzman, que dobla las películas de Steven Spielberg al castellano y entregó el manuscrito de Di Giovanni a Kathleen Kennedy, su principal productora. Pero la versión de di Giovanni la desilusionó, como era de esperar. El compositor Lalo Schifrin fue otro de los entusiastas en buscar su filmación, así como el productor Emiliano Calemzuk.

Después de la agitación que significaron la escritura y la popularidad de *La gesta del marrano*, me sobrevino un período de esterilidad creativa. Por suerte fue corto, porque los acontecimientos locales y universales me llevaron a suponer que se había debilitado la culpa, como sucedió en las guerras mundiales y las guerras posteriores. La crueldad, el asesinato y las devastaciones, que se justificaban con racionalizaciones impúdicas, me hicieron reflexionar sobre un mecanismo que en las psicoterapias tiende a morigerarse.

Poco a poco floreció mi inspiración y encontré una forma distinta de llegar con energía al lector. En lugar de componer un ensayo cargado de citas, decidí que la culpa se presentase como una maravillosa mujer. Se llamaría con mayúscula y hablaría en primera persona, con desenfado. Incluso intentaría seducir mediante la apetitosa danza de los siete velos. Cada velo que cae desnuda alguna de sus características. Son terribles, pese a que la Culpa los edulcora con pícara habilidad. Al libro lo titulé *Elogio de la culpa*. Era temerario. ¿Cómo elogiar algo que se condenaba como una patología? Entonces redacté un prólogo que llamé "dis-culpa". El proyecto era difícil y demandaba zambullirme en aguas profundas, aunque —como narré hace tiempo— no sabía nadar.

Me puse a escribir. En el año 1992 se desarrolló una vertiginosa actividad en todos los frentes de la política y la cultura. También desbordaron los actos de violencia en varios países, aumentó significativamente la xenofobia y renació, desprovisto de careta y pudor, el nazismo. La corrupción mostraba su presencia fétida en la mayor parte del mundo. Hezbollá, con el apoyo económico e intelectual de Irán, atentó contra la embajada de Israel en Buenos Aires dejando decenas de muertos, judíos y no judíos. Dos años más tarde repitió el crimen mediante otro atentado suicida contra la AMIA y la producción de muchas más víctimas. Fueron los primeros ataques terroristas cometidos en el continente americano, mucho antes de apuntar contra las Torres Gemelas. Es un dato que no podemos olvidar.

Yo sabía que la culpa no tiene misericordia y abusa de su fuerza; que mucha culpa es intolerable. Pero la ausencia total de culpa hunde al nivel de la canalla. Entonces decidí dejarla hablar sin tapujos. Que diga cuanto quiere y sabe, aunque irrite y subleve. Transcurrieron cuatro meses de trabajo sistemático en medio del vértigo que producían sus reflexiones, su información, sus bromas, sus pruebas, sus ironías. No sé si me hablaba a mí o a otro. Pero hablaba. ¡Cómo hablaba!

Se lanzó una primera y abultada edición. El notable éxito estimuló nuevas ediciones, incluso una de lujo que reproduce en tapa la klimtiana pintura de Léon Bakst.

Incrementé las horas dedicadas a escribir. Nadaba en mi profesión culminante, quizás la última, quizás la principal. Me imponía no abandonar un proyecto hasta llegar a la última página, aunque los bostezos me obligaran a tomar un descanso. Describo semejante actitud sin vanidad. Al contrario, me parece insalubre. Responde en forma servil a una exigencia irracional. Esto me lo hizo ver Marita y luego Nory. Pero ambas han reconocido que tras varias horas de trabajo suelo emerger con ganas de vivir: jugar con hijos y nietos, encontrarme con amigos, bromear, pasear, comer, reír.

Publiqué *Un país de novela*, donde disequé los laberintos, contradicciones, paradojas, bellezas y catacumbas de la identidad argentina, además de su permanente estado de tensión. Fue tan grande su impacto en las librerías y en diversos círculos de opinión que un periodista dedicó los minutos del inicio y el final de los partidos de fútbol, así como los entretiempos, para leer extensas parrafadas. Se vendieron avalanchas de ejemplares. Pero cuando la editorial tuvo que pagarme, la crisis económica que padecía el país con incesantes devaluaciones redujo a polvo mi ganancia.

Otro ensayo que también redacté con taquicárdica inspiración fue *El atroz encanto de ser argentinos*. Impactó tanto o más que mi ensayo precedente. Enseguida lo tradujeron al portugués y tuvo el honor de ser leído por el presidente Fernando Henrique Cardoso, quien me invitó al palacio de Planalto, en Brasilia. Mi asombro era extremo. Pero la mayor sorpresa se produjo cuando el mismo presidente realizó una impactante presentación.

Entonces, como no estaba todo dicho, escribí *El atroz encanto de ser argentinos 2*. Había intentado coronarlo con otro título, pero la editorial insistió en aprovechar el prestigio que ya había consagrado el volumen previo. Allí me despaché con nuevas descripciones, anécdotas y hasta un dolorido humor.

Alterné estos trabajos con ambiciosas novelas: *La matriz del infierno* y *Los iluminados*. Ambas fueron escritas tras una exhaustiva investigación. Viajé y recorrí diferentes geografías con los sentidos bien abiertos, hablé con testigos reales, busqué documentos, interrogué a quienes podían funcionar como personajes, caminé por los ondulantes corredores de historias y leyendas, sufrí las crueldades que debía narrar con sádico pormenor. Y, piso por piso, fui levantando dos rascacielos que debían ser coloridos y sólidos. Durables. Y muy distintos entre sí. A lo largo de su composición sufrí mucho, pero también gocé. Acumular y procesar los materiales, descartar los tramos prescindibles, buscar el mejor equilibrio, me revolvía los pensamientos de día y de noche. Fueron dos novelas con personajes muy humanos, cargados de pasión, por momentos contradictorios, queribles y repugnantes. Cada una de esas novelas, pese a otras actividades que me consumían tiempo, demandaron alrededor de dos años y medio. Miradas a la distancia, me parece que no fue tanto.

Por otra parte, el efecto de mis ensayos anteriores, pese a haber alcanzado un vasto público, no me pareció suficiente. No había logrado el impacto que mi idealismo buscaba. Entonces deduje que debía aplicarme a brindar soluciones en lugar de describir virtudes (escasas) y defectos (numerosos). Recurrí a un famoso título leninista: *¿Qué hacer?* Allí desarrollé un catálogo de las medidas que debían aplicarse para salir del fango, la parálisis, la decadencia. Procuré ser transparente y lucir animado. Avelino Porto, rector de la Universidad de Belgrano, no sólo me entrevistó en su programa televisivo, sino que conversó largo conmigo hasta que decidimos crear un Foro del Bicentenario, destinado *a hacer*. Se venía el bicentenario de la Revolución de Mayo y nos entusiasmó la perspectiva de arrancar un potente motor. Convocamos las mejores cabezas argentinas con el fin de alcanzar un consenso en materia de políticas de Estado, tal como proponía mi libro, y conseguimos una numerosa respuesta. Se efectuaron reuniones periódicas, donde se involucraron decenas de participantes. Quizás soñábamos con que tejíamos historia. Hasta recibimos visitas de políticos destacados. Pero la historia marchaba por otros valles. *¿Qué hacer?* alcanzó varias ediciones, pero no mucho más que eso.

Para dar reposo a mi espíritu, que no dejaba de oscilar entre la ansiedad e intervalos de relajación (como debe ocurrir a mis lectores), elegí como tema de un nuevo ensayo algo que parecía menos conflictivo: *Elogio del placer*. Lo redacté en poco tiempo. Como sugiere el mismo título, procuré que me asistiera, cual odalisca inteligente, el clima del goce. Creaba, pensaba, reordenaba párrafos y pulía el texto hasta que el cansancio me marcaba la hora de interrumpir. Cuando tuve listo el mamotreto fui a mi editorial que, enseguida, dispuso dedicarle un formato especial, infrecuente ya en la Argentina, con tapas duras de color chocolate y una faja dorada. El libro debía parecer una caja de bombones.

Pero en medio de acontecimientos locales y mundiales seguía abierta la herida criminal de los dos atentados cometidos en Buenos Aires. Pasaban los años y ambas atrocidades seguían impunes. Para contribuir a su esclarecimiento o, por lo menos, estimular las investigaciones que llevasen a buen puerto, trabajé otra novela basada en hechos reales a instancias de mi agente Guillermo Schavelzon. Como los asesinos son suicidas fanáticos que esperan ser recompensados en la otra vida, la llamé *Asalto al Paraíso*. Ya en ese título estaba expuesta la crítica bajo una forma de oxímoron, porque el Paraíso no se vislumbra como la recompensa a buenas acciones, sino a la crueldad y la muerte. Las buenas acciones, paradójicamente, consistían en destruir vidas creadas por el Dios al que se pretendía satisfacer. Era un asalto indebido. En el

Corán, cada sura o capítulo empieza diciendo "en nombre de Alá, el clemente, el misericordioso". Pero esto es marginado de forma escandalosa. Hasta los clérigos que se la pasan estudiando ese libro lo olvidan. Las palabras "clemente" y "misericordioso" deberían ser la brújula de una prédica firme, no de una simple letanía. Exigen condenar la inclemencia y la falta de misericordia. Descalificar el terrorismo.

Para esa novela también tuve que proveerme de una caudalosa información. La procesé y equilibré. Era una denuncia clara que se apoyaba en fuentes fidedignas. Además, ponía en evidencia la psicosis que aniebla la mente de los asesinos que se quitan la propia vida para destruir la de muchos otros a quienes ni siquiera conocen. Y no tienen en cuenta que, por ser creyentes, cada vida es obra de Alá. En otras palabras, destruyen la obra de Dios.

Mi vida personal se había por fin reordenado al unirme con Nory, una mujer sensible, con rica personalidad, muy amada por sus amigos, conocedora del arte e incansable lectora. Tiene el mérito de ser más sociable que yo, lo cual me ayuda para salir del aislamiento al que suelo resbalar. No detallaré todas sus virtudes sino algo que parece menor, pero me causa agrado: verla cortar flores y arreglarlas amorosamente en un jarrón o un vaso; también, si estamos en tierras fértiles, gusta recoger y saborear frutos silvestres. En poco tiempo estableció vínculos cariñosos con mis hijos y nietos, y me ayudó a proceder de igual forma con los suyos.

Recibí una invitación de la American University de Washington para dictar un curso de literatura durante un año. Hacía tiempo que no ejercía mi profesión docente. En ese período aproveché los momentos libres para escribir otra novela histórica: *La pasión según Carmela*. Me inspiró Nancy, la mujer del diplomático y traductor sueco Peter Landelius. Ella había nacido en Cuba y padeció muchos de los momentos impresionantes que narra esta novela. Por razones obvias me desvié de su biografía real, pero esa biografía real me brindó las necesarias apoyaturas para ser objetivo y pintar un electrizante fresco de la revolución cubana, su fiesta y su declinación. En los diversos enfoques sobre acontecimientos y protagonistas, así como sus ideales y perversiones, construí "un romance conmovedor" (ese fue el calificativo que más se repitió).

Otra invitación nueva, esta vez del Woodrow Wilson Center de Washington, me permitió prolongar mi estadía en esa capital, conversar con Hillary Clinton, el presidente de Afganistán, altos dirigentes libaneses y muchos políticos de América latina, los Estados Unidos y Europa. También recibir clases sobre Zoroastro y reactivar mi nunca dormida pasión teológica. Antes de terminar presenté un ensayo sobre las causas de la hostilidad que reina en gran parte del mundo contra los Estados Unidos.

Al regresar percibí que en la Argentina empeoraba la situación por causa del gobierno populista que encabezaba el matrimonio Kirchner. Los males eran evidentes, aunque muchos ciudadanos, alienados por la intensa propaganda, seguían ciegos. Crecía la corrupción con escandalosos enriquecimientos a costa del Estado, una alarmante decadencia de la justicia, el ascenso de la impunidad delictiva, un sometimiento del Poder Legislativo que se resignaba al rol de escribanía, claras restricciones a la libertad de prensa, disminución de la productividad por causa de las dirigistas políticas económicas, aumento de la pobreza, crecimiento sin precedentes del narcotráfico, carencia de inversiones en infraestructura, descenso alarmante en la educación, aumento de la delincuencia y la inseguridad, atraso sanitario, alza sostenida de la inflación hasta convertirnos en el país con más alto porcentaje del mundo después de Venezuela. Aquí no terminaba la lista. Pero en ese momento terminó mi paciencia y me puse a redactar un texto incendiario al que titulé *¡Pobre patria mía!* No era sólo un ensayo: era un grito visceral. Por eso decidí incluirlo en el género de los panfletos. Y con ese calificativo salió a la calle.

Mientras, a nivel internacional, crecía el Leviatán del odio. Su apocalíptica sombra continúa dilatándose de modo irrefrenable. Las brutalidades que parecían haber terminado con el siglo XX volvieron a instalarse: genocidios étnicos, guerras religiosas, fundamentalismos delirantes, arcaicos nacionalismos, clérigos fanatizados, criminales convertidos en líderes. Me concentré en una obra que enfocara todo esto, mostrando las falacias, la hipocresía y la alienación de las que se alimentan. Dudé mucho con el título, hasta que elegí *Las redes del odio*. *Odio* y *redes* porque inmovilizan. Con la prosa más fluida que pude manejar, fui componiendo un catálogo de los males que inflige. También ofrecí remedios. Pero no siempre se los acepta, como ocurre con los microbios que se resisten a los antibióticos.

Casi de inmediato siguieron más novelas: *Liova corre hacia el poder* (que en ediciones mexicanas se llamó

Aventuras del joven Trotsky) y *La furia de Evita*. Cada una de ellas representó un trabajo gratificante. Recorrer esas vidas con sus tiempos, sus paisajes y su energía me brindó muchas horas de felicidad. Tanto los segmentos dramáticos como los victoriosos, los sueños magníficos y las pesadillas, me estimularon a construir las frases más precisas, bellas o impactantes. No siempre un autor queda satisfecho con su tarea, pero considero que esas novelas, así como todas las que sucedieron a *La gesta del marrano*, me fueron dadas con generosidad desde el fondo de mis recursos, muchos de los cuales siempre permanecen en agujeros negros.

Por último nació *Sabra, solo contra un imperio*, en colaboración con Gustavo Perednik. Fue la primera —quizás la última— ocasión en que escribí una novela a cuatro manos. Su redacción demandó mucho esfuerzo, no sólo para armonizar el estilo, sino para graduar la información y mantener el suspenso a lo largo de una historia que no debía exceder el formato de un libro común. Considero que, al margen de la calificación que merezca su calidad literaria, es una buena contribución para recuperar un tramo decisivo de la historia. Un tramo de extraordinaria elocuencia. Se refiere a las últimas décadas del imperio otomano, en el que comienza el utópico renacimiento del Estado judío en su territorio original. De eso se sabe y se habla poco. Y debería explorarse más.

Tengo conciencia de que me salteo una descripción más detallada de cada uno de los libros mencionados, así como sus múltiples motivaciones y anécdotas relacionadas con la etapa previa a su redacción, los avatares ocurridos durante las horas dedicadas a escribirlos y los sucesos o consecuencias que tuvieron después de publicados. Pido disculpas por ello. O quizás no deba hacerlo, porque ya vengo abusando de la paciencia que me regala el lector.

Al principio no quería que este libro fuese una autobiografía. Por eso no he dado el debido espacio que correspondería a Marita y luego a Nory. Tampoco me he referido, como merecen, a mis hijos Herman, Gerardo, Ileana y Luciana, que no cesan de asombrarme. Ni a mis nietos Martín, Michelle, Ari, Marina, Hannah, Naomy, Uri y Mijal, ni mis nueras y yernos, ni los demás integrantes de mi colorida familia, ni mis queridos amigos. El propósito central era hablar sobre la magia (o fiesta) de las profesiones que ejercí a lo largo de mi existencia y compartir algo, sólo algo, del anecdotario que se acumuló en mi memoria. Pretendí revelar qué caracterizó a cada una de esas profesiones, sus relumbrones y cavernas, sus complejidades y demandas, sus placeres y conflictos, las satisfacciones y las angustias. Pese a mis buenos deseos, no creo haberlo logrado plenamente. En la vida casi nada se logra plenamente.

Durante un buen tramo de la redacción me parecía que iba a conseguirlo. Pero andando renuncié a ese propósito, destruí lo escrito y empecé de nuevo. Las mías —y las de nadie— no son profesiones en abstracto, sino las de un individuo en particular. Que, por cierto, contienen el cielo y el infierno. Además, entendí que contribuye a la sinceridad del texto incluir también información que pueda resultarme incómoda e incluso lastimar mi pudor.

No me resigné a la cronología que pone orden, pero aleja de las emociones. El caos relativo de estas páginas refleja cómo los asuntos avanzan y retroceden, se articulan y dividen, se abrazan y repelen en base a factores más ligados al inconsciente que al manejo de una técnica.

Me he referido a profesiones ejercidas con pasión. También a las que toqué de costado y quizás no merecen llamarse profesiones. Pero las hay centrales, esas que no puede eludir nadie. Me corrijo: casi nadie, porque muchos ni alcanzan a enterarse de su existencia. Son las profesiones de hijo, nieto, sobrino, hermano, primo, amigo. Las profesiones de esposo, padre, yerno, cuñado, tío, suegro, abuelo. Quizás las últimas alcanzan mayor trascendencia y ponen sal y miel a la vida.

Con las anécdotas que acumulo solamente de mis hijos ya me sobra para escribir otro libro. Y las anécdotas más desopilantes aún del resto de mi familia, quizá una docena de libros. Allí relumbran todos los colores, dolores, alegrías y absurdos. Pero me frenan los escrúpulos. Por ahora...

Como se suele aconsejar en el oficio de escribir, un libro debe ser releído por su autor antes de entregarlo a la editorial. Lo acabo de hacer. Y me ha vuelto a conmover que haya empezado de esta forma:

A los nueve años vi llorar a mi padre por primera vez. Era mi modelo, casi un dios. Jamás se había quebrado delante de mí. Exhibía musculatura en los brazos y cargaba sobre su espalda roperos, mesas y sofás de la mueblería. Superaba en fortaleza a los dos empleados que lo asistían. Parecía Sansón, aunque petiso, semicalvo y cariñoso, de grandes y melancólicos ojos negros, que escuchaba con respeto a quienes consideraba más informados. Solía despertar sonrisas durante paseos y comidas con inesperadas ocurrencias. Pero nunca había llorado.

¡Hasta que lloró!

Ahora, también a mí me brota una lágrima.

LIBROS POR ORDEN DE APARICIÓN

Maimónides, un sabio de avanzada (novela, Buenos Aires, IWO, 1963).

Refugiados: crónica de un palestino (novela, Buenos Aires, Losada, 1969).

La cruz invertida (novela, Barcelona y Buenos Aires, Planeta, 1970).

Cantata de los diablos (novela, Barcelona y Buenos Aires, Planeta, 1972).

Brown (biografía novelada, Buenos Aires, DAIA, 1977).

Operativo Siesta (cuentos, Buenos Aires, Planeta, 1977).

La conspiración de los idiotas (novela, Buenos Aires, Emecé, 1978).

El combate perpetuo. Vida de Guillermo Brown (la misma biografía novelada y corregida, Buenos Aires, Sudamericana-Planeta, 1981).

Profanación del amor (novela, Barcelona y Buenos Aires, Planeta, 1982).

Carta esperanzada a un General. Puente sobre el abismo (ensayo, Buenos Aires, Sudamericana-Planeta, 1983).

Importancia por contacto (cuentos, Buenos Aires, Planeta, 1983).

El valor de escribir (ensayo, Buenos Aires, Sudamericana-Planeta, 1985).

Y la rama llena de frutos (cuentos, Buenos Aires, Planeta, 1986).

Memorias de una siembra. Utopía y práctica del PRONDEC (ensayo, Buenos Aires, Planeta, 1990).

La gesta del marrano (novela, Buenos Aires, Barcelona, Bogotá y México DF, Planeta, 1991).

Elogio de la culpa (ensayo, Buenos Aires, Planeta, 1993).

Todos los cuentos (cuentos, Buenos Aires, Planeta, 1995).

Nueva carta esperanzada a un General (ensayo, Buenos Aires, Sudamericana, 1996).

Diálogos sobre la Argentina y el fin del milenio (ensayo, en coautoría con monseñor Justo Laguna, Buenos Aires, Sudamericana, 1996).

La matriz del infierno (novela, Buenos Aires, Sudamericana, 1997).

Nuevos diálogos. Una mirada humanista sobre los grandes temas (ensayo, en coautoría con monseñor Justo Laguna, Buenos Aires: Sudamericana, 1998).

Un país de novela. Viaje hacia la mentalidad de los argentinos (ensayo, Buenos Aires, Planeta, 1998).

Los iluminados (novela, Buenos Aires, Atlántida, 2000).

El cochero (ensayo, en coautoría con Jorge Bucay, Buenos Aires, Atlántida, 2001).

Las dudas y las certezas. Diálogos completos (ensayo, en coautoría con monseñor Justo Laguna, Buenos Aires, Sudamericana, 2001).

El atroz encanto de ser argentinos (ensayo, Buenos Aires, Planeta, 2001).

Las redes del odio (ensayo, Buenos Aires, Planeta, 2003).

Asalto al Paraíso (novela, Buenos Aires, Planeta, 2003).

¿Qué hacer? Bases para el renacimiento argentino (ensayo, Buenos Aires, Planeta, 2005).

El atroz encanto de ser argentinos 2 (ensayo, Buenos Aires, Planeta, 2007).

La pasión según Carmela (novela, Buenos Aires, Sudamericana, 2008).

¡Pobre patria mía! (ensayo, Buenos Aires, Sudamericana, 2009).

Elogio del placer (ensayo, Buenos Aires, Sudamericana, 2010).

Liova corre hacia el poder (novela, Buenos Aires, Sudamericana, 2011).

La furia de Evita (novela, Buenos Aires, Sudamericana, 2013).

Sabra, solo contra un imperio (novela, en coautoría con Gustavo Perednik, Buenos Aires, Sudamericana, 2014).